Knaur

Von Roland Mueller sind außerdem erschienen:

Der Goldschmied
Das Schwert des Goldschmieds

Über den Autor:

Roland Mueller, 1959 in Würzburg geboren, lebt mit seiner Frau in der Nähe von München. Sein erfolgreiches Debüt »Der Goldschmied« sowie der Nachfolger, »Das Schwert des Goldschmieds«, weisen ihn als Meister des historischen Romans aus.

Roland Mueller

Der Fluch
des Goldes

Roman

Knaur

Besuchen Sie uns im Internet:
www.knaur.de

Originalausgabe 2002
Copyright © 2002 bei
Droemersche Verlagsanstalt Th. Knaur Nachf., München
Alle Rechte vorbehalten. Das Werk darf – auch teilweise –
nur mit Genehmigung des Verlags wiedergegeben werden.
Redaktion: Ilse Wagner
Umschlaggestaltung: ZERO Werbeagentur, München
Umschlagabbildung: Collage unter Verwendung eines Bildes
von Cesare dell' Acqua
Satz: Ventura Publisher im Verlag
Druck und Bindung: Clausen & Bosse, Leck
Printed in Germany
ISBN 3-426-62132-0

2   4   5   3

Prolog

Kommen werden in späteren Zeiten Jahrhunderte,
in welchen Oceanus die Fesseln der Elemente lockern
und ein ungeheures Land sich ausbreiten und Tethys
neue Erdkreise bloßlegen und unter den Ländern
nicht mehr Thule das äußerste sein wird.

Seneca

Diese Aufzeichnungen, welche zugleich zum Schiffs-
tagebuch geschrieben, berichten von meiner Reise
in das Land über dem Meer
im Jahre 1518 a.D.
Diese Zeilen schreibe ich in der Hoffnung, meine Dame,
Doña Ines de Navarra, versteht, warum ich meine Ge-
danken immer mit ihr beginne. Dies erscheint angesichts
der großen Sünde, die wir beide vor Gott begangen haben,
verwunderlich.
Aber ich konnte und kann auch jetzt nicht anders.
Denn ich wollt immer ein Mann von Ehre sein.
Diese Mission ad partes America ist mir in seiner Größe als
Aufgabe groß genug, um Buße zu tun und meine Ehre wie-
derherzustellen. So begebe ich mein Leben in Gottes Hand,
in der Hoffnung, dass mir meine edle Dame genauso wie all
jene aus meinem Geschlecht nicht gram oder verwundert
darüber sind, wie ich meiner Aufgabe und Bestimmung
nachgekommen bin, als da wäre:
Ein ganz besonderes Land für Spanien zu suchen und zu
erobern, dieses Land in Besitz zu nehmen, die Heiden in
jenem Land zum wahren Glauben zu bekehren und fürhin
Christen zu mehren, für unseren neuen Herrscher

– Karl –
von Gottes Gnaden
König von Kastilien, von Léon, von Aragonien, von Sizilien,
von Granada, von Toledo, von Valencia, von Galicien,
von Mallorca, von Sevilla, von Sardinien, von Cordoba,
von Corsica, von Murcia, von Jaèn, von Algarbien,
von Algeciras, von Gibraltar und von den
Kanarischen Inseln;
Graf von Barcelona, Landesherr von Biscaya und Molina,
Herzog von Athen und Neopatria; Graf von Roussillon und
Cerdagne; Markgraf von Oristano und Gocinao, etc. etc.

I. Teil

Im Vorgeschmack des Reichtums wollen sie
sich nicht aufhalten, die vielen Menschen
aus christlichen Landen …
jene, die zu Fuß hinkamen, werden Ritter,
das Gold und Silber, wer könnte es zählen?

Mìo Cid

»Das Gold ist überaus vortrefflich;
aus Gold macht man Schätze,
und wer es hat, der macht mit ihm alles,
was er in der Welt nur will;
selbst die armen Seelen kann es
ins Paradies bringen.«
Christoph Kolumbus, 7. Juli 1503

Genuensis, ergo mercator! –
Genuese, also Kaufmann!

Agustín ist ein Feigling.

Immer wenn er pissen muss, stellt er sich so, dass er nicht in den Urwald schaut. Dafür hab ich ihn ausgelacht. Aber dies ist ihm gleichgültig. Er fürchtet den Wald wie die meisten von uns. Ich fürchte ihn nicht, denn ich stamme aus einer armen Gegend hoch oben in der Extremadura, dort wo das Königreich Kastilien beginnt. Da ist ein Baum selten genug und beizeiten ein feiner Anblick. Neun Monate lang dauert der Winter und drei Monate der Sommer. Immer sind die Winter von furchtbarer Kälte, dafür sind die Sommermonate glühend heiß und trocken. Deshalb ist dieser satte Wald, der sich hier entlang der Küste des neuen Landes in beiden Richtungen erstreckt, ein so feiner Anblick für mich.

O ja, Agustín ist ein Feigling.

Und ein Großmaul ist er noch dazu. Jetzt bepisst er sich auch noch sein Beinkleid! Weil ihm sein eiserner Panzer viel zu groß ist und auf sein Gemächt drückt. Aber ausziehen will er den Eisenpanzer auch nicht. Er glaubt, wenn er ihn trägt, kann ihm kein Getier oder mancherlei Unbill etwas anhaben.

»Du hast dich vollgepisst«, sage ich.

Er grunzt nur und spuckt mit üblem Geräusch aus. Ich weiß nicht, worüber ich lieber lästern möchte. Dass er nicht einmal pissen kann wie ein Mann oder dass er ausspuckt wie ein kranker Esel.

»Willst du Streit, Luis?«, fragt er mich.

Diese Frage stellt er mir jedes Mal, wenn ich etwas sage, was ihm nicht genehm ist. Willst du Streit, Luis? Einerlei, soll er dies nur tun. Die Tage hier sind viel zu heiß, um sich zu streiten, und solcherlei Streit mit dem Schwert auszufechten hat Seine Exzellenz verboten. Dennoch, nicht nur ich frage, was einem *tercio*, einem Söldner, noch als Spaß bleibt?

»Ach, leck mich doch«, sage ich und schüttele den Kopf.

Die Hitze ist, weiß Gott, unerträglich. Dies ist schlimm, haben wir doch zu wenig frisches Wasser. Das, was wir seit vielen Wochen trinken, macht uns alle krank, obwohl wir es mit Essig mischen. Es löscht wohl den Durst, bringt aber oft genug schreckliches Magengrimmen. Dies lässt des Nachts kaum einen von uns mehr richtig schlafen. Von den *compañeros* muß beinahe ein jeder um seine Eingeweide fürchten. Denn wer auf den Abtritt geht, hält nichts lange von dem, was er gerade gefressen hat. Aber was wird sein, wenn uns der Essig ausgeht?

Wir leben so recht und schlecht vom Rest der Vorräte, aber *mater delarosa*, dies sind wahrhaftig keine Gaumenfreuden! Das schwarze Brot kann ich nur beißen, wenn ich nicht auf mein Stück hinsehe, und das Pökelfleisch aus den letzten Fässern verbreitet einen üblen Gestank. Dazu ist alles voll Schimmel. Aber es gibt zu wenig ringsum, was man in diesem vermaledeiten Wald jagen könnte.

Also fressen wir das Brot und das Fleisch.

Ein eintönigeres Leben als jetzt kann man kaum führen.

Wir stehen hier Wache, Agustín und ich, am Rande dieses Urwalds. Denn alles, was den Aufbau unserer kleinen Festung stören kann, ist unser Feind. Vielleicht irgendwelches Getier, wovon weder in Spanien noch in der restlichen Welt irgendjemand eine Ahnung hat? Vielleicht auch Wilde? Heiden! Indios, wie sie genannt werden.

Also wachen wir über unsere Kameraden, fündunddreißig an der Zahl, fünf Tage lang, während diese in der Hitze schuften. In den nächsten fünf Tagen sind wir beide dran, und dies behagt mir keineswegs! Wir werden in der Sonnenglut schwitzen, und wir werden stinken. Und bei allen Heiligen von Córdoba, Agustín stinkt mehr, als meine Nase vertragen kann, und ich muss ihn riechen. Ihn, der Wasser nicht

14

mag. Zum Trinken nicht und auch nicht, um sich zu waschen. Ich weiß selbst, dass ich keiner von jenen feinen Herren bin, die sich jede Woche einmal den Leib waschen, gar den ganzen Körper baden, die feine Seide statt grobem Tuch tragen und die sich den Bart jeden Tag stutzen, auf dass kein Härlein vorwitzig vorsteht. Zu Hause, bei meinen Leuten, nehm ich ein Bad im Fluss nur zu den großen Festtagen unseres Herrn Jesu Christi oder wenn mich ein Fieber befallen hat und nicht weichen will. *Maledito*, Agustín stinkt so übel, dass es mir fast den Atem raubt.

Wir teilen uns die Wache. Ich weiß wohl, dies ist nicht erlaubt. Der Conde drohte jedem Mann mit schwerer Bestrafung, sollte einer von uns seinen Posten verlassen oder gar dabei einschlafen. Ich weiß genau, der Mann tut, was er uns laut angedroht hat. Es ist ihm ein Vergnügen gewesen, Männer auf See kielholen zu lassen, um ihnen zu sagen, wer Erster war an Bord der Aragón.

Aber wir wissen alle, dass der Conde eine unerklärliche Furcht vor den Indios hat. Er hat alle Reisebeschreibungen des *Colón* gelesen, der von den *Kariben* berichtet. Wie sie ihre Gefangenen schlachten, um sie zu verzehren wie Wildbret. Wie sie die Ohren und Zungen ihrer Opfer über dem Feuer räuchern und das Fleisch, das sie nicht fressen, mit anderen Sippen tauschen. Ja, und selbst Kinder mästen sie für ihre heidnischen Feste, um sie dann zu schlachten. Aber hier gibt es keine Menschen fressenden *Kariben* und keine Indios. Zumindest haben wir noch keine gesehen oder Spuren von ihnen entdeckt.

Aber nicht nur der Conde geht seit unserer Ankunft nicht mehr ohne Schwert und *sang-de-dez*, dem Dolch, am Gürtel. Agustín hat die erste Wache.

Wir beide haben einen Pakt geschlossen: Er übernimmt auch meinen Teil, dafür kann er schlafen, wenn ich seine Wache für ihn übernehme. Wir dürfen uns nur nicht von Capitan Tináz erwischen lassen. Er ist ein scharfer Hund und dem Conde auch wie ein solcher ergeben. Denn auch er, wie wir alle, träumt von dem Glück, das er in diesem neuen Land zu machen gedenkt.

So habe ich es mir hier im Schatten bequem gemacht. Aber trotz mancherlei Unbill gefällt mir dieses Land. Hier ist es immer warm, und allerlei feine Gerüche kitzeln mir beim leisesten Lufthauch die Nase. In dem Urwald dort scheint alles in reichlichem Maße vorhanden, so wie es mir in der Heimat nie untergekommen ist. Denn warum sonst ist dort alles so fett, so üppig und so grün?

Nur schade, nichts davon lässt sich fressen.

Erster Eintrag der privaten Notizen des Conde Don Ricardo de Molinar, Conquistador und Capitan admiral, niedergeschrieben von ihm selbst.
Worin ich berichte, was sich wirklich und wahrhaftig zugetragen hat bei jener besonderen Mission, womit ich betraut von Seiner allergnädigsten Majestät Karl, König von Spanien.

Geliebte Ines,
es war zuallererst eine Frage, die mich quälte, und letztendlich der Grund dafür, diese Zeilen zu schreiben:
Waren es der Wein und meine Versprechungen, diese süßen Worte und all dies, was ein Chevalier verschweigt, oder, als Tat bezeichnet, unsere Buhlschaft eben? War dies allein der Grund für Euch, mir zu gewähren, was Ihr bis dahin nur dem Mann gewährtet, dem Ihr einst Treue geschworen vor Gott und dessen Namen Ihr dafür tragt? Oder war es doch eine Liebe, wie sie nur selten ist und zwischen Menschen unseres Standes zu wenig vorkommt, ja, so selten ist, wie Schnee mitten im Sommer? Dieser Gedanke plagt mich, denn Ihr wisst um die Umstände meiner Reise und um den Grund, der mit allerletzter Gewissheit mir versagt blieb. Dies quält mich, dies und noch eine Sache: Ich habe nichts als Pfand von Euch. Nichts, was meine Nächte weniger einsam macht und mir Trost spendet, wenn ich leise zweifeln möchte angesichts der Größe der Tat, die man von mir erwartet. Seit dem unglückseligen Moment unserer Trennung habe ich nichts mehr von Euch gehört und gesehen.

Welch eine Peinigung meines Herzens! Denn ich weiß jetzt längst, was mich damals trieb, Euch mehr als nur meine Aufwartung zu machen. Neugier wie diese ist kein feiner Zug für einen Edelmann, aber manchmal ist Neugier doch vonnöten. Es sei so, ich werd es wohl so bald nicht erfahren, denn diese Aufgabe, die ich hier für seine allergnädigste Majestät erfüllen soll, wird mich lange Zeit, Jahre wohl, fern von Euch und spanischer Erde weilen lassen. Allein der Gedanke daran lässt mir mein Herz erneut so schwer werden, und ich fühle einen Schmerz, den ich mit keiner Arznei lindern kann, denn es gibt kein Mittel gegen die Wehmut eines liebenden Herzens! Welch Ungeschicklichkeit der Feder! Jetzt ist es doch noch heraus und geschrieben ...

Dies sind die Gedanken eines Mannes, der in einer strengen Erziehung von Kindheit an alles lernte, was ein spanischer Grande beherrschen muß. Nur dieses Gefühl der Freude und Zärtlichkeit für einen Menschen, die Liebe eben, brachte mir keiner bei. Erst bei Euch lernte ich, auf das Herz zu hören, und dies ist mir fast zum Verderben geworden. Trotz alledem, ich würde es wohl wieder so tun. Ja, ganz genau so.

Diese Aufzeichnungen sollen mich ein wenig zerstreuen und gleichzeitig wahres und allergenauestes Zeugnis darüber sein, was mir und meiner Mannschaft widerfahren ist im neuen Land über dem Meer, welches Amerika genannt.

So lasst Euch denn berichten:

Ich erinnere mich, als wären jene Ereignisse Inhalt des gestrigen Tages gewesen. Meine Ankunft in Sevilla kurz nach meiner Freilassung aus dem Hause des Don de Navarra, Eurem Gemahl, und der Besuch in der *Casa de Contracción*, mit dessen Förderung Seine Majestät, die allerherzlichste und gütige Gemahlin, die selige Königin Isabella und ihr Gemahl Don Fernando alle Zeichen erkannt haben. Der allmächtige Gott sei ihnen alle Zeit gnädig, denn nun ist es Karl, der Spanien immer weiter zu einer Größe führen wird, die keinen Vergleich mit den einstigen großen Reichen Roms oder Karthagos zu scheuen braucht.

Seit dem Sieg über Córdoba durch unsere allergnädigsten Majestäten hat unser Land nur gewonnen. Auch wenn Zungen behaupten, dass die Vertreibung der *conversos* Spanien schwächen werde, wage ich zu behaupten, es ist mächtig genug, jenen Aderlass zu verschmerzen. Denn wir sind Spanier und wahre Katholiken! Deshalb sind Gottes Gunst und Wohlgefallen immer mit uns!

Der königliche Mayordomo mayor, der Oberhofmeister Don Jaime Fray de Pérez, hat mich empfangen. Er war sehr galant und zugleich beruhigt darüber, dass ich vorhabe, mit meinem Geheimnis allein zu bleiben und so zu reisen. Zudem wollte er mir bei meinem Wunsche helfen, später, bei meiner Rückkehr, bei Hofe vorstellig zu werden. Ihr müsst wissen, dies will ich tun, in der Hoffnung, meinem König Dank und Anerkennung für diese besondere Mission zu sagen. Ich sprach mit Don de Pérez darüber, und er war mir trotz aller Widrigkeiten ein feiner Herr und Freund, nicht nur in seinem Auftreten und Benehmen. Mehr noch war er alle Zeit unserer Unterredung bereit, mich mit allergrößter Aufmerksamkeit anzuhören und meine Worte in keinem Moment zu tadeln. Ich war sehr erfreut, in ihm einen so engen Vertrauten der Krone zu finden, der mir in dieser Stunde des Bittens und des Zweifels zur Seite stehen wollte.

»Ihr reist in die neue Welt, und Ihr kehrt nur zurück, wenn Eure Mission untadelig und von allerbester Manier erfüllt, welche Euch und Eurem Gefolge von Seiner allergnädigsten Majestät aufgetragen. Bedenkt genau, einen Fehlschlag darf es nicht geben! Denn sollte Euch dergleichen widerfahren, so seid ihr kein Mann der Krone mehr. Der König selbst wird Euch von spanischer Erde verbannen, Euer Leben lang, und sollte Don de Navarra euren Kopf fordern, wird er ihn bekommen. Denn vergesst niemals, Ihr habt große Schuld auf euch geladen.«

So sprach Don Jaime Fray de Pérez zu mir. Zu dieser Zeit war ich mir nicht sicher, ob ich mich dieser Worte fürchten oder erfreuen sollte. Denn er hatte Recht! Jawohl, derlei Wunsch seiner Majestät bewahrte mich vor dem Henker. Zuerst wusste ich doch meinen Stolz zu zügeln, denn es schien mir sehr geraten, niemanden der Herren weiter zu verärgern, zum einen, da sie mich von einer Sündenlast hin zum Moment der echten Buße geleitet, zum anderen, weil ich an der Aufgabe gemessen werde, ihr nur nachkommen kann oder im Falle meines Scheiterns untergehen muss.

Vier Schiffe sollte ich bekommen, dazu eine eigene Mannschaft, Seeleute aus den Kerkern dingen und die nötigen Hauptleute aus meiner eignen Tasche zahlen. Der edle Don Jaime Fray de Pérez bewies aber auch in dieser Angelegenheit edle Gesinnung und große Gunst. Aus einer besonderen Börse steuerte er zwölftausend deutsche Dukaten bei. Ein nicht unerhebliches Stück Geld, so dass mir und meinem Vetter Enrique keine weiteren Kosten entstanden sind. Damit standen uns für diese Mission gute Leute, *tercios* aus dem Norden Spaniens, zur Seite. Dafür setzte er ein Schreiben auf, das seinen Exzellenzen große Anteile an allem sichert, was wir finden und für Spanien und die Krone erlangen sollten. Dies geschah alles hier in Sevilla. Hier musste ich schwören und die Vereinbarung wurde im Beisein des edlen Don Jaime Fray de Pérez, des Vorstehers und meiner Person unterzeichnet und beglaubigt. Wohl musste ich über meine besondere Order schwören, dass ich schweige, bei allem, was mir heilig ist, aber da ich dies schreibe, breche ich keinen Schwur. Denn sollte ich glücklich zurückkehren, werde ich diese Aufzeichnungen an einem sicheren Ort verwahren. Sollte ich jedoch scheitern, ist es einerlei, denn dann sollt Ihr es einmal lesen, da ich nie mehr nach Spanien zurückkehre.

Ferner verlangte man von mir, dass ich meiner Aufgabe nachkommen sollte, was immer geschehe. Wer immer sich in meinen Weg stelle, solle mein Schwert und damit den Zorn seiner Majestät zu spüren bekommen. Spätestens zu diesem Zeitpunkt war mir in meinem ganzen Dasein bewusst, dass ich kein *Conquistador* wäre, so wie *Davila* oder *de Córdoba*, von denen man in Sevilla genauso spricht wie in Burgos oder Barcelona. Die Besonderheit meines Auftrages ließ mich lange nicht zur Ruhe kommen.

Ich müsste mich selbst und alle Welt belügen, wenn ich zugebe, dass mir all dies nur recht ist. Ich wollte nicht gehen, wollte nicht über den Ozean reisen, in ein Land wie dieses. Das sollen einfache Menschen tun, nicht ich, ein Mann von Adel und einer Karriere vielleicht sogar bei Hof. Aber nun rette ich dadurch meinen Kopf und meine Ehre mit jenem Einverständnis.

Dazu habe ich die Wahl, als Mann von Ehre und mit der weiteren Gunst Seiner Majestät zurückzukommen.

So könnt Ihr gewiß sein, ich zögerte in all den Tagen keinen Augenblick länger, mein Einverständnis zu geben. Mein Entschluss reifte dabei schneller, als ein Schluck Wein im Mund verweilt, bevor man ihn schluckt.

Doch ich hatte mich in jenen Tagen ein wenig zu früh gefreut. Brannte ich doch vor Ungeduld, meine Schuld zu begleichen. Hätte ich gewusst, was mir und den *tercios* in der neuen Welt bevorstand, ich denke wohl, ich hätte doch gezögert und an andere Wege gedacht, meine Schuld zu begleichen. Für einen Grund wisst ihr sicher, warum: Geliebte Doña Ines, jeder Tag ist immer ein Tag ohne Euch. Der Gedanke, dass diese Reise lange, sehr lange dauern wird – und hier muss ich bei aller Bitterkeit erneut von Jahren sprechen –, peinigt mich manchmal so sehr, dass mein Magen rebelliert und in Aufruhr gerät genauso wie mein Herz, das bei jedem Gedanken an Euch schneller schlägt.

Aber lasst mich weiter berichten:

Es vergingen manch lange Tage des Wartens, und ich hatte Zeit, meine Kenntnisse mit dem Degen bei einem Freund und Gönner, dem Grafen Lurani, einem Venezianer, zu erproben. Selbiger war mit meinen Leistungen als Fechter zufrieden und in seinen Worten gar höflich und ohne Tadel. Trotzdem erfüllte mich von Tag zu Tag eine größere Unruhe. Über meine Aufgabe, dem König selbst zu dienen, war ich wohl informiert, und doch bemächtigte sich meiner mehr und mehr ein Aufruhr des Herzens, der mich fahrig und gereizt werden ließ in allem, was ich tat. Bei Tische wie in der Runde der Seeleute und *hidalgos* gleichermaßen ertappte ich mich in tiefen Gedanken, so wie ich es bisher von meinem Wesen nicht kannte. Glaubt mir, meine teure Freundin, in jenen Stunden und Tagen ging eine Verwandlung mit mir vor, die mich zu einem anderen werden ließ. Ich sehe mich nun als Spanier, der einem Freund dienen möchte, um zugleich seinem Land zu nutzen. Gott segne Euren Gemahl! Ich wollt, er würde mir die Hand zur Freundschaft reichen. Ich hoffe inständig, dass er mir ein klein wenig verzeiht, obwohl er mir die Gedanken an Euch nicht verbieten kann. Was immer ich bei dieser Fahrt in die neue Welt an Schätzen mit nach Spanien bringe, es wird nie genug sein, um die Schuld zu bezahlen, in der ich mich befinde. Von alldem wusste ich zu Anfang nichts. Es kam alles über mich, ohne dass ich dagegen etwas hätte tun können. Ich befehle heute und in allen Tagen unsere Mission in die gütige Hand Gottes und bitte ihn um seine ganz besondere Gunst. Ich bete zu ihm, und ich denke an die süßen Stunden bei Euch und dann gelingt es mir, wie erlöst endlich zu schlafen.

Don Ricardo de Molinar
Conquistador und Capitan admiral
gezeichnet und gesiegelt von eigener Hand
am 30. März 1518.

*I*ch muss eingenickt sein, denn ich hörte Agustín nicht. Später wusste ich nicht einmal sicher zu sagen, ob er überhaupt etwas gesagt hatte oder ob der stete Lärm aus dem nahen Wald für einen Moment still war und ich davon aufgewacht bin. Gleichwohl, mit einem Mal bin ich wach. Agustín kniet wenige Schritte vor mir im hohen Gras und hat seine *Arkebuse* auf ein Stützeisen gelegt. Zwischen den Zähnen hält er die Lunte. Ich sehe den feinen Rauchfaden aufsteigen, so als rauche er aus seinem Maul, wie es jetzt eine ganz neue Mode wird bei alle jenen, welche *terra nova* bereisten und nun all die neuen Moden zu kennen glauben.

»Was ist?«, frage ich.

Er winkt mir, still zu sein.

Ich erheb mich leise und taste neben mir nach meinem Spieß. Schnell schleiche ich zu ihm und knie neben ihm nieder. Der Rauch steigt mir in die Nase und rührt meine Augen.

Agustín starrt noch immer vor sich hin, dorthin, wo die mächtige grüne Wand ist, wo der Wald beginnt. Aber da ist nichts von besonderer Wichtigkeit zu hören und nichts zu sehen.

»War ein Laut …«, stößt er zwischen den Zähnen hervor.

Er streicht mit der Hand über die Waffe, und ich sehe ihm an, wie unruhig er ist. Ich denke bei mir, dass sich vielleicht einer der Kameraden einen Streich mit uns erlaubt. Oder gar einer der *compañeros*, geschickt von Capitan Tináz, um nachzusehen, ob wir auch seiner Order folgen.

»Da will dich einer schrecken«, sage ich.

Agustín schüttelt den Kopf. Jetzt kaut er auf dem Hanf, und das glimmende Ende der Lunte wandert zwischen seinen Lippen hin und her.

»Viehzeug, irgendein Viehzeug. Gibt genug hier«, sage ich.

Erneut schüttelt er den Kopf.

»War ein Laut … wie der Leibhaftige.«

Ich bekreuzige mich schnell. Muss man tun, wenn jemand dessen Namen so leichtfertig ausspricht. Agustín hat die glimmende Lunte noch immer nicht aus seinem Mund genommen. Und weil ihm schon zwei Zähne fehlen, höre ich die Worte nur undeutlich.

»Indios?«, frage ich ihn leise.

Ich bin nur aufgeregt darüber, aber beileibe nicht ängstlich. Agustín schüttelt wieder den Kopf.

»Nein, keine Indios.«

Woher er das weiß, vermag ich nicht zu sagen. Aber ich weiß, dass wir hier wohl die einzigen Christenmenschen weit und breit sind. Gut möglich, dass uns einer der Kameraden einen Streich spielt. Aber je mehr ich darüber nachdenke, glaube ich dies nicht. Keiner von uns geht freiwillig in den Wald. Die *compañeros* meiden ihn, ja, mehr noch, sie fürchten ihn alle.

»Ich seh nach!«

Dies sage ich tatsächlich, und Agustín macht keinen Schritt, mich zurückzuhalten. Er steht auch nicht auf, um mir zu folgen. Ich hab es gewusst!

Agustín ist ein Feigling!

Er bleibt weiter im hohen Gras knien. Dafür schwitze ich nun, und das gar nicht wenig. Wohl wegen der Hitze, aber auch, weil ich mein Maul so voll genommen habe. Meine Worte bereue ich sogleich. Aber nun hab ich dies gesagt, und jetzt muss ich gehen. Ich könnt mir die Zunge abbeißen!

Den Spieß lass ich am Boden liegen. Ist keine Waffe, die ich mag. Ich zieh mein Schwert und gehe vorsichtig durch das hohe Gras. Es reicht mir bis an die Waden und hat lange, scharfe Halme, die ganz feine Schnitte in die bloße Haut machen.

Aber da ist nichts.

Bis zum Waldrand sind es noch ein Dutzend Schritte, vielleicht auch ein paar Schritte mehr. Ich gehe ganz leise und behutsam. Aber so genau ich mich auch umsehe und dabei lausche – da ist nichts.

Agustín hört wahrscheinlich schon das Unglück, bevor es

geschehen ist. Ich will mich umdrehen, um ihm zu sagen, dass er ein dummer Katalane *und* ein Feigling ist, aber da höre ich es plötzlich auch.

Ein langes Stöhnen, ein gar schauriger Laut.

Ich weiß nicht genau, aber es klingt mir, als wär's ein Ruf wie von einem Menschen. Jetzt friere ich ein wenig, und das an diesem Tag in der brütenden Hitze. Mich umzudrehen, hin zu Agustín, wage ich nicht. Aber mit der freien Hand mach ich eine Bewegung, die er, so hoffe ich sehr, sieht und zu verstehen weiß.

Komm nach, folge mir!

Meine Faust umklammert das Heft meines Schwertes noch fester. Bin jetzt am Waldrand. Wohl versuche ich durch das Gestrüpp irgendwas zu sehen, aber ich erkenne nur Blätter in vielerlei Grün und manche in Gelb, dazu Blumen ganz weiß und von einem Geruch nach Aas und Fäulnis, je näher ich an diese Wand trete. Ich teile das Kraut ein wenig. Nur zwei Schritte weiter steh ich im Dickicht und späh umher. Die Luft ist nass und doch habe ich einen trockenen Hals. Meine Augen tränen.

Da ertönt jenes unheimliche Geräusch erneut.

Bei der Heiligen Mutter unseres allmächtigen Herrn Jesus Christus, sein Name sei gepriesen zu aller Zeit, aber ich wage nicht mehr, zu zweifeln.

Da ist jemand!

Ich ducke mich, bereit, sofort dreinzuschlagen, sollte mir ein Wilder entgegenstürzen. Bin mir ganz sicher, dass dort ein Indio im Gesträuch auf mich lauert, denn ein Tier wäre wohl längst geflüchtet.

»Komm her, zeig dich, Hundsfott heidnischer …«

Schritt für Schritt tauche ich jetzt ein in den immer dichter werdenden Wald. Ich bewege mich dabei langsam und vorsichtig.

»Los doch, zeig dich!«

Ringsum bewegt sich Käfergetier und sonst allerlei, Moskitoschwärme und jene großen Raupen, die bunt sind wie schillernde Steine, aber berührt man sie, so brennt einem die Hand viele Tage lang.

»… zeig dich schon … feiger Hund, du …«

Jedes Wort presse ich zwischen meinen Lippen hervor. Der Boden, das Gezweig, alles hier knistert und raschelt. Oh, wie hasse ich den Wald und vor allem mich und mein großes Maul!

Einmal blicke ich mich schnell über die Schulter um, und ich meine, Agustín zu sehen, aber bin mir nicht sicher.

Er *ist* ein Feigling, ein Feigling, ein Feigling …

Ich hab es gewusst.

Er *ist* ein Feigling, und er bepisst sich selbst!

O heilige Jungfrau Maria, Mutter unseres Herrn, was tu ich hier?

Da rauscht es in jenem Gesträuch vor mir, und etwas springt auf mich zu. Ich tu einen Schrei, aber mehr, wie wenn ich jetzt gleich dreinschlage und keinesfalls so wie in großer Furcht! Aber statt dass ich meine Toledoklinge in diesen Schatten hineinhaue, weiche ich zurück, bis ich mit dem Rücken gegen einen Baum stoße, und ich schreie erneut. Es ist groß, dunkel, von einer Gestalt wie ein Mensch.

Agustín ist auf einmal neben mir.

Braver Agustín!

Will nie wieder ein böses Wort über ihn sagen. Er ist bei mir, und gemeinsam starren wir auf das Wesen vor uns, das auf der Erde kauert und gurgelnde Laute von sich gibt. Über und über voll Blut und Dreck, bewegungslos, ist diese Kreatur völlig nackt. Kein Fetzen Stoff, nirgendwo. Ihr Haar ist lang und war wohl einst hell wie Flachs. Jetzt ist es wie dichtes Moos, voller Grün, und es ist schwer vor Schmutz. Noch einmal stöhnt es auf wie im Fieber, und dann sinkt es zu Boden. So als wäre es tot. Aber eines ist sicher: Es ist ein Mann und wohl ein Christenmensch so wie wir.

Agustín hat die *Arkebuse* nicht zu Boden gelegt. Nur die Lunte macht er aus. Dann geht er hin, setzt mit seinem Stiefel an und dreht den Mann vorsichtig um.

Bei allen Wesen der Hölle, welch ein Anblick!

Der Körper blutig, voll schwärender Wunden, darauf Gewürm und allerlei übles Kriechgetier, und selbst da, wo wir ein Menschenantlitz zu sehen glauben, ist alles bedeckt von Ameisen und Fliegen. Sie bewegen sich emsig, zeigen kein Stück Haut von dem Gesicht. Die Augen, die Nase und die Stirn über den Brauen sind nicht zu sehen vor lauter Getier. Aber das schlimmste ist der Mund. Dort ist nichts, wo ein solcher sein sollte. Nur blau geschwollen, dick wie eine Ader voll schwarzem Blut.

Agustín beugt sich über den Mann und macht sogleich einen Schritt zurück. Ich sehe sein Gesicht und hör seine Stimme, wie er voller Entsetzen spricht.

»Bei allen Heiligen! Sieh nur sein Maul … da, sieh doch! Es ist zugenäht!«

Ich sehe genau hin, und es ist so, wie er sagt. Wie eine feine Naht ist dem Mann der Mund vernäht, und das Garn dazu ist voller Getier, das sich daran gütlich tut. Maden, die Leiber weiß und gelb, und überall kleine Fliegen, blau und grün schillernd ihre Flügel. Fliegen, überall Fliegen …

Ich sehe dies, und dann kotz ich mir auf einmal schier das Gedärm aus dem Leib, so als ob ich einen bösen Tritt in meinen Wanst bekommen hätte.

Zweiter Eintrag der privaten Notizen des Conde Don Ricardo de Molinar, Conquistador und Capitan admiral, niedergeschrieben von ihm selbst.
Worin ich berichte, was sich wirklich und wahrhaftig zugetragen hat bei jener besonderen Mission, womit ich betraut von Seiner allergnädigsten Majestät Karl, König von Spanien.

Geliebte Ines,
als jener heftige Sturm losbrach, waren wir in einem Teil des Ozeans, den der *Genueser Sargasso* nannte. Hier verlor ich zwei unserer Schiffe aus den Augen. Dieses Missgeschick – und ich wage nicht, von einem Unglück zu berichten, denn dies hieße, solches herbeizureden – dieses Missgeschick also traf die San Férnando de Christobál und die Cádiz. Ich hoffe und flehe zu Gott, dass keine der beiden Karavellen von den Wellen verschlungen wurde. Beide Schiffe haben wohl tüchtige *piloten*, aber beim Andenken an meine selige großherzige Mutter, dieser Sturm war so grausam, dass jeder von uns glauben musste, die Elemente wären nicht von dieser Welt.
Das Wasser war in seiner Gewalt furchtbar, die Wellen so hoch wie ein Gebirge! Immer wenn eine solche Woge heranrollte, wie ein Berg in massiver grauer Gestalt und dabei doch glasig, wie eben Wasser ist, mit unsichtbarer Kraft und ohne Laut, war keiner mehr an Bord, der sich nicht in Gottes Hand befahl. Niemals in meinem Leben zuvor hörte ich solche Schreie der Angst und zugleich tiefen Entsetzens der Männer, wenn sie bei fahlem Licht dieses Grauen wahrnah-

men. Denn jedes Mal, wenn ein solcher Berg aus Wasser unser Schiff traf, war es so, als müsste alles Holz augenblicklich zerbrechen und Beute der Wellen und des Sturms werden. Wir konnten nichts tun, als uns irgendwo festzuhalten und um unser Leben zu beten. Dieser schwere Sturm hielt zwei Tage und zwei Nächte an. Keiner von uns trug auch nur einen Zoll trockenen Fadens auf der Haut. Dabei ließ ich all die Zeit pumpen, und trotzdem reichte das Wasser im Unterdeck den Männern bis über die Hüften. Gleiches geschah auf der Aragón. Obwohl sie immer in unserer Nähe war, sahen wir sie in jenen Tagen und Nächten des Sturmes nicht. Ich lüge nicht bei der Behauptung, dass wir mit den Elementen um unser Leben kämpften.

Aber nun ist der Sturm vorüber, und ich habe halten lassen. Die beiden Schiffe sind aus dem Wind gedreht und nun ohne Fahrt. Die Aragón ist schwer beschädigt worden, aber noch fahrtüchtig. Zwölf Seeleute hat das Meer geholt, und es fehlt jede Spur von ihnen. Auf meinem Schiff, der Santa Luìsa, der Segen Gottes und seine schützende Allmacht weiche keinen Moment von ihr, sind viele Schäden zu beklagen. Aber wie durch ein Wunder ist keiner der Männer über Bord gegangen. Dafür gab es hässliche Blessuren und viele gebrochene Gliedmaßen, derer sich unser Bruder Bernabé nun eifrig annimmt.

Auf meinen Befehl hin ward auf meinem Schiff Rat gehalten. Alle Hauptleute habe ich hierzu versammelt. Nach Ansicht meines braven Piloten, dem Capitan de Tovar, kann die Küste des neuen Landes nicht mehr weit sein. Wir sehen seit zwei Stunden große Vogelschwärme. Wohl eine Art wilde Taube, wie sie mir bislang gänzlich unbekannt war. Tovar sagt, dass diese Tiere, so weit sie auch fliegen, auf festem Land schlafen.

So ließ ich erneut Segel setzen, und wir segelten weiter, immer noch in der Hoffnung, auf die beiden anderen Schiffe zu stoßen. Ich habe zwei Augsburger Dukaten demjenigen versprochen, der sie zuerst entdeckt.

Don Ricardo de Molinar
Conquistador und Capitan admiral
gezeichnet und gesiegelt von eigener Hand
am 16. Mai 1518.

Exzellenz!«

Ohne eine Antwort abzuwarten, stürmte der Mann in das Zelt des Capitan. Der lag auf einer Pritsche, ganz aus rohem Holz, und hatte sich ein nasses Tuch über Stirn und Augen gelegt. Er riss es herunter und warf einen wütenden Blick auf den Mann.

»Ihr gottlosen Hurensöhne, ihr!«, fluchte er, »wie oft hab ich euch befohlen, zu warten, bis ich euch rufe? So verlangt's der Anstand, die Sitte. Aber nein …«

Der Conquistador hatte sich aufgerichtet und sah den keuchenden Mann vor sich.

»Nun rede, Bursche, was ist los?«

»Exzellenz, die Wachen haben einen Mann gefunden.«

»Einen Mann? Was für einen Mann?«

»Einen Weißen …«

»Raffaello, bist du besoffen, dass du mir solch eine *farce* erzählst?«

Der *tercio* schüttelte den Kopf und rang nach Atem. Es dauerte ein wenig, bis er sich vom Laufen in der heißen Sonne wieder beruhigt hatte.

»Agustín und Luis hatten Wache. Sie fanden einen Mann.«

»Beim Leibhaftigen, rede nicht in solchen Rätseln zu mir.«

»Exzellenz, er kommt aus dem Wald, ist aber wohl ein weißer Mann. Er hat Schlimmes durchgestanden.«

»Ist er einer von Don de Molinars Männern?«

»Wer weiß, Exzellenz, der Mann ist ohne Sprache und in einem üblen Zustand.«

»Warum ohne Sprache?«

Der Söldner erzählte seinem Capitan von der Entdeckung, welche die beiden Wachposten bei dem Unbekannten gemacht hatten. Als der Mann geendet hatte, war der Capitan aufgestanden. Er schüttelte nur ungläubig den Kopf, um sich sogleich eine schwarze Weste aus schwerem Leder überzustreifen, die mit prächtigen silbernen Schnüren verziert war. Dann griff er nach seinem Schwert und hängte es über die Schulter. Wie alle *tercios* trug er nicht nur eine Waffe. Er ging nie umher ohne sein langes Stilett in einem feinen Futteral, seit er den Boden des neuen Landes betreten hatte.

»Madonna, was für eine Geschichte.«

Statt einer Antwort rollte der Bote nur mit den Augen und schüttelte den Kopf.

»Führ mich zu ihm!«, befahl der Capitan.

Als der Offizier den Mann gesehen hatte, atmete auch er schwer, so wie ein Mann, der in glühender Hitze mehr als eine viertel Meile gelaufen war. Der Anblick ließ ihn, einen altgedienten Soldaten, erschrecken. Dann stürzte er los, um seinem Conde, dem *Capitan admiral* Don Enrique Garcia de Molinar, selbst zu berichten.

Dritter Eintrag der privaten Notizen des Conde Don Ricardo de Molinar, Conquistador und Capitan admiral, niedergeschrieben von ihm selbst.
Worin ich berichte, was sich wirklich und wahrhaftig zugetragen hat bei jener besonderen Mission, womit ich betraut von Seiner allergnädigsten Majestät Karl, König von Spanien.

Geliebte!
Terra nuova! Endlich sahen wir Land!
Endlich, niemand wollte es mehr glauben, aber wahrhaftig haben wir nur einen Tag nach dem Ende des schweren Sturmes Land gesichtet. Dies muss die Küste der neuen Welt über dem Meer sein. Wo wir uns genau befinden, weiß im Moment niemand mit Bestimmtheit zu sagen. Sicher ist, dass wir sehr weit im Süden gelandet sind. Vielleicht in einem Teil, den die Portugiesen ihr Eigen nennen. Die San Férnando de Christobàl und die Cádiz aber haben wir nicht mehr gefunden. Darüber bin ich zutiefst besorgt. Nicht nur, weil beide Schiffe einen großen Teil der Ladung für diese Mission mit sich führten, sondern auch, weil unsere Mannschaften jetzt nur noch halb so groß sind. Viele *tercios* fuhren auf diesen beiden Schiffen, und auf jeden Mann kamen fünf Pfund Pulver. Noch hoffe ich, Spuren der beiden Schiffe zu finden. Aber nichts davon ist zu sehen. Keine Planke, kein Stück Segel, nicht ein Fass schwimmt auf dem Wasser. Welch ein Unglück!
Nun liegen wir seit zwei Tagen auf der Reede vor Anker und sind voll der Neugierde auf dieses unbekannte Land. Ich muss gestehen, dass sich trotz der schlech-

ten Vorzeichen mein Glück kaum beschreiben lässt, als ich nach Wochen dieser schweren Überfahrt endlich den ersehnten Ausruf hörte, dass Land in Sicht sei. So wie ich fühlten auch die Männer auf den Schiffen. Sehr bald nach meinem Fortgehen aus Sevilla habe ich gesehen, dass meine Aufgabe doppelt wiegt. Dies, geliebte Freundin, weil ich nur auf wenige brave Männer bauen kann und sonst ganz auf mich selbst gestellt bin. Der größte Teil der Mannschaft besteht aus Tagelöhnern, den *peónes*, und *tercios*, die sich mir nur anschlossen, weil sie gelockt wurden von dem, was man sich an wundersamen Geschichten über das neue Land erzählt, von all dem Gold und der Pracht, wie sie nie zuvor ein Mensch in Spanien gesehen hat. Trotzdem musste ich zuletzt doch noch mit einem Teil der Seeleute aus den Kerkern von Barcelona und Alicante vorlieb nehmen. Denn viel zu viele wollten keinen Kontrakt mit mir und meiner Expedition eingehen. So gierig sie nach den Schätzen der Neuen Welt sind, so sehr fürchten sie die Reise und all das Unbekannte dort.

Jetzt ist es früher Morgen und die einzige Zeit des Tages, in der die Luft angenehm und frisch ist. Noch lässt sich jede Brise atmen. Später wird ein heißer, fauliger Geruch vom Land her wehen, der sich nur manchmal mit einem Moment feinen Duftes vermischt, der von einem Gewürz stammt, das sich roter Pfeffer nennt.

Die Küste hier leuchtet weiß. Dies rührt von jenem breiten Saum aus schneeweißem Sand her. Das Licht darauf ist von solch schmerzhafter Helligkeit, wie ich es nur von frischem Schnee im kalten Sonnenlicht her kenne. Der Anblick über den Strand und den dahinter liegenden Wald, der sich bis fast an das Wasser erstreckt, ist prächtig. Trotzdem, zu keiner Zeit meines Lebens habe ich solch einen Wald gesehen, so üppig und saftig und dabei doch so abweisend und so dicht, dass kein Christenmensch ihn betreten mag, ohne das sonderbare Gefühl von Unbehagen zu spüren. Dazu diese Geräusche, die wir alle ohne Unterlass hören können. Obwohl all dieses Rufen und Lärmen von mancherlei Kreatur stammt, ist nichts dergleichen zu sehen. Nur manchmal fliegen Vögel auf, bunt, Papageien genannnt, wie sie schon *Colón* bei seinen Fahrten mit nach Spanien gebracht hat. Überhaupt kein Verbündeter unserer Sache ist die Hitze. Wir ankern wohl unweit eines Flusses, denn ein stetiger Strom lehmigen Wassers ergießt sich hier an den Strand und wird von der Brandung des Meeres zerspült. Jedoch ist sein Wasser nicht zu genießen. So lasse ich die Männer mit den Booten nach frischem Wasser suchen. Sie tun dies seit unserer Ankunft jetzt zum wiederholten Male, aber sie müssen weit rudern, um die Fässer füllen zu können. Gestern wollte sich einer der Katalanen gar eine Erfrischung im Meer verschaffen. Doch kaum war sein Leib für nur einen Augenblick unter Wasser, ward dem Mann das Bein von einem großen Hai glatt abgebissen, und er blutete aus, bevor wir ihn aus dem Wasser ziehen konnten. Enrique Garcia de Molinar, Capitan eines meiner Schiffe und, wie Ihr wissen müsst, mein Vetter, befahl, die Leiche ohne ein Wort des Gebetes zurück ins Wasser zu werfen, was für seine Rohheit spricht. Insgeheim war ich immer dagegen, ihn mit auf diese Reise zu nehmen, aber er ist nun einmal vom gleichen Blut, auch wenn er in der Rangfolge unserer Familie niedrig steht. Aber ich gestehe, dass ich all die Zeit auf See hoffte, ihn zu einem braven Verbündeten meiner Sache zu machen. Aber bisher weiß ich nicht, ob mir dies gelingen wird. Mein Vetter ist laut und grob, mit wenig feinen Manieren, zudem ohne Respekt vor großen Namen. Damit meine ich jene, welche mit an Spaniens Größe schrieben. Sogleich ist er auch ohne jegliche Ehrfurcht vor Wundern, und damit meine ich solche, welche aufgezeichnet sind im Heiligen Buch unseres Glaubens. Meist geht sein Reden einher mit Spott, ja tiefer Verachtung über solcherlei Zeugnis. Er ist mir an Lebensjahren fast gleich, und doch denke ich manchmal, dass wir nicht vom selben Stamm des Blutes sind. Sein ganzes Trachten ist von einer Gier, wie ich sie nicht verstehen kann. Ja, ich gestehe Euch, keine Banden des Blutes ihm gegenüber zu verspüren, aber ich bemühte mich in all der Zeit, es ihn nie merken zu lassen. Er ist wohl ein guter Kämpfer, ohne Zweifel ein Meister mit dem Schwert aus Toledo. Und ich zweifle nicht an seinem Geschick, die Männer zu führen, denn sie fürchten ihn sehr. Aber ich will bei dieser großen Aufgabe keinen Mann an meiner Seite, der die Größe und die Herrlichkeit dieser Sache nicht versteht. Es werden sich zu gegebener Zeit eigene Aufgaben für ihn finden lassen, und er wird sie annehmen, denn sie sind Auszeichnung für einen Mann seines Ranges. Doch noch muss ich behutsam sein und ihn nicht merken lassen, wie sehr ich von seinem Benehmen abgestoßen bin.

Don Ricardo de Molinar
Conquistador und Capitan admiral
gezeichnet und gesiegelt von eigener Hand
am 22. Mai 1518.

Als der Conde Enrique de Molinar und sein Capitan das Zelt betraten, kniete der Mönch neben dem einfachen Lager und flößte dem Mann mit einem nassen Tuch etwas Wasser ein. Der Mann konnte nicht selbst trinken. Enrique Garcia de Molinar hielt sich die Hand vor sein Gesicht, denn es stank in der schwülen Luft nach Fäulnis, Eiter und Blut, und bei jeder Bewegung des frommen Bruders flog brummend ein großer Fliegenschwarm auf.

Der Mann sah entsetzlich aus.

Sein Gesicht war bis zur Unkenntlichkeit verschwollen und mit einer Vielzahl kleiner, offener Wunden bedeckt. Das Haar hatte der Mönch mit einer Klinge kurz rasiert, um die zahllosen Verletzungen und Ekzeme auf dem Kopf behandeln zu können. Auch den Bart des Mannes hatte er gestutzt, um den zugenähten Mund behutsam öffnen zu können. Aber noch immer floss der Eiter in feinen Rinnsalen aus den Mundwinkeln.

»Wer ist das?«, wollte Don Enrique Garcia de Molinar wissen.

Der Mönch schüttelte den Kopf.

»Ich kann Euch nichts sagen, Exzellenz. Noch hat er nicht gesprochen. Aber er ist ein weißer Mann. Dies ist gewiss.«

Der Conde trat ein wenig näher.

»Was macht Euch so sicher?«

Der Mönch ergriff eine Hand des Mannes. Der Handrücken war braun gebrannt und mit Narben und kleinen eiternden Wunden übersät. Aber deutlich war das Bild eines Schiffes, wohl eine Karavelle, in voller Takelung zu sehen. Eine kunstvolle Tätowierung, bereits vor Jahren gestochen.

»Seeleute tun dies gerne, und der dies getan, hatte eine geübte Hand«, erklärte Bernabé.

Der Conde nickte zum Verständnis.

»Wann kann er sprechen?« fragte er ungeduldig.

Der Bruder wog bedächtig den Kopf.

»Euer Gnaden, ich habe ihm die Lippen ein wenig geöffnet. Aber seine Wangen und sein Gaumen sind blutig wund und verwachsen. Eine barbarische Strafe, die ihm da widerfahren ist. Er muss sich sehr versündigt haben. Es wird dauern, bis er wieder sprechen kann, und dann nur ein paar Worte. Denn das Erlebte hat ihm wohl den Verstand geraubt. Aber seht, Euer Gnaden, seht her, was ich hier bei ihm gefunden habe.«

Er erhob sich und trat an einen Tisch, der unweit des Krankenlagers stand, rückte ein paar Tücher und eine tönerne Schale voll Wasser zur Seite und schob auf den freien Platz ein Stück blutiges Tuch.

»Das trug der Mann unter seiner Zunge im Mund, während all der Zeit«, sagte der Mönch.

Als er es aufschlug, lag darauf ein dunkler, formloser Klumpen. Garcia de Molinar verzog sein Gesicht, während er sich mit der Hand Luft zufächelte. Auch sein Capitan atmete schwer.

»Was für ein Gestank. Bei allen Teufeln, was ist das?«

»Ich muss es noch waschen und werde dazu etwas Essig nehmen, dann löst sich all das Blut«, erklärte der Mönch eifrig.

Der Conde wie auch der Capitan betrachteten angewidert das unförmige Stück, das schwarz war von geronnenem Blut.

»Sagt schon, was ist das?«, fragte der Conde.

»Es ist ein Goldklumpen, Exzellenz, pures Gold«, antwortete der Mönch und strahlte bei diesen Worten über das ganze Gesicht.

Vierter Eintrag der privaten Notizen des Conde Don Ricardo de Molinar, Conquistador und Capitan admiral, niedergeschrieben von ihm selbst.
Worin ich berichte, was sich wirklich und wahrhaftig zugetragen hat bei jener besonderen Mission, womit ich betraut von Seiner allergnädigsten Majestät Karl, König von Spanien.

Meine geliebte Ines,
heute, am Tag unseres Herrn, habe ich an Deck eine Messe lesen lassen. Später will ich zwei Gruppen an Land befehlen. Sie sollen gehen, um die Gegend zu erkunden. Zuvor werde ich von unserer großen Absicht erzählen. Aber nicht zu viel und nichts, was an Worten noch warten könnte, bis Zeit und Moment dafür gekommen. Der Capitan Jago de Tovar hilft mir mit seinem Wissen über dieses neue und unbekannte Land. Das erzeugt den Neid bei einigen meiner Capitanes. Wahrhaftig, sie neiden es ihm, dass er sich meiner besonderen Gunst erfreut, und dies noch mehr, da er kein Mann mit geerbtem Titel ist. Sein Rang ist der eines *hidalgos*, eines Edelmannes, und diesen verlieh ihm seine Majestät für seine treuen Verdienste. So ist Jago de Tovar in meinen Augen nicht besser oder schlechter als ein Spanier mit ehrenvollem und berühmtem Namen. Und von Ehre ist er zweifelsohne, auch wenn ihm dies sein größter Neider, Capitan Tináz, verächtlich abspricht. Was mich im Augenblick mehr schmerzt, ist die Tatsache, dass wir noch immer keinerlei Spuren von der San Férnando de Christobàl und der Cádiz gefunden haben. In beiden Richtungen

des Strandes habe ich nach Hinweisen, und seien sie noch so gering, suchen lassen. Ihr müsst wissen, selbst wenn das Meer beide Schiffe verschlungen hat, und der Gedanke daran bereitet mir ärgste Pein, bleiben Teile davon auf dem Wasser zurück und werden irgendwann an Land gespült. Leere Fässer, Teile von der Segelleinwand oder auch nur ein paar Planken. Aber nichts deutet auf den Verbleib meiner beiden Schiffe hin. Sollte das Schlimmste meiner Befürchtungen wahr werden, ist der Verlust groß.

Eine Gruppe von Conquistadores soll sich, immer in kurzer Entfernung zum Fluss, zu Fuß in das Landesinnere bewegen. So hoffe ich irgendeinen Hinweis dafür zu entdecken, dass hier Menschen leben, die uns sagen können, wo genau wir uns befinden. Denn sollten wir auf portugiesischem Territorium sein, wäre ein Weg oder wenigstens ein Grenzstein helfender Hinweis darüber, in welchem Teil der neuen Welt wir gelandet sind. Doch das Fortkommen gestaltet sich schwer. Die Männer zu Land brauchen lange Zeit, um dieselbe Strecke zurückzulegen, welche das Schiff derweil auf dem Fluss macht. Doch von Bord aus kann man nicht an das Ufer und in das neue Land hineinsehen. Der Wald endet direkt am Wasser und es gibt keinerlei Auen oder gar liebliche Wiesen, so wie ich es bislang als Beispiel aus der Gegend um Lüttich oder Antwerpen kannte. Nirgendwo ist nur die kleinste Lichtung. Stattdessen wächst überall eine grüne Wand aus Bäumen und Dickicht bis ans Wasser des großen Stromes. Wir wissen nicht, wie lange dies noch so geht, aber ich hoffe auf ein Zeichen Gottes, welches uns sagt, auf dem richtigen Weg zu sein.

Don Ricardo de Molinar
Conquistador und Capitan admiral
gezeichnet und gesiegelt von eigener Hand
am 29. Mai 1518.

Agustín will es mir nicht glauben.
»Ist wohl wahr!«, sage ich.
Statt darauf etwas zu sagen, grunzt er nur blöde und bohrt
mit dem Finger zwischen seinen schwarzen Zähnen herum.
»Rodriguez und Manolo haben es mir erzählt. Manolo selbst
musste dem Mönch einen halben Krug Essig bringen«, sage
ich.
Da spuckt er neben sich auf den Boden, kneift die Augen ein
wenig zu und beobachtet den Rand des Waldes. Ich weiß genau, was er will: dass ich weiterrede, und ich bin nicht wenig
stolz, ihm diese Neuigkeit genau zu erzählen, bevor ein an-
derer dies tut. Wo es doch längst alle im Lager wissen, auch
wenn es ungeheuer klingt.
»Stell dir vor, Agustín! Die ganze Zeit trägt er ein Stück Gold
unter seiner Zunge!«
Er hat sich zu mir umgewandt.
»Du und dein großes Maul«, sagt er grob.
»Frag Manolo oder Rodriguez, wenn du es mir nicht
glaubst«, sag ich, »beide haben das Stück gesehen, als es der
Bruder geputzt hat.«
»War es groß?«
»Ja …«
»Wie groß?«
»Nun … wenigstens wie ein Taubenei.«
Ich bin froh um diesen Vergleich, aber Manolo hat selbst ge-
sagt, das Stück wäre zu groß gewesen, um es zu verschlu-
cken. Bestimmt ist es zwanzig Dukaten wert. Bei allen Heili-

gen, von so viel Gold könnte ich mir ein schönes Stück Land kaufen! Das erzähle ich Agustín, und dieser Kretin muss daraufhin so sehr lachen, dass er einen Wind fahren lässt, der gleich übler stinkt als ein Topf mit steinaltem Schmalz.

»Was willst du mit Land?«

Wenn er so über mich lacht, klingt es gröber, als ich es vertragen kann.

»Du taugst nicht zum Mistkratzer!«

Er lacht immer noch, und er hat Recht. Ich bin nicht in die neue Welt gegangen, um ein solcher zu werden. Meine Leute daheim sind arm. Mir blieb nur *cortador* oder *tercio* zu werden. Aber Juan de Junco, unser Nachbar in Burgos, hat mir ein paar Finten mit dem Stock beigebracht. Als ich mein erstes Schwert in die Hand nahm, war es nicht schwierig, bald ganz leidlich damit umzugehen. So ward ich Söldner, ein *tercio*, und dies ist noch keine drei Jahre her. Ich focht in meinem ersten Kampf gegen die Türken und erschlug einen Feind, einen heidnischen Hauptmann. Ich war sehr stolz, vor allem, als mich der Capitan general Gonzalo de Córdoba selbst lobte und mich einen besonders tiefen Schluck aus seinem Krug nehmen ließ. Von diesem Tag an wollte ich nichts anderes mehr sein als Soldat.

»Was würdest du mit so viel Gold tun?«, frage ich Agustín.

Der lacht erneut und macht dann eine Bewegung mit seinem freien Arm.

»Würd mir eine Hure kaufen. Aber eine von den feinen Hühnchen, die nur diesen jungen, eitlen Stutzern gefällig sind. Aber bei so viel Gold wär ich mehr wert als fünf solcher Laffen. Das Hühnchen würd ich vögeln Tag und Nacht.«

Seine Hände beschreiben mit eiliger Bewegung das, was er mit seinem Geschlecht bei der Hure alles zu tun gedenkt. Nach dieser Vorstellung lacht er lauthals los. Da muss ich auch lachen.

Dann sitzen wir wieder da und starren auf den Waldrand. Fast wünsche ich mir, dass noch einmal ein Mann daraus hervortaumelt. Dem würde ich eigenhändig zuerst das Maul aufreißen, um nachzusehen, ob er unter seiner Zunge was spazieren trägt.

»Weiß Manolo, wer der Kerl ist?«, fragt er mich nach einer Weile.

Ich schüttele den Kopf und muss dabei daran denken, was man von dieser sonderlichen Geschichte weiß: Der Mann ist wohl Tage durch den Wald gelaufen, splitternackt, mit zugenähtem Mund, und nur durch einen winzigen Spalt zwischen den Lippen hat er ein wenig trinken können. Mich friert es bei dem Gedanken.

»Möglich, dass es einer von den Iren ist, die als Seeleute auf der Santa Luìsa mitgefahren sind. Aber es ist keineswegs gewiss.«

»Wer, bei allen Wesen der Hölle, verurteilt einen Mann zu solch einer Strafe?«, fragt Agustín plötzlich.

Darauf weiß ich keine Antwort. Aber ich weiß, dass ich keinerlei Neugier verspüre, solcherlei Gelichter kennen zu lernen.

Fünfter Eintrag der privaten Notizen des Conde Don Ricardo de Molinar, Conquistador und Capitan admiral, niedergeschrieben von ihm selbst.
Worin ich berichte, was sich wirklich und wahrhaftig zugetragen hat bei jener besonderen Mission, womit ich betraut von Seiner allergnädigsten Majestät Karl, König von Spanien.

Ines, Geliebte!
Unser Aufbruch und der Versuch, über den mächtigen Fluss ins Innere des Landes zu gelangen, liegt drei Tage zurück. Doch das Fortkommen dauert mir zu lange. Ich habe die Männer auf das Schiff zurückbeordert. Bisher haben wir gute Fahrt gemacht, denn das Wasser ist tief und breit genug, um bequem zu kreuzen und dabei den Wind mannigfaltig zu nutzen.
Zuvor hielt ich Rat an Deck über das weitere Vorgehen der Expedition. Mein Vetter Enrique Garcia de Molinar und Jago de Tovar werden zusammen mit drei Dutzend *tercios* auf der Aragón bleiben. Sie sollen mit dem Schiff an die Küste zurückkehren, um dort zu schanzen und eine Festung zu errichten. So sind wir gegen feindliche Angriffe geschützt und haben ein erstes Bollwerk errichtet, darauf das Banner Seiner Majestät und die Farben Spaniens wehen werden.
Weiter sollen sie Vorräte anlegen von allem, was das neue Land bereithält: Wildbret und Fisch, wildes Getreide und Früchte und Gemüse, so dort welche wachsen, die unseren Gaumen munden.
Ich selbst werde mit einer Schar ausgesuchter Leute und dem anderen Schiff, der Santa wa, dem gro-

ßen Küstenwasser erneut folgen, soweit es Wasser-
tiefe und günstiger Wind zulassen.

Um de Tovar tut es mir Leid, denn ich schätze ihn und
sein feines Benehmen und seine edle Gesinnung. Aber
ich lasse ihn zurück, weil er das Land kennt und uns
notfalls zu Hilfe eilen kann, sollten es die Umstände
verlangen. Um meinen Vetter mach ich mir weniger
Gedanken. Seine Rohheit würde sogar den Teufel in
der Hölle frieren lassen. Auch deshalb habe ich ihn
noch nicht eingeweiht, denn er würde meine Beweggründe nicht verstehen. Nicht, dass es ihm an dem
Gefühl für Ehre und Treue gegenüber Spanien mangelt, aber seine Gründe für diese Reise sind doch von
ganz anderer Natur als die meinen. Wir würden uns
nicht verstehen, aber wir brauchen einander und sind
in diesem Land auf Gedeih und Verderb aufeinander
angewiesen. Vor meinem Aufbruch habe ich ihn zum
Capitan admiral und damit zu meinem Stellvertreter
ernannt. Dies natürlich in der Hoffnung, dass eigentlich Jago de Tovar ihn und die Männer mit Geschick
führt, sollte dies erforderlich sein.

Don Ricardo de Molinar
Conquistador und Capitan admiral
gezeichnet und gesiegelt von eigener Hand
am 3. Juni 1518.

*I*n gereizter Stimmung, die sich eigentlich von seiner stetig
schlechten Laune nicht sonderlich unterschied, hatte der
Conde Enrique de Molinar all seine Hauptleute um sich versammelt. Die Männer standen schweigend, voller Erwartung, was ihr Anführer zu dieser seltsamen Begebenheit sa-

gen würde. Wie fast alle Zeit bisher, war er den ganzen Tag über nicht aus seiner Behausung hervorgekommen. Seit ihrer Ankunft vor fast einem halben Jahr war er auf dem Schiff nur noch selten zu sehen, denn in seiner Kajüte war es heiß und stickig. Er hatte sich an Land unweit einer Baumgruppe eine Hütte bauen lassen, die er nur in den Abendstunden verließ. Seine anfängliche Ungeduld hatte sich bald gelegt und war einem Gefühl gewichen, welches nur schwer unterscheidet zwischen ganz gewöhnlicher Faulheit und einer ständigen Schwermut.

»Caballeros! Der Kerl aus dem Urwald ist einer von uns. Zweifelsohne von der Santa Luìsa. Wissen möchte ich wohl, was ihm widerfahren. Aber bis er redet ...« Der Conde atmete laut und sog dabei die Luft schnell und tief ein. »Solange werd ich nicht warten!«

Er sagte es laut und mit einer Stimme, die keinerlei Zweifel an dem soeben Gesagten erkennen ließ. Er fuhr sich mit der Hand über seinen schwitzenden Schädel.

»Vielleicht braucht mein lieber Vetter Hilfe?«

Er sah sich im Kreise seiner Offiziere um.

»Wir folgen der Santa Luìsa!«

Die Hauptleute sahen einander daraufhin verstohlen an.

»Exzellenz, erlaubt ein Wort.«

Der da sprach, war Jago de Tovar. Er stammte aus einem namenlosen Dorf unweit von Fraga im Norden von Katalonien und fuhr seit seinem zwölftem Lebensjahr zur See. Als Sprecher und Offizier war er bei den Söldnern wie Seeleuten gleichermaßen geachtet. Respektvoll nannten sie ihn »el Fraga« wie die gleichnamige Stadt am Fuße der Berge. Er war bereits einmal in der Neuen Welt gewesen. Mit *Vasco Nuñez de Balboa* war er bis an das legendäre »Südmeer« gekommen. Jago de Tovar galt für die meisten Leute als heimlicher Anführer, da er das Land und seine Eigenheiten kannte. Der Conde wusste dies und baute auf seine Kenntnisse über die Neue Welt. Aber er mochte ihn nicht.

»Sprecht!«, befahl de Molinar eher ungnädig.

»Exzellenz, unsere Order lauteten: Haltet aus, bis die Santa Luìsa zurückkehrt. Wenn wir jetzt …«

»Genug«, bellte de Molinar kurz, »was unsere Order ist, weiß ich selbst. Aber ich bin es Leid, zu warten.«

Er wandte sich an die übrigen Männer.

»Ein Mann ist aus dem Urwald gekommen, mit einem Klumpen purem Gold in seinem Maul. Wer weiß, vielleicht fressen mein lieber Vetter und seine Leute das feine Metall bereits, weil sie so viel davon gefunden haben.«

Er sah sich bei diesen Worten höhnisch grinsend um.

»Ich möchte mitfressen!«, schrie er plötzlich.

Er schwitzte und unterdrückte nur mühsam eine große Ungeduld. Als er weitersprach, war seine Stimme wieder etwas leiser. Aber alle sahen, wie schwer es ihm fiel, sich vor den versammelten Hauptleuten noch einen Rest von Würde zu bewahren.

»Wir sind aufgebrochen, um neue Ländereien für die Krone zu finden und zu erobern. Wir bringen den Wilden das Wort Gottes. Eine wahrhaft schwere Aufgabe. Aber was ist die Entlohnung dafür? Einzig nur dies elende Warten. Viele Monate nur warten! In diesem Dreck hier bei dieser Hitze. Wer weiß, wo die Santa Luìsa jetzt steckt? Caballeros, gedachtet ihr nicht alle, hier Ruhm und Ehre zu erfahren? Wolltet ihr nicht Gold ernten, so wie ihr Gras geerntet habt in der Heimat?«

Er lachte laut bei den letzten Worten, und mit einem Mal redeten die Männer durcheinander. Nur Jago de Tovar blieb ruhig.

»Was ist mit Euch, Jago? Habt ihr etwa Angst?«, fragte Capitan Tináz höhnisch.

Die übrigen Hauptleute hörten auf zu lärmen und wandten sich um.

»Hütet Euch bei dem, was ihr sagt. Sonst müsste ich Euch mit meinem Schwert zeigen, was mich von einem Feigling unterscheidet.«

Auf diese Antwort hin trat Tináz näher, und seine Hand umschloss den Griff seiner Waffe. Jago de Tovar griff ebenfalls nach seinem Schwert.

»Haltet ein!«, rief der Conde. »Befahl ich nicht keinerlei Händel untereinander? Das schwächt nur unsere Kraft. Dies gilt auch für die Offiziere!«

Tináz grinste den Capitan de Tovar an, wandte sich an den Conde und verbeugte sich.

»Sehr wohl, Eure Exzellenz, wie Ihr befehlt!«

Jago de Tovar rührte sich noch immer nicht von der Stelle. Da sah ihn der Conde an.

»Was ist mit euch, Capitan de Tovar? Ihr seid Offizier, aber Ihr macht Euch Gedanken, als wärt Ihr ein grüner Frischling, ein Peon ohne Ehr und Mut?«

»Der Wald ist groß genug, um uns alle zu verschlucken, Exzellenz«, antwortete der Mann ruhig.

»Wir nehmen unser Schiff, die Aragón, und solange auch nur eine Handbreit Wasser unter dem Kiel fließt, werden wir den Fluss befahren«, antwortete der Conde, und es klang, als dulde er keinen Widerspruch.

»Aber der Wind, wie lange …?«

Der Conde schnitt ihm die weiteren Worte mit einer herrischen Geste ab.

»Wir folgen dem Fluss!«

Noch einmal wagte der Mann eine Frage, und alle Anwesenden wußten, dass die Geduld des Conde bald zu Ende sein mußte.

»Exzellenz, was wird sein, wenn wir nicht mehr weiterkönnen? Wenn das Wasser verschwindet? Wir wissen nicht, welche Gefahren in dieser Gegend auf uns warten«, sagte Jago de Tovar ruhig.

Es war still, keiner der Männer sagte mehr einen Ton. Jago wagte es, an der Entscheidung des Conde zu zweifeln. Aber er allein war derjenige, der diesen Teil der Küste bereits ein wenig kannte. Denn er kannte den Wald.

De Molinar hatte sein Schwert abgenommen und legte es vor sich auf den einfachen Tisch. Sodann baute er sich in breitbeiniger Positur vor seinen Offizieren auf, und blickte Jago de Tovar an. In seinem Blick lag eine kaum verborgene Verachtung, als er zu sprechen begann, und seine Stimme klang gefährlich in ihrem leisen, verhaltenen Ton.

»Wir brauchen den Wald nicht zu fürchten. Denn ich, Don Enrique Garcia Lopéz de Molinar, vierzehnter Graf aus dem Geschlecht der Molinar, die wir schon seit den Kreuzzügen dem Spanischen Adel angehören, Grande, mit dem Recht, in Anwesenheit Seiner Majestät Schwert und Hut zu tragen, bin Spanier. Ich bin ein Conquistador, und ich fürchte nur Gott den Allmächtigen. So sage ich Euch: Wir folgen den Spuren der Santa Luìsa!«

Mit beiden Händen stützte er sich auf den rohen Tisch, beugte sich ein wenig nach vorn und sah dem Offizier mit verächtlichem, bösem Blick ins Gesicht.

»Und Euch, Capitan Jago de Tovar, sage ich, wenn wir nicht mehr segeln können, dann folgen wir dem Ufer notfalls mit den Booten. Sollte uns auch dies nichts mehr nützen, dann marschieren wir eben zu Fuß!«

Er richtete sich wieder auf und nickte in die Runde der übrigen Männer.

»Ruht euch aus, *caballeros*. Morgen beginnen wir mit der Vorbereitung, und in zwei Tagen brechen wir auf. Auf Seine allergnädigste Majestät! Santiago, auf Spanien!«

»Santiago! Gott mit uns!«, schrien die Männer und zogen ihre Schwerter.

Langsam zog auch Jago de Tovar seine Waffe, hob sie hoch und berührte leicht die Klingen der anderen Männer.

»Gott mit uns allen!« sagte er.

Da grinste der Conde und schien zufrieden.

»Ab jetzt neidet uns niemand mehr, hier zu sein,« murmelte *el Fraga*.

Aber diese Worte hörte nur er selbst, so leise sprach er sie.

Sechster Eintrag der privaten Notizen des Conde Don Ricardo de Molinar, Conquistador und Capitan admiral, niedergeschrieben von ihm selbst.
Worin ich berichte, was sich wirklich und wahrhaftig zugetragen hat bei jener besonderen Mission, womit ich betraut von Seiner allergnädigsten Majestät Karl, König von Spanien.

Meine Liebe!
Seit einer Woche segeln wir nun erneut den mächtigen Fluss hinauf. Ich sage mächtig, denn keiner von uns sah je solch ein großes Gewässer, und doch ist Alfonso Armendariz, mein braver Pilot, der Meinung, noch immer denselben Fluss zu befahren, der in das Meer mündet und von dessen Mündung aus wir unsere Reise angetreten haben. Dieser Strom ist namenlos, und sein Wasser fließt träge und hat eine Farbe wie brauner Lehm. Das Ufer auf jeder Seite der Santa Luìsa ist nicht mehr zu sehen, so dass man leicht geneigt ist, zu glauben, über ein großes Meer zu fahren. Trotz gutem Wind kommen wir nur langsam vorwärts, denn immer wieder ist die Strömung sehr stark. Dies beweist uns dabei doch wieder, auf einem Strom zu fahren. Aber wie viel mächtiger als alle Flüsse, die in unserem heiligen Spanien bekannt sind, ist dieser Strom hier! Keiner von uns weiß, ob das Wasser tief genug ist, damit die Santa Luìsa noch recht lange darauf fahren kann. So lasse ich alle Momente lang loten.
Jetzt, während ich in meiner Kajüte sitze und dies schreibe, habe ich diese Aufgabe nur noch alle halben

Glasen angeordnet, denn umgestürzte Baumstämme treiben uns seit einiger Zeit immer wieder entgegen. Sie sind so groß, dass sie mir im allerersten Augenblick aussehen wie kleine Inseln. Es lebt allerlei Getier darauf, und die Männer wollten mit Arkebuse und Armbrust auf die Kreaturen schießen. Doch ich habe es untersagt, denn wir müssen Pulver wie auch Blei sparen.

Der Pilot hat alle Mühe, diesem Treibgut auszuweichen. Oft sind die schwimmenden Inseln groß genug, dass sich mancher *peón* samt seiner Familie davon ernähren könnte, würde er dies Land pachten und bebauen. Sollte es eines der so lange erwarteten Zeichen sein? Denn was muss dies für eine reiche Welt sein, in der fettes, grünes Land wie nutzloser Unrat im Fluss schwimmt?

Don Ricardo de Molinar
Conquistador und Capitan admiral
gezeichnet und gesiegelt von eigener Hand
am 10. Juni 1518.

Seit Monaten wartete der Conde Don Enrique Garcia de Molinar und seine kleine Schar von Männern auf die Rückkehr seines Vetters Ricardo, den er den breiten Fluss hinaufziehen ließ, auf der Suche nach einem Land voll Gold und prächtigen Schätzen, auf die alle so sehr hofften. In dieser Zeit war nichts geschehen, was ihrer Ablenkung oder Erheiterung dienlich gewesen wäre. Nichts, was von solcher Bedeutung erschienen wäre, dass man darüber berichten könnte. Anfangs befürchteten sie den Angriff von Indios, aber die Spannung legte sich bald. Es galt als sicher, hier keine

Eingeborenen, Indios, wie sie seit der Expeditionen des Kolumbus genannt wurden, zu begegnen.

Es war schwül, und die Luft flimmerte in der Hitze. Manchmal gingen die Spanier über den breiten Strand hinunter zum Meer. Dann wateten sie wie Kinder in die blaue Brandung, um sich in dem Wasser zu erfrischen. Aber keiner wagte es, weiter hinauszugehen, als bis das Wasser die Brust erreichte, denn keiner der Männer konnte schwimmen.

*B*ei der heiligen Madonna von Penalbei, aber welch eine große Aufregung! Auf einmal ist der Bau unserer Festung, an der wir seit vielen Wochen arbeiten, nicht mehr wichtig. Ich habe nie verstanden, warum wir hier all die Zeit aushalten sollen, und die Kameraden von der Santa Luìsa machen sich derweil ein schönes Leben. All die Monate nur warten. Der Conde will der Santa Luìsa hinterher. Endlich brechen wir auf und gehen fort von der Küste und hinein in das unbekannte Land! So sind wir eigentlich mit der neuen Order alle zufrieden.

Die Offiziere brüllen nun ständig herum. Wegen jeder kleinen Angelegenheit beginnen sie zu toben. Dabei schuften wir wie die *peónes*. Die Hitze macht uns allen zu schaffen, dazu kommt, dass seit Tagen immer wieder ein heftiger Regen fällt. Dann dampft alles ringsum, und die Luft ist schwer und feucht.

Den »Mundlosen« nehmen wir mit. Der Conde hat dem Mönch befohlen, ihn zu pflegen, auf dass er bald sprechen und berichten kann von seinem Weg durch den Wald. Der Mönch hat gesagt, es ist Gottes Wille, wenn der Mann je wieder gesundet, und es ist ebenso Gottes Wille, wenn er redet. Aber der Conde hat ihm vor unser aller Ohren gesagt, wenn der Mann nicht redet, dann wird er ihn befragen, aber auf seine Art, und da hat, seinen Worten nach, noch jeder geredet.

Ich selbst, und nicht nur ich, glaube ihm dies.

Agustín und ich haben den Befehl erhalten, alles an Bord der Aragón zu schaffen, was hier unser Lager ist. Die Waffen, die Kisten voll mit Werkzeug, die Arkebusen, die Ausrüstung für die Schmiede, die letzten Fässer mit Zwieback und die kargen Vorräte an Speck und Öl. Danach müssen wir zusammen mit anderen *compañeros* alle Scharniere der Geschützpforten fetten, dazu alle Taue prüfen, mit deren Hilfe sich die Pforten öffnen und schließen lassen. Wir haben auch Tauschmaterial für die Indios dabei: Messer, eiserne Haken, kleine Beile, buntes Baumwollgarn, wie es die *Bélzares* gern verkaufen, und Glasperlen aus Prag. Wir arbeiten schwer, und in der Hitze ist das kein Vergnügen. Wieder und wieder treiben uns die Offiziere an, und wir verfluchen sie alle, wenn auch leise. Es ist monatelang nichts geschehen, und jetzt soll alles schnell gehen. Wir wollen die Küste in zwei Tagen verlassen.

Wir, das sind fünfunddreißig Männer und der »Mundlose« aus dem Wald. Mit uns führen wir zwei Pferde, die der Conde de Molinar abwechselnd reitet. Die übrigen Offiziere, Capitan Tináz, »el Fraga« und Capitan Ramón, Götz und Alvaro gehen, wie wir auch, zu Fuß. Die Tiere sind fett geworden. Wohl die Einzigen, die hier Speck angesetzt haben. Aber ich weiß nicht, was uns die Pferde nützen sollen, denn sie gehen nicht in den Wald, und man muss sie beinahe bei jedem Schritt mit der Peitsche antreiben. Sandino, einer der Seeleute, hat darüber gelacht und gesagt, können die Offiziere nicht mehr reiten, können wir die Biester immer noch fressen. Das wäre einmal etwas anderes als der Schweinefraß, den wir seit Monaten zwischen die Zähne bekommen. Dies hat der Conde gehört, und er hat dem Mann vor Zorn mit der

Faust ins Gesicht geschlagen. Sandino ward die Nase gebrochen, und ein Auge schwoll zu. Der Conde sagte daraufhin, dass es mit jedem von uns so und noch schlimmer komme, der es wage, noch einmal solche Gedanken zu hegen. Damit ist alles gesagt. Keiner von uns wagt mehr ein loses Wort gegen den Conde und erst recht nicht über seine Pferde.

Unser Schiff, die Aragón, ist kleiner als die Santa Luìsa, aber gut mit Waffen bestückt. Ein Teil des Pulvers ist in der ersten Woche unsrer Ankunft feucht geworden, und wir haben viele Tage gebraucht, es wieder zu trocknen. Das Pulver ist wichtig, denn wir haben nicht viel davon für unsere Arkebusen und für ein halbes Dutzend leichte Faustrohre. Wir führen noch zwei große und sechs kleine Kanonen mit uns, auf jeder Seite des Schiffes ihrer drei. Damit lässt es sich gut verteidigen, und wir müssen niemand in diesem Teil der Welt fürchten. Der Anführer der *tercios* ist Götz Haunschildt, ein *condottiere*, den alle nur den Deutschen nennen. Götz ist ein Landsknecht, der behauptet, in der *condotta* des Herzogs von Savoyen gedient zu haben. Ich weiß nicht, ob dies stimmt, denn er ist ein Lutherano, und die nehmen's mit der Wahrheit nicht sehr genau, sind allesamt Aufschneider und Lügner. Aber es tut jetzt nichts zur Sache. Seinen Glauben nimmt er nicht ernster als den Gedanken, was er am Abend in seinen Wanst stopft. Wahr ist, er hat in vielen großen Kriegen gekämpft, in die die Königreiche Italiens schon seit Jahren verwickelt sind. Niemand weiß, warum er nach Spanien gegangen ist. Roh ist er und laut, wenn er spricht, was er aber nicht oft tut. Ich weiß nicht, ob ich ihn leiden kann. Er ist der schlechteste aller Christen, hat Bruder Bernabé gesagt. Aber dafür ist Götz ein guter Kämpfer, und dies allein zählt.

Auf dem Schiff werden Agustín und ich uns einen Platz zum Schlafen teilen, denn es ist für so viele Männer nicht genug Platz auf dem Schiff. Der Capitan de Tovar hat gesagt, dass es im Urwald genug Holz gibt, aber in der dunstigen Luft kostet uns jeder Schritt Schweiß und Kraft. So hat der Conde befohlen, trockenes Brennholz mitzunehmen, außerdem gerade geschnittene Bretter, rohe Bohlen und frisch geschälte Balken. Damit will er, wenn es notwendig wird, schanzen lassen.

Wir alle sind aufgeregt, auch wenn es keiner zeigt. Endlich erleben wir den Moment, in das Innere dieses neuen Landes zu gehen. Ich hoffe darauf, ein wenig Glück zu haben, um ein Leben als gemachter Mann zu führen.

»Als Bettler kehrt keiner von uns nach Spanien zurück!«

So hat es der Conde gesagt. Da haben wir alle geschrien:

»Santiago! Spanien soll stolz auf uns sein!«

II. Teil

Wer dich ungewöhnlich reich beschenkt,
will dich hintergehen
oder hat dich nötig.

Spanische Weisheit

*B*ei all der Macht fühlte sich der junge König von Spanien wie gefangen in der starren Abfolge der Sitten und Gebräuche, die streng und steif waren, genau wie das Denken und die Rituale in dem mächtig und schwerfällig gewordenen Land. Diesen Raum hingegen liebte Karl als seinen einzigen Zufluchtsort in dem riesigen Palast. Nur ihm und einigen wenigen, eng vertrauten Seelen bekannt, hielt er sich hier in den Momenten auf, in denen er glaubte, von der Last seines Amtes erdrückt zu werden. Hier gab es keine schmückenden Gemälde, Skulpturen oder gar kostbare Teppiche, keine wertvollen Möbel oder sonstigen luxuriösen Tand. Nichts sollte den jungen König von Spanien ablenken. So blieb diese Zuflucht in Farben und Formen einfach, spartanisch, asketisch. Hier dachte Karl darüber nach, wie es ihm gelingen könnte, dass ihn sein Volk liebte. Denn ein König, den sein Volk nicht achtet, ist nur eine Marionette. Das wusste er seit dem Tag, an dem man ihn zum König des spanischen Reiches gemacht hatte. Nein, dieses Volk liebte ihn nicht, sondern es urteilte höhnisch über ihn, und das grämte Karl, heimlich zwar, aber heftig, war er doch ein Mensch, der sich die Anerkennung anderer Menschen wünschte.

Es waren drei Männer anwesend.

Ein sehr alter Mönch, ein hoher Beamter des Hofes und eben Karl V., König von Spanien, der einmal Deutscher Kaiser werden sollte. Der König, in Gent geboren, in Flandern erzogen und nun Souverän der spanischen Krone. Der Habsburger war als solcher aus diesem Geschlecht an der vorstehenden Unterlippe kenntlich. Als Herrscher eines immer größer werdenden Weltreiches spricht er das Französische unvollkommen, Deutsch mit deutlich niederländischem

Akzent, Spanisch nur wenig. So beschreiben ihn Zeugen und all jene, die ihm vertraut genug waren.

Er selbst war es, der mit einem Kopfnicken einem der Männer befahl, aus einem dicken Buch vorzulesen, dessen dunkler Einband mit einem großen, goldenen Kreuz geschmückt war.

Der alte Mann, der Mönch, begann zu lesen:

»Aber ein Nebel ging auf von der Erde und feuchtete alles Land.

Und Gott der Herr machte den Menschen aus dem Erdenkloß, und er blies ihm ein den lebendigen Odem in seine Nase. Und also ward der Mensch eine lebendige Seele.«

Der König, auf einem einfachen Stuhl sitzend, nickte dazu. Aber er sprach nicht, weder zu dem Mönch, der über sein Buch gebeugt auf eine Handbewegung des Monarchen wartete, um in seinem Text fortzufahren, noch zu dem anderen Mann, einem Würdenträger, im Rang sehr hoch und doch nicht privilegiert genug, eigene Worte direkt an seinen Souverän zu richten. Die Bewegung war kaum zu sehen gewesen, aber der Mönch bemerkte und verstand sie und begann, weiterzulesen.

»Und Gott, der Herr, pflanzte einen Garten in Eden gegen Morgen und setzte den Menschen hinein, den er gemacht hatte.

Und Gott der Herr ließ aufwachsen aus der Erde allerlei Bäume, lustig anzusehen und gut zu essen, und den Baum des Lebens mitten im Garten und den Baum der Erkenntnis des Guten und des Bösen.«

Der Mönch sah auf den Besucher und richtete seine Frage direkt an ihn.

»Hört, was Seine Majestät Euch sagen will: Ihr kennt wohl jene Stelle in der Heiligen Schrift?«

»Jawohl«, antwortete der Mann.

»Aber ich muss Eurer Majestät gestehen, ich weiß nicht genau, aus welchem Buche dies Geschriebene stammt. Wohl ist es die Heilige Schrift, aber ...«

»Das Buch Mose, Exzellenz. Die Erschaffung des Menschen«, antwortete der Mönch.

Eine erneute Handbewegung des Königs ließ den Mann weiterlesen.

»Und es ging aus von Eden ein Strom, zu wässern den Garten, und teilte sich von da an in vier Hauptwasser. Das erste heißt Pison, das fließt um das ganze Land Hevila; und daselbst findet man Gold. Und das Gold des Landes ist köstlich; und da findet man Bedellion und den Edelstein Onyx. Das andere Wasser heißt Gihon, das fließt um das ganze Mohrenland. Das dritte Wasser heißt Hiddekel, das fließt vor Assyrien. Das vierte Wasser ist der Euphrat. Und Gott der Herr nahm den Menschen und setzte ihn in den Garten Eden, dass er ihn baute und bewahrte. Und Gott der Herr gebot dem Menschen und sprach: Du sollst essen von allerlei Bäumen im Garten; Aber von dem Baum der Erkenntnis sollst ...«

»... sollst du nicht essen; denn welches Tages du davon issest, wirst du des Todes sterben,« beendete feierlich der Mann die Stelle in der Heiligen Schrift.

Da lächelte der Mönch kurz und nickte.

»Hört, was seine Majestät Euch sagen will: Ihr kennt das Buch Mose wohl mehr, als Ihr Euch eingestehen wollt. Nun, wer einmal davon kosten durfte, für den bleibt die heilige Schrift ein feines Wort, in dessen Gedächtnis geschrieben für alle Zeit. Die Worte Gottes will er nimmer missen.«

»So sei es wohl, Eure Majestät«, sagte der Mann und blickte den Monarchen dabei an.

Der Mönch, das Sprachrohr des spanischen Königs, hob die Stimme ein wenig.

»Hört, was Seine Majestät Euch sagen will: Gott selbst weist uns den Weg. Seine Majestät glaubt das Paradies nicht für alle Zeiten verloren. Wohl hat Gott, der Herr, den Menschen daraus vertrieben. Aber der Garten Eden ist nur verwaist und wartet seit jenen Tagen darauf, wieder entdeckt zu werden. Auf dass wir, geläutert und aufrecht im wahren Glauben, Gottes Weisung nachkommen.«

»Machet euch die Erde untertan«, antwortete der Mann mit feierlicher Stimme.

Dann schwiegen sie lange. Karl, der König von Spanien, hatte sich von seinem Stuhl erhoben und war ans Fenster getreten. Er blickte hinaus, und an seinem Blick ließ sich eine Sehnsucht erkennen, deren Grund aber nicht festzustellen war.

»Eure Majestät, soll ich sogleich mit der Suche beginnen?«, fragte der Mann sodann.

Für einen Moment blieb es erneut still in dem kahlen Raum, bis der Mönch, der Bewegung seines Königs gewahr geworden, eine Antwort gab.

»Hört, was Seine Majestät Euch sagen will: Schon *Petrus Alliacus* den man auch *Pierre d'Ailly* nennt, schreibt in seinem *Tractatus de imagine mundi* über den Ort des möglichen Paradieses. *Aeneas Silvio Piccolomini* beschreibt auch in seiner *Historia reum ubique gestarum locorumque descriptio* ein Land mit mildem Wind zu jeder Zeit, reichem Wuchs und feinem Stein und Gold, welches aus der Erde kommt.«

Der Mönch strich sich mit der Hand über sein spartanisches Gewand.

»Hört, was Seine Majestät Euch sagen will: Das Mohrenland ist uns bekannt. Der Portugiese Vasco da Gama hat es umfahren. Er war es, der Indien entdeckte und darüber mannigfaltig berichtete. Hiddekel in Assyrien und der Strom Euphrat sind Orte, die uns ebenfalls bekannt. Also muss der vierte Strom in dem Land über dem Ozean sein, das *terra nova*, Neues Land, genannt wird. Sandte Gott, der Herr, uns nicht allerdeutlichste Zeichen? Hat Gott nicht Spanien dieses neue Land entdecken lassen? Hat er nicht Spaniens Krone Besitz von diesem Land nehmen lassen? Hört, was Seine Majestät Euch sagen will: Es muss allerheiligste Aufgabe sein, den Garten Eden wieder zu finden und für die Krone in Besitz zu nehmen, dieses Mal aber für alle Zeit. Dies allein ist mein Wunsch und Befehl! Nun, es wäre ein Experiment, dessen Fehlschlag wohl nicht schmerzt, aber nur, weil wir nicht glauben, dass es einen Fehlschlag geben wird. Denn der Mann, der dies tut, darf keinen Moment zweifeln und kein Mal zurückblicken. Dieser Mann muss stark sein. Ja, stärker als je ein Mann zuvor, denn seine Aufgabe ist sehr groß.«

Da verbeugte sich der Mann und er wusste genau, was sein Auftrag war. Aber er wusste noch nicht, was zu tun war.

Die Zugpferde mühten sich den steilen, gewundenen Weg hinauf. Sie zogen schwer an der Kutsche, ein schwarzer Kasten, groß, ein hoher Klotz, wie eine kleine Festung auf dem Rahmen verzurrt, die Fenster links und rechts an den Seiten mit dunklem Tuch verhangen. Kostbar, aber ohne Spur von Leichtigkeit und Raffinesse, puren Reichtum zeigend, plump, kein noch so geringer Hauch von Eleganz.

Auf der engen Straße, die ganze Steigung hinauf, war eine große Menschenmenge unterwegs. Jetzt drängten sich die Menschen schnell an die Hauswände, um der Kutsche Platz zu machen. Einige reckten die Hälse, in der Hoffnung, etwas in dem Inneren zu entdecken. Aber wie immer war jeder Versuch vergeblich. Als das Fuhrwerk den steilsten Teil des

Weges endlich hinter sich gelassen hatte, bog es auf die große, helle Plaza ein und verlangsamte seine Fahrt. Der Platz war schmal und in Form eines Rechtecks, ein helles Geviert, unterteilt mit steinernen Mauern und Treppen, an einer Schmalseite übergehend in ein Podest aus fest gemauerten Stufen, am Ende wie ein mächtiger Schrein, ganz aus hellem Stein – die Kathedrale. Das Gotteshaus war einzige Kulisse, der Platz davor die Bühne. Arkaden aus hell verputztem Mauerwerk umfassten das Geviert, die Bögen dazwischen waren schwarz vor Menschen. Alle warteten hier im Schatten auf den Beginn der sonntäglichen Messe.

Erneut verlangsamte die schwarze Kutsche ihre Fahrt, um den Pferden Zeit zum Verschnaufen zu geben, aber auch, weil die Straße zur Plaza brechend voll war von Menschen, Neuankömmlingen und Wartenden, Beobachtern, Kindern in Scharen, Mönchen und Mägden, Taschendieben und Bettlern. Dazwischen befand sich eine nicht geringe Anzahl von Sänften und Sitzstühlen, weiteren Fuhrwerken aller Art und Reiter zu Pferd. Vorn an den breiten Stufen hielten all die Edelmänner an. Die meisten von ihnen hatten ihre Familie wie auch weitere berittene Begleitung bei sich. Ein Sonntag wie dieser bot für den Adel wie für das einfache Volk Gelegenheit, winzige Momente der Gemeinsamkeit zu erleben. Für den Adel galt es, sich vor der Sonntagsmesse in der Kirche zu zeigen. Für das Volk blieb das einfache, aber billige Vergnügen, bei dieser Gelegenheit zu sehen und zu flüstern, zu klatschen und zu träumen. Die Kutsche rollte jetzt so langsam, dass jemand selbst in gemächlichem Schritt zu Fuß schneller war als der Vierspänner. Im Schatten, auf der rechten Seite des riesigen steinernen Vorplatzes, warteten die angebundenen Reitpferde der anwesenden Granden. Eine Vielzahl der Pferde der eher rangniederen Edelleute, wie auch der jungen *caballeros* wurden von Taglöhnern bewacht.

Es gab nirgendwo sonst so deutlich die Gelegenheit, die Nachkommen der spanischen Elite aus dieser Gegend zu sehen. Für eine eigene Familie noch zu jung, aber alt genug für ein Auftreten voll Stolz und oft genug heiterem Gebaren, stolzierten sie wie prächtige Pfauen, in dem aufregenden Bewusstsein ihrer frühen Männlichkeit, nervös und manchmal ein wenig linkisch umher und taten es dabei in ihrem Benehmen ihren Vätern, Brüdern, Onkeln und Cousins nach. Wer nur ein Pferd als einzigen Luxus besaß, dem blieb einer der vielen Gassenjungen, die für ein paar Münzen auf das Eigentum der *caballeros* achteten, solange diese in der Heiligen Messe weilten.

Don Martin de Alonso hatte einem der Jungen sogar den Gegenwert eines halben Augsburger Dukaten versprochen, um das Pferd seines Freundes und dazu sein eigenes Tier zu bewachen. Beide Männer standen schon seit geraumer Zeit vor der Kirche, wobei sich beide bemühten, von ihrem kühlen Platz unter den Arkaden nicht einen Schritt preiszugeben. Dies geschah nicht nur wegen der stärker werdenden Hitze an diesem Sonntagvormittag, sondern auch wegen der immer größer werdenden Menschenmenge ringsum. Dabei waren diese beiden Männer keine gewöhnlichen *federales* oder gar verarmte Nachfahren jener *conversos*, die in den Augen mancher Spanier noch immer Ketzer statt zutiefst gläubige Katholiken waren. Diese Sorte Edelmänner kleidete sich höchst einfach, und ihre Pferde waren zweckmäßig, aber nicht mit Raffinesse gezäumt. Der genaue Blick auf diese beiden Tiere aber offenbarte, dass beide Reiter, obwohl einfach gekleidet, trotz dieser Verstellung keine einfachen *federales* waren. Denn bei den Pferden war ihnen die Art der Tarnung am wenigsten geglückt. Zwei edle Tiere, kostbar seit der Zeit, als sie als Nachfahren der berühmten maurischen Vollblüter in diesem Teil Spaniens gezüchtet wurden.

»Sind sie das?«, fragte Don Martin de Alonso und sein Begleiter, Don Francisco Diego de Ruiz, beugte sich ein wenig vor.

Er nickte zustimmend in Richtung der Kutsche, die jetzt ein wenig schwerfällig vor die breiten Stufen des Portals rumpelte. Dabei berührte das hintere Rad die niedrige Kante der untersten Treppenstufe. Durch das Gewicht und die Kraft des eisenbeschlagenen Rades brach bei diesem Manöver ein wenig von dem Stein ab und blieb lose liegen. Das dunkle Gefährt hielt an. Ein Diener stieg von seinem Sitz herab. Steifbeinig streckte er sich und öffnete dabei den Schlag. Es dauerte eine Weile, bis der Lakai einem der Insassen, einem Mann, aus der Kutsche half, der alt und gebrechlich auf den ersten Blick wirkte. So mußten die beiden Beobachter wohl denken, wenn sie das kurze, schlohweiße Haar und den dichten, grauen Bart, dazu die Behäbigkeit des hageren Mannes deuten wollten. Aber als er da auf der Treppe stand, die schmalen Schultern ein wenig vornübergebeugt, der Kopf wie eingerahmt von einem breiten, kostbaren Spitzenkragen, gestützt auf einen schwarzen Stock, die freie Hand am Degen, eine kostbare venezianische Schiavone, war er durch und durch von jenem sichtbaren Dünkel, der dem Adel oft wie eine zweite Haut anhaftete. Das war Seine Exzellenz Don Diego Ramón de Navarra, schwerreicher Großgrundbesitzer mit dem Titel eines Herzogs von Kastilien und zugleich Graf von Lérida, Träger einer Reihe von weiteren hohen Titeln und nicht minder eindrucksvollen Auszeichnungen und in einer komplizierten Abfolge mit dem Königshaus verwandt.

Die beiden Beobachter sahen weiter, wie der Dienstbote seinen Arm einer Person darbot, die gerade das Gefährt verlassen wollte.

Da, mit einem Mal, sah es für einen Moment so aus, als ob all die Geschäftigkeit auf der Plaza ringsum ruhiger und ruhiger wurde, bis sie plötzlich ganz zu ruhen schien. Es war still, so still, dass man nur das Klirren von Metall hörte, leise und immer dann, wenn eines der Pferde sich bewegte, um Fliegen zu verscheuchen. Alle Augen richteten sich auf den offenen Schlag, in der Hoffnung, etwas zu sehen, worüber man seit einem Jahr in der ganzen Provinz sprach und was nicht etwa als loses Gerücht, sondern als lebendiger Beweis hier und jetzt zu sehen war.

Erst nur ein schmaler Fuß, kaum verhüllt von dem gerafften Kleid, entstieg dem Wagen eine anmutig schlanke Frau. Trotz der brütenden Hitze trug sie ein weites langes Kleid, tiefblau, aus schwerem mailändischen Samt, mit seidenen Ärmeln, die bis an den Handrücken reichten. Die Haut dort war von der vornehmen Blässe, wie sie der Adel als besonderes Merkmal von makelloser weiblicher Schönheit schätzte. Das Haar der Frau bedeckte ein langer Schleier aus kostbarer dunkelblauer Spitze.

Nachdem sie sicher auf einer der Stufen stand, nickte sie dem Lakaien kaum merklich zu und griff nach ihrem Schleier. Sie richtete ihn sorgsam, und plötzlich, so als ob der Wind nur darauf gewartet hätte, blies er ein wenig, ein klein wenig nur. Aber es reichte aus, und für einen Augenblick sahen alle Wartenden den schlanken, feinen Hals, das dunkelblonde Haar, die zarten Wangen, die grünen Augen, den Mund, die leicht gebogenen Brauen – das Gesicht dieser Frau.

Ein Raunen ging durch die wartende Menge, und alle Blicke waren auf sie gerichtet.

»Bei der heiligen Jungfrau«, entfuhr es de Alonso, »was für ein herrliches Weib!«

Sein Begleiter lachte verhalten und rückte noch ein wenig an ihn heran. Er beugte sich vor, um die Worte, die er de Alonso sagen wollte, nur halblaut sagen zu müssen.

»Das ist Dõna Ines. Die schönste Frau von Kastilien.«

»Mein lieber Freund, Ihr scherzt wohl?«, flüsterte der andere Mann, »dies ist die schönste Frau, die ich je gesehen habe.«

Diego de Ruiz wagte einen Blick zur Seite. Alle Gesichter hingen an der Gestalt und dem Antlitz der jungen Herzogin.

»Seht dieses Gesicht, diesen Leib. Sie ist doch nicht von dieser Welt. Was denkt Ihr?«

»Ich will Euch nicht widersprechen, weil ich meine, dass Ihr Recht habt«, antwortete der andere Mann, noch immer angenehm belustigt.

Die Frau stützte ihre Hand auf den Arm des Alten, der gewartet hatte, und nun mit langsamen, schwerfälligen Schritten die Stufen zur Kathedrale hinaufschritt. In respektvollem Abstand folgten zwei weitere Frauen, beide ganz in schwarzem, edlem Stoff gekleidet, die Hofdamen.

»Sagt selbst, kann jemand so einem Weib widerstehen?«, fragte de Ruiz.

Sein Begleiter schüttelte verneinend den Kopf.

»Ihr treibt Scherze mit solch Fragen, nicht wahr?«

»Ihr seid also überzeugt?«

»Ja, jetzt sehr wohl, lieber Freund«, seufzte Don de Alonso leise.

Da begannen die Glocken der Kathedrale die Gläubigen zur Messe zu rufen. Und als ob alle nur auf die Ankunft dieser Kutsche und seiner Insassen gewartet hatten, schloss sich die Menge der kleinen Gruppe an und folgte ihr wie ein breiter Strom den Weg hinauf zum Portal.

»Ja, ein wenig beneide ich den Mann, der sich dieser Schönheit hoffentlich jeden Moment bewusst ist. Wenn ihre Brüste und ihre Schenkel von solchem Liebreiz sind wie ihr Gesicht, dann …«

Francisco schnalzte ein wenig mit der Zunge und grinste dabei. Don de Ruiz zog sich seine ledernen Handschuhe über. Er tätschelte die Flanke seines Pferdes.

»Beherrscht Euch, Freund, denkt an unsere Mission. Nun denn, jetzt weiß ich den Erfolg ein großes Stück näher«, antwortete er ihm.

Er nickte wie zur Bekräftigung dessen, was er gerade gesagt hatte. Dann band er sein Reittier los, schob den Stiefel in den Steigbügel und saß mit einem Schwung auf. Er wendete das Tier, ohne auf die Menschen ringsum zu achten und blickte noch einmal in Richtung des Kirchenportals. Der große, dunkle Eingang der Kirche verschluckte die vielen Menschen. Jetzt war es das einfache Volk, das hineindrückte und schob, in der Hoffnung, noch einen Platz möglichst weit vorn, wenn auch am Rande des Geschehens, zu bekommen. Don de Alonso war ebenfalls aufgestiegen und warf einem der Pferdeknechte eine Münze zu. Der Junge, kaum sechs Jahre alt, fing sie geschickt auf, biss auf das blanke Metall und murmelte dann ein *gracias*. Dann stob er barfüßig davon, immer der Menge nach, wo er sogleich zwischen den drängelnden Menschen verschwand.

»Wie gesagt, alle hier Wartenden kommen nur wegen Doña Ines, in der Hoffnung, sie zu sehen. Ist dies doch der einzige Moment, wo ihr alter Ehemann es so gemeinem Volk wie Euch und mir erlaubt, sie anzuschauen«, bemerkte de Ruiz spöttisch, »kann gut sein, dass ein paar Seelen natürlich nur wegen der Heiligen Messe kommen.«

Jetzt lachte er und hieb kurz seine Stiefel dem Pferd in die Flanken. Das Tier machte zwei, drei kurze Sprünge, um dann loszujagen. Don de Alonso tat das Gleiche. Als die beiden Männer den Weg zurückritten, den die Kutsche gerade gekommen war, schlossen sich die weiten Portale der Kirche.

*J*ener Teil des Palastes wurde Casa de Castilla, Burghaus, genannt. Der Name benannte auch den Teil des Gebäudes, der sich bis zu den Außenanlagen des Schloßbezirkes hin ausdehnte und noch immer vergrößert und verschönert wurde. Die unzähligen Säle des königlichen Palastes gerieten hierbei eher lang als breit, mit hohen Decken und ebensolchen Fenstern. Sie waren mit dicken, kostbaren Verglasungen aus flämischem Bleiglas versehen, das sich die Spanier gerne aus Antwerpen kommen ließen. Dieser Teil des Palastes war ein reiner Arbeitstrakt. Niemand vom Hofe wohnte in diesen Räumlichkeiten. Hier hieß es, auf die Stunde und die Gunst einer Audienz zu warten. Weniger auf seine Majestät, den König, eher auf einen der vielen Beamten und Würdenträger, die allein Zugang zu Karl hatten. Nur sie waren befugt, Ideen und Bitten an sein Ohr weiterzuleiten. So konnte dieses Warten lange dauern. Nur wer Geduld mitbrachte, erlebte je einen Moment des Erfolges. Von dem Seefahrer Juan Ponce de León weiß man zu berichten, dass er fast ein Jahr gewartet hatte. Dies war seinem Rang entsprechend gar keine so lange Zeit gewesen, und schon der Genuese Christofero Colón, der sich selbst Kolumbus nannte, wartete einst in jenen Räumen Jahre auf den Moment, dem spanischen Königspaar von seiner Idee zu erzählen. Diese Art und Weise des Hofzeremoniells band Ideen und Gedanken, Einfälle und Wünsche, mehr noch, es vermochte diese auch zu zerstören. Spanien war in seinen Entscheidungen schwerfällig geworden. Immer mehr begannen jene langwierigen und umständlichen Sitten das Land in seiner Entwicklung zu lähmen.

Die beiden jungen Männer wurden bereits erwartet.

Don Martin de Alonso und Don Francisco Diego de Ruiz

waren selbst Angehörige des spanischen Hochadels und gewöhnt, jederzeit Zutritt in dem königlichen Palast zu bekommen.

Mayordomo mayor lautete der offizielle Titel für das Amt des Oberhofmeisters. Nur einem Grande des spanischen Reiches stand die Würde dieses wichtigen und hohen Amtes zu. Allenfalls die Mitglieder der königlichen Familie, Kardinäle und die Gesandten standen im Rang noch über ihm. Don Jaime Fray de Pérez gewährte den beiden Granden nicht nur Audienz, sondern sogar ein besonderes Privileg: ein intimes Gespräch nur zwischen diesen drei Männern.

Don de Pérez war der Leiter der Hofverwaltung. Zugleich genoss er das persönliche Vertrauen des Königs, und er hatte jederzeit Zutritt zu seinen Audienzen. Er hatte auch das Privileg, anwesend zu sein, wenn seine Majestät speiste. Nicht vergönnt war ihm, das Wort direkt an seinen Souverän zu richten. Diese Gunst galt als besonderes Privileg und zugleich als höchste Auszeichnung innerhalb der starren Sitten bei Hofe. Auch der Tagesablauf dieses Hofbeamten unterlag dem strengen Protokoll des spanischen Hofes, dessen Vorbild der Hof von Burgund war und dessen Einfluss immer stärker auf den spanischen Hochadel abfärbte. Als Leiter der königlichen Hofverwaltung wurde Don Jaime Fray de Pérez zweimal wöchentlich Bericht erstattet. Einmal jeweils am Dienstag, dem Tag, an dem der Mayordomo mayor die Bücher über die Ausgaben und Gehälter überprüfte. Dies tat er im Beisein seiner vier Stellvertreter, Mayordomo, Hofmeister, genannt.

Am Freitag hingegen beschäftigte sich Don de Pérez immer mit Angelegenheiten der Regierungsorganisation, wobei auch die Vorkommnisse der Innen- und Außenpolitik Spaniens durch seine Hände gingen. So gesehen war der Freitag ein anstrengender Tag für alle Beteiligten. Dies umso mehr, da de Pérez als besonders genau und sehr gewissenhaft galt und dem burgundischen Protokoll exakt verpflichtet war.

»Bitte, nehmt Platz, ihr Herren«, bat er höflich.

Die Neuankömmlinge verbeugten sich tief. Im Rang waren diese beiden Edelmänner dem Oberhofmeister der Krone fast gleich, nur das Alter unterschied sie. Keiner der beiden Männer war mehr als dreißig Jahre alt, während Don Jaime längst die Sechzig erreicht hatte. Er war ein spanischer Grande, jedoch nicht seit Geburt an, und er galt als einer der ältesten Hofbeamten. Bereits Vertrauter des früheren spanischen Königspaares Isabella von Kastilien und ihres Mannes, Ferdinand von Aragonien, kämpfte er als blutjunger Graf in den italienischen Kriegen. Wie so viele damals war er für seinen Mut ausgezeichnet worden, und das vergaß ihm die Krone nicht.

»Welche Neuigkeit bringt ihr mir, Chevaliers?«

Er benutzte die französische, zu dieser Zeit modische Anrede, derer sich gerne die Adeligen bedienten, denn sie schmeichelte ihren alten Namen und ihren stolzen Titeln.

»Ich habe unserem Freund gezeigt, was uns nutzen soll bei dem, was uns zu tun drängt.«

Don de Ruiz wog nach diesen Worten den Kopf und sah seinen Gefährten von der Seite an. Auch Don de Pérez sah auf den jungen Adeligen.

»Was denkt Ihr, Don Alonso?«

»Exzellenz, mehr denn je glaube ich an unsere Mission.«

»Ihr seid sehr gütig. Ich entnehme Euren Worten die nötige Zustimmung, nicht wahr? Erlaubt mir trotzdem, dass ich mich durch eine Frage an Eure Person noch einmal gänzlich versichere: Seid Ihr gewillt, bei der bevorstehenden Ausführung eines besonderen Manövers zu helfen?«

»Es hat sich an meinem Wort nichts geändert. Ich diene der Krone.«

Don Jaime Fray de Pérez lehnte sich in seinem Sessel zurück. Er sah beide Männer an und nickte zufrieden, bevor er weitersprach.

»Ich danke Euch, Ihr Herren. Wie wohl mir bei Eurer Entscheidung ist. Auch ich war nicht müßig in meiner Suche. Ihr habt das Schloss begutachtet, und ich glaube, ich habe den Schlüssel für dieses Schloss gefunden. Meine liebe Freundin Isabella d'Este sandte mir dies direkt aus Mantua.«

Er griff nach einem kleinen Paket aus Leinen, öffnete die Umhüllung und reichte den Inhalt, ein kleines Ölporträt in einem prächtigen Rahmen, zuerst Don Ruiz. Der Hofbeamte lehnte sich wieder in seinem Sessel zurück und wartete. Don de Ruiz betrachtete das Porträt eine Weile sehr aufmerksam. Das Bildnis zeigte einen jungen Mann, kaum älter als er selbst, dunkelhaarig, mit einem auffallend hübschen Gesicht.

»Das ist Don Ricardo de Molinar, Abkömmling eines kleinen Landgrafen aus der Gegend um Jeréz. Er ist nicht reich, aber auch nicht arm und einziger Sohn eines alten Geschlechtes derer von Molinar, ein versierter Reiter, ein guter Fechter, keinem Abenteuer abgeneigt, aber nicht zu sehr von Leichtsinn in seinem möglichen Überschwang. Ein frommer Katholik, derlei ohne eine Aufgabe. Tapfer, leicht zu begeistern und – dumm in seiner Eitelkeit als Galan.«

»Wohl nicht zu dumm für unsere Zwecke, so hoff ich doch«, entgegnete de Alonso.

»Nein, edler Don Alonso, gewiss nicht«, antwortete Fray de Pérez geduldig.

»Er ist wirklich noch sehr jung«, bemerkte de Ruiz nach einem langen Blick auf das Porträt.

»Aber die Larve ist, zugegeben, Exzellenz, recht angenehm.«

»Jawohl, ein glattes Gesicht, mit noch allen Zähnen und guten Augen. Aber gemach, er bringt eine Reihe nützlicher

Voraussetzungen für dieses Unternehmen mit«, entgegnete Don de Pérez geduldig.

»Er ist Offizier im königlichen Heer und Absolvent der Seemannsschule für Seeoffiziere in Prado. Die de Molinars sind eine sehr alte Familie. Ihr edles Blut reicht zurück bis in früheste römische Zeit. Zumindest rühmen sie sich, aus direkter Linie der Cäsaren zu stammen.«

»Das tun wir doch alle irgendwie«, bemerkte Don Alonso stolz.

Der Gedanke, dass dieser junge Mann Teil ihres Planes werden sollte, gefiel ihm nicht. Das war in seinen Gedanken kein geeigneter Kandidat, sondern eher ein adeliger Habenichts, wohl von hübschem Gesicht und Wuchs, dem aber durch ihr Spiel Gelegenheit zur Erlangung von Ruhm und Reichtum gegeben werden sollte. Mit keiner Miene verriet der Mayordomo mayor, ob ihm die Bemerkung des Don Alonso missfallen hatte.

»Seid versichert, ich weiß, warum ich ihn gewählt habe«, antwortete er sanft.

Die beiden Männer warteten auf weitere Erklärungen. Es galt als große Unhöflichkeit, zu sprechen, bevor der Wortführer der Unterredung mit seinen Ausführungen nicht fertig war. Die beiden Grafen konnten sehen, wie sich der Adelige sammelte, bevor er ihnen weiter antworten wollte. Dennoch platzte de Alonso in seiner Ungeduld als Erster heraus.

»Er wird sein angenehm feines Leben nicht gegen das tauschen, was wir von ihm verlangen.«

»Bei allem Respekt vor der Ehre, dem König selbst dienen zu dürfen, aber kein Mann von Rang und Ehre geht in die Neue Welt. Dieses Land über dem Meer ist ein Land für Abenteurer, für Glücksritter, nicht ein Land für einen Spanier von Rang. Nicht einmal für diesen kleinen Bauerngrafen aus Jeréz«, fügte de Ruiz den Worten seines Gefährten hinzu.

Auch er konnte die kaum verhohlene Verachtung gegenüber dem unbekannten, aber im Stand niedriger stehenden Mann nur mühsam verbergen.

»Ihr Herren, Graf Don de Molinar darf sich rühmen, allerlei Eigenschaften als Gabe zu besitzen, die ihn geradezu auszeichnen für unser Unternehmen«, entgegnete der königliche Beamte geduldig, »Einmal ist er ohne Verpflichtung, weder sich selbst oder seiner Familie gegenüber. Damit wäre er begeisterungsfähig genug für eine solche Sache. Des Weiteren ist er nicht unbedingt hässlich. Das wird ihm eine Buhlschaft leicht machen, und er ist ein spanischer Edelmann, dessen Ehre höher wiegt als ein Fehltritt.«

»Er ist nur von einfachem Blut, ein *hidalgo*«, bemerkte de Alonso erneut in spitzem Ton.

»*Si alguno probar queréis, dadle oficios, veréis quién es.* Wenn Ihr jemanden prüfen wollt, gebt ihm Ämter, und Ihr seht, wer er ist«, antwortete Don Jaime lächelnd und sprach dann weiter.

»Aber es heißt auch *Quien la fama ha perdido, muerto anda en la vida.* Wer seinen guten Ruf verloren hat, geht als Toter durchs Leben. Dies sind spanische Worte. Dem *hidalgo,* wie ihr ihn nennt, die Ehre zu nehmen, ist schlimmer, als ihn ehrenvoll zu töten. Ganz genau hier werden wir ansetzen: bei seinem Ruf und seiner Ehre. Darauf baut mein Plan, Chevaliers. Es müsste doch mit allem Übel zugehen, wenn dies nicht gewichtige Verbündete sind, die für den Erfolg unserer Sache vonnöten wären, nicht wahr?«

Francisco Diego de Ruiz nickte und lächelte dann. Er wandte sich an Martin de Alonso, der nach diesen Ausführungen des Mayordomo mayor den Kopf abwägend hin und her bewegte.

»Don Jaime Fray de Pérez, Ihr habt Recht. Aber es ist auch ein spanisches Wort, welches sagt: *Honra y provecho no ca-*

ben en un saco. Ehre und Profit haben nicht im gleichen Sack Platz. Sei´s drum, betrachtet man Euren Plan, dann erkenne ich die Feinheiten unseres Spiels sehr viel besser.«

»Ich danke Euch, Don Ruiz, ich danke auch Euch, Don Alonso. Vergesst nicht, dies ist eine Sache, die seine Majestät persönlich interessiert. Seine Beweggründe bedürfen besonderer Mittel, und es kommt also darauf an, welche Art der Diplomatie nun vonnöten ist.«

»Laut dem Vertrag von Tordesillas ist dieses neue Land im Besitz der Krone von Portugal«, bemerkte de Alonso.

Don Jaime Fray de Pérez nickte bedächtig, antwortete aber nicht.

Don Alonso sprach weiter.

»De Chabral hat die Küste dort in Besitz genommen, für Portugal!«, fügte er hinzu.

Mayordomo mayor nickte nur bedächtig und strich sich langsam über seinen geflegten Bart.

»Ich gebe des Weiteren zu bedenken«, fuhr Don Alonso eifrig fort, »Spanien kann sich einen Krieg mit Portugal nicht erlauben. Die neue Welt wirft wohl Gold ab, aber niemand weiß, ob es für ein solches Abenteuer genügt.«

Er hatte sich ein wenig in Rage geredet. Die Pikanterie ihres Manövers schien ihm doch zu groß zu sein. Vielleicht aber wollte er Don de Pérez auch nur ein wenig verunsichern, da der Diplomat vor ihm die Ruhe und Souveränität ausstrahlte, wie sie nur jahrelanger Dienst in Diensten der Krone mit sich bringt. Don Jaime räusperte sich, dann begann er zu sprechen.

»Dies alles ist mir bewusst. Deshalb ist diese Expedition für uns von solch enormer Wichtigkeit«, antwortete er.

Nach einer kleinen Pause sprach er weiter.

»Mit Erlaubnis Seiner Majestät habe ich zwei Gesandte nach Lissabon geschickt, die der Krone Portugals eine Übereinkunft von interessantem Inhalt eröffnen. Doch dies, edler Don Alonso, braucht Euch kein Kopfzerbrechen zu bereiten. Derlei Politik ist meine Aufgabe.«

»Es sei, wie Ihr sagt. Sagt an, was ist nun für uns zu tun?«, fragte Don Ruiz.

»Es ist an der Zeit, die Begierde nach jeglicher Wollust bei unserem schönen Grafen wie auch bei der jungen Gräfin zu wecken. Aber denkt immer daran: Ihr beide tretet nicht in Erscheinung. Noch nicht! Es gilt, zwei Vögel ganz allerliebst miteinander schnäbeln zu lassen, und Ihr beide, meine Herren, Ihr führt unsere beiden Vögelchen und haltet sie dann fest, wenn sie im Überschwang ihrer Gefühle davonfliegen wollen.«

»Wie Ihr wünscht und wie Ihr befehlt, Exzellenz«, antwortete de Ruiz gehorsam.

Das erste Mal in dieser Unterredung benutzte er die respektvolle Anrede und zeigte damit sein Einverständnis für die bevorstehende Mission, die bei Gelingen einen besonderen Posten und eine wohl gefüllte Börse versprach. Seine Miene blieb ernst, als er sich erhob und sein Gefährte de Alonso es ihm gleichtat. Beide Spanier verbeugten sich tief vor dem Hofbeamten und schritten dann rückwärts zur Tür. Dort verbeugten sie sich erneut, zogen ihre Hüte als besondere Geste der Wertschätzung und grüßten, noch immer tief gebeugt, nach französischer Sitte. Dann erst öffnete ihnen ein Lakai die Tür, und sie verließen den Raum.

Don Alonso ging schweigend den Gang hinunter, de Ruiz schritt neben ihm.

»Gefällt Euch seine Wahl?«, fragte er.

»Nein«, antwortete dieser.

»Nein?«

»Mir würde jeder Kerl missfallen, der Doña Ines berühren darf.«

»Hoppla, es tut Euch also Leid um sie?«

»Was sollte mir Leid tun? Es hat mir noch nie um ein Weib Leid getan, da seid versichert. Aber ich selbst hätte meinen Schwanz zu gerne in ihrem Schoß versenkt. Das könnt ihr mir glauben, und ich weiß, dass Ihr genauso denkt.«

De Ruiz grunzte nur zu dieser Bemerkung, weil es so war, wie sein Gefährte es gesagt hatte.

»Wir …. ah, lasst uns beginnen«, sagte er grimmig.

»Ja, Diego, lass uns beginnen, bevor wir so alt sind wie Don Jaime Fray de Pérez. Dann sind solcherlei Spiele die einzigen Spielchen, die man noch spielen kann.«

»So oder so, er wird keine Früchte mehr ernten.«

*D*ie Schwüle des Tages war in diesem Teil des Gartens weniger zu spüren. Ein großer Teich bildete eine Art Grenze, die den Park vom übrigen Schloss trennte. Da hauptsächlich aus dieser Richtung der Wind wehte, ließ sich bereits bei der leisesten Brise ein angenehm kühler Windhauch spüren. Andererseits hatte Don Diego Ramón de Navarra hier schon vor mehr als fünfzig Jahren Bäume pflanzen lassen und immer argwöhnisch darauf geachtet, wie sie wuchsen und größer wurden.

Fünfzig Jahre lang war er bereits Herrscher über eins der prächtigsten Besitztümer Spaniens. Die Krone selbst beneidete bereits seinen Vater um dieses Anwesen. Don Diego Ramón de Navarra hatte dieses Haus immer als seine Heimat angesehen. Jetzt war er bald siebzig Jahre alt und hatte eine Frau geheiratet, die seine Enkelin sein könnte. Diese Frau liebte er, und dabei verspürte er manchmal so etwas wie Wehmut. Er wusste, dass jeder Tag mit ihr ein Geschenk war, denn er war alt, und seine Gicht war nur eines der vielen Leiden, die ihn auf seine alten Tage peinigten.

Unter dem Fenster war helles Lachen zu hören. Er erhob sich von seinem Sessel und schritt zum Fenster. Er musste langsam gehen und einen Stock als Stütze benutzen. Unter ihm lag ein Patio, der nach einer Seite durch hohe Steinbögen in der Mauer geöffnet war. Auf einmal eilte, das lange Kleid mit beiden Händen gerafft, eine junge Frau auf den Hof zu. Ines de Navarra. Seine Frau.

Er sah ihr zu, wie sie im warmen Sonnenlich so schnell über die Wiese eilte, wie ihr langes Kleid dies zuließ. Hinter einer der hohen Hecken blieb sie stehen. Sie sah sich um und eilte dann in den kühleren Innenhof hinter einem der großen, alten Bäume, die hier bereits seit Generationen standen.

»Jetzt kommt, wenn Ihr Euch traut!«, rief sie laut.

Dabei verbarg sie sich hinter dem breiten mächtigen Stamm und fächelte sich mit ihrem kleinen, schwarzen Fächer Luft zu. Sie atmete heftig, und ihr schönes Gesicht war ein klein wenig gerötet von der Anstrengung.

Don Diego Ramón de Navarra beobachtete sie. Er wunderte sich immer wieder, wenn er sie sah. Diese Frau dort war sehr schön. Ganz gleich, wann er sie betrachtete, immer strahlte sie Lieblichkeit und Wärme aus, der er sich schwer entziehen konnte. So wie ihn jetzt, verzauberte Doña Ines jeden Betrachter.

Ab und an lugte sie jetzt, ihr Kleid mit der freien Hand ein wenig gerafft, hinter dem Baumstamm hervor. Als de Navarra sich etwas vorbeugte, sah er, wie die Hofdamen ausschwärmten, um nach ihrer jungen Herrin zu suchen. Er glaubte, sie wieder Scharade, dieses neue Spiel, das aus Frankreich gekommen war und sich größter Beliebtheit erfreute, spielen zu sehen. Aber er wusste es nicht genau. Die Mönche behaupteten zwar, es sei unredlich, ja sündig, und außerdem fördere es das Laster der Wollust, sich beim Finden der gesuchten Person zu berühren. Vor allem, weil dieses

Spiel gerne von jungen Männern und Frauen gespielt wurde. Gottlos und dekadent, zugleich gegen Sitte und Anstand verstoßend, so hatte es der Mönch Bruder Bernabé angeprangert.

Don de Navarra mochte seiner Frau dieses Spiel nicht verbieten. Zumal, was war schon dabei? Sie spielte es nur mit ihren Hofdamen. Die jungen Frauen schwärmten weiterhin fröhlich lachend aus, blickten suchend hinter jeden Busch, und hinter jede Hecke, aber ihre Herrin fanden sie nicht. Langsam steuerten sie auf den hellen Innenhof zu, der inmitten der warmen Sommerluft lag. Aber trotzdem, es würde sicher noch eine Weile dauern, bis sie ihre junge Herrin entdecken würden. Mit seinen mächtigen Bäumen, den Volieren aus feinem Draht, den kühlen Springbrunnen und den steinernen Wegen und Treppen ringsum war es ein stiller und zugleich heiterer Ort in behutsam gewachsener Pracht.

Wie in einer Loge genoss Don Diego Ramón de Navarra dieses kleine Schauspiel. Von seinem Fenster aus blickte er in den Patio hinunter wie auf eine Bühne. Ines hatte sich umgewandt und sich mit dem Rücken an den glatten Stamm des Baumes gelehnt. Für einen Moment schien sie in Gedanken weit fort. Sie rührte sich nicht, und ihr Blick verlor sich, als träume sie einen süßen Moment lang.

Don Diego Ramón de Navarra aber sah sie.

Er sah jedoch nicht nur seine Gemahlin, Ines de Navarra, Gräfin von Lérida und Herzogin von Navarra, er sah eine Frau, die als schönste Frau im spanischen Reich galt. Männer von Rang und hohem Adel waren in sie verliebt und wussten doch, dass diese Frau für jeden von ihnen so unerreichbar war wie der Mond oder die Sonne. Zwei Jahre erst war es her, als er um sie freite. Wie stolz war er gewesen und zugleich unsicher. Er hatte als alter, kranker Mann nichts mit in die Ehe gebracht außer seinem sagenhaften Reichtum. Das war viel, sehr viel, aber nach Ansicht vieler Neider zu wenig für eine Frau mit diesem Leib und mit diesem Gesicht.

Noch immer hatten die Hofdamen die Frau nicht gefunden. Doña Ines wandte sich um und blickte plötzlich wie zufällig hinauf zu der langen Fensterfront. Eines der Fenster stand offen. Dort sah sie ihren Gemahl stehen und still auf sie herunterschauen. Don Diego Ramón de Navarra erkannte trotz der Entfernung, dass sie für einen Moment rot wurde. Dies rührte ihn. Es war schon lange Zeit her, dass eine Frau seiner ansichtig wurde, verlegen erschrak und dabei errötete. Jawohl, dies berührte ihn sehr, auch wenn dies wie jetzt die eigene Frau war. Ihrer Tradition und Sitte entsprechend griff sie nach dem Schleier und wollte ihn enger ziehen. Aber sie tat es nicht. Stattdessen ließ sie die Seide auf ihre Schultern gleiten, und ihre kunstvolle Frisur, hochgesteckt, ließ ihren schmalen Hals erkennen. Sie war schön, und der Herzog sah dies. Dann hatte sie sich wieder gefasst und winkte ihm zu. Dabei lächelte sie und hielt den Finger an ihren Mund, ihm deutend, er solle sie nicht an ihre Hofdamen verraten. Er lächelte wissend zurück und nickte. Da lächelte sie erneut und führte ihre Fingerspitzen an ihre Lippen, küsste sie zart und blies diesen Hauch von einem Kuss hinauf zu seinem Fenster. Diego de Navarra war nun seinerseits nicht wenig verlegen über diese Geste. Sie erschien ihm so ehrlich und ungeziert. Diese Natürlichkeit ihres Wesens, das so frei war von den starren Regeln der Etikette und des Benehmens ihres Standes, war nur eine der vielen Eigenschaften, die er an ihr so sehr liebgewonnen hatte. Er spürte ein Gefühl der Wärme in seiner Brust und erinnerte sich daran, dass er, wann immer er es in seinem Leben gefühlt hatte, glücklich gewesen war. Während sich seine Frau nach den Hofdamen umwandte, überkam de Navarra plötzlich wieder jene unerklärliche Angst. Sie war von einer Art, die er bald nach seiner

Heirat schon einmal verspürte und die er so lange nicht mehr gekannt hatte. Die Angst, etwas zu verlieren, was er sehr liebte und was er mit einer zärtlichen Fürsorge schützen mochte.

Seine Frau, Doña Ines.

Rasch trat er vom Fenster zurück, und er fühlte sein Herz, wie es auf einmal heftig schlug. Er atmete schwer, und es dauerte einen Moment, bis sich seine Gedanken und der Puls seines Herzens beruhigten. Er wandte sich um, so schnell es sein alter Körper zuließ, und rief laut nach seinem Diener.

»Carlos!«

Ein Mann trat ein, tat zwei kurze Schritte in die Mitte des Raumes und verbeugte sich tief.

»Ihr habt einen Wunsch, verehrte Exzellenz?«, fragte er.

»Carlos, wer schützt meine Gemahlin?«

»In diesem Augenblick, Eure verehrte Exzellenz?«

»Ja!«

»Francisco, Eure verehrte Exzellenz.«

Don de Navarra wandte sich dem offenen Fenster zu.

»Wo ist er? Ich seh ihn nicht.«

»Eure verehrte Exzellenz, er wartet am See. Die gnädige Señora wollte mit ihren Damen ein Spiel spielen.«

»Carlos, ich wünsche, dass Francisco immer in ihrer Nähe ist, hörst du! Immer! Außerdem wünsche ich weiterhin, dass er die Hunde dabeihat, selbst dann, wenn er zu zweien seiner Aufgabe nachkommt! Hast du mich verstanden?«

»Jawohl, Eure Exzellenz.«

»Dann geh – sorge dafür, dass alles so geschieht, wie ich es gesagt.«

»Eure Exzellenz, es sei so, wie Ihr es wünscht und wie Ihr es befehlt.«

Der Diener senkte den Kopf und schritt, rückwärts gehend, aus dem Raum.

Don Diego Ramón de Navarra atmete heftig. Das Erste, was er nach seiner Vermählung angeordnet hatte, waren Wachen und Leibdiener, die jeden Schritt seiner Frau bewachen sollten. Alles, was er besaß, wurde von jeher bewacht. Denn er war reich. Aber seinen größten Schatz würden ihm keine gemeinen Diebe stehlen, sondern junge eifernde Männer, voll sinnlicher Kraft und Übermut, dabei mit einer Galanterie leichtzüngig fordernd, die ihm längst fremd war, und nur darauf aus, mehr als einen lachenden Blick seiner Gemahlin zu erhaschen. Das wusste er, und dieses Wissen bereitete ihm Angst. Als er wieder an das Fenster trat, sah er, wie die Hofdamen Doña Ines in die Mitte genommen hatten. Sie hatten sie gefunden, und unter fröhlichem Lachen begleiteten sie seine Frau den Weg hinunter zum See.

*D*as Fest war bereits lange geplant. Don de Navarra selbst war kein Freund solcher Festivitäten, wie er selbst betonte, aber dem Wunsch seiner jungen Frau nach etwas Zerstreuung war er gefolgt, denn er konnte ihr einfach nichts abschlagen. Der Einfluss der strengen allmächtigen katholischen Kirche war in seinem Haus weniger zu spüren als in den anderen Herrenhäusern Spaniens. So ein Fest schadete ihm nicht, denn sein Ruf als untadeliger, frommer Katholik und Mann von Ehre war immer ohne Fehl gewesen, und die Tatsache, mit dem spanischen Königshaus verwandt zu sein, tat ein Übriges, um ihn vor dem fanatischen Argwohn der Inquisition und ihrer Diener zu schützen. Ja, die Vermählung mit der jungen Doña Ines war erst mit Argwohn betrachtet worden, zumal manche Kirchenoberen die maßlose Schönheit dieser Frau sogar öffentlich anprangerten. Musste nicht Luzifer selbst seine Hände im Spiel haben, wenn so viel Anmut und Liebreiz in einer Person vereint waren? Aber der Einfluss und das Wort de Navarras waren so, dass auch die spanische Kirche jeden Argwohn sorgfältig abwägen musste. So gesehen war alles, was der alte Patriarch tat, sicher und ohne Schaden für ihn selbst, seine Frau, seine Familie, seine Bediensteten und sein Haus.

Der Anlass war eher gering, ein Sommerfest, bei dem es allerdings darum ging, dem Land Kastilien erneut zu zeigen, wer seine Excellenz, Don Diego Ramón de Navarra, Herzog von Kastilien und Graf von Lérida, wirklich war. Ein einflussreicher, großzügiger, reicher Mäzen, der die schönen Künste mit seiner Börse genauso wohl bedachte wie die Kirche. So waren Vertreter beider Parteien eingeladen worden, und dazu eine Reihe von Gästen, die sich alle in irgendeiner Form der Wertschätzung und der Aufmerksamkeit des Hauses Navarra gewiss sein konnten. Don de Ruiz und Don de Martin waren genauso dabei wie ihr neuer Freund, Don Ricardo de Molinar, der junge Graf und königliche Seeoffizier, den beide Männer wie eine glückliche Fügung nach einem Gottesdienst kennen gelernt hatten. Die drei jungen Männer hatten sich rasch angefreundet und von da an die Tage in kurzweiligem Müßiggang verbracht. Es war so Sitte und zugleich auch eine Frage des Einkommens, das sich junge Männer von Rang nur leisten konnten, wenn ein Heer an dienstbaren Geistern für ihren Bauch und ihre Börse aufkam. Die Söhne des reichen Adels waren Müßiggänger allesamt, ehrgeizig nur, wenn es der Name ihres Hauses verlangte, aber manchmal abenteuerlustig genug, aus sich und ihrem Namen etwas zu machen.

Das Anwesen lag eingebettet zwischen den sanften Hügeln der Gegend. Es war grün ringsum, und dies war keine Selbstverständlichkeit. Das Land Kastilien ist eine sonnige und heiße Gegend, und die Hitze ein Teil des Lebens, den die Bewohner dieser Gegend hinnehmen müssen, und Regen ist ein Geschenk. Doch das Grün hier war echt. Satt und dunkel stand es in einem seltsamen Kontrast zu dem gleißenden Sonnenlicht und der ständigen Hitze. Bedienstete schritten mit großen Kannen über die Wiesen und wässerten das Gras, die schmalen Heckenränder, die kleinen Blumenwiesen. Dies taten sie wenigstens zweimal am Tag, am frühen Morgen und am späten Abend. So war es ein vertrauter Anblick, auf den Ländereien des Hauses Navarra Männer und Frauen, aber auch Kinder zu beobachten, wie sie, mit großen Strohhüten oder Tüchern auf dem Kopf, über die Wiesen schritten, um diese mit frischem Wasser zu bewässern. Dieser Aufwand war Gesprächsstoff bis in die Hauptstadt, und überall im Land galt das spöttische Wort: »Ich bin doch nicht der Herzog von Navarra!«, wenn jemand eine Ausgabe für hohen Luxus zu tätigen hatte, die seine Börse jedoch nicht vertrug. In der Nähe des prächtigen Schlosses lag eine kleine Baumgruppe, die, eingesäumt von sauber geschnittenen Hecken, die Handschrift eines geschickten Gärtners verriet. Denn obwohl alles ringsum von kundiger Hand geformt worden war, lag dieser kleine Hain wie in einer eigenen Natürlichkeit und lud jeden Betrachter sogleich zum Ruhen ein.

Der Mann hatte den anderen entdeckt und wollte mit raschem, lautem Schritt zu ihm eilen, doch der andere machte mit seiner Hand ein Zeichen, still zu sein, und deutete an, keinen Lärm zu verursachen. Don Martin de Alonso war neugierig geworden. Er verstand und pirschte sich heran, dorthin, wo sein Gefährte wartete. Er bemühte sich dabei, dies ohne ein Geräusch zu tun, und hielt seinen Degen mit der behandschuhten Hand fest, damit kein verräterisches Klirren der metallenen Klinge zu hören war. Als er endlich neben seinem Kameraden stand, deutete dieser nur mit der Hand zu einer der exakt geschnittenen Hecken in dem weiten Park. Auf einer Bank, keine vier Schritte entfernt, saß

Doña Maria Laurina de Calva, Gräfin zu Calva und ehemalige Hofdame an der königlichen Residenz. Bei genauer Betrachtung konnten die Männer ahnen, dass diese Frau einmal sehr schön gewesen war. Aber nun waren ihre Reize verblüht, und sie war eine fette Matrone geworden, nur noch an üppigem Essen und einem edlen Tropfen interessiert, und dies, wie boshafte Stimmen behaupteten, wenigstens fünfmal am Tag. Die Gräfin ging auf die fünfzig zu. Sie galt als launisch und schwatzhaft, Klatsch niemals abgeneigt und noch immer eitel und gierig nach jeder Schmeichelei. Dazu hatte sie ganz erheblichen Einfluss auf Doña Ines und war auf Wunsch des Don de Navarra deren engste Vertraute. Besonders spitze Zungen behaupteten, sie wäre einst selbst eine der Mätressen des Grafen gewesen. Als de Navarra die schöne, blutjunge Ines aus einem Kloster heraus geheiratet hatte, blieb ihm nur die Möglichkeit, die klatschsüchtige Gräfin de Calva an sich und sein Haus zu binden. So konnte sie wenig Unheil anrichten und war immer in seiner Nähe, denn er wusste um die Gefährlichkeit einer verschmähten Frau. Doch dies waren ganz offiziell bloße Gerüchte, haltlos und doch hartnäckig, wie Gerüchte solcher Art gerne sind.

Dort auf der Bank in der warmen Luft saß die Gräfin und sprach zu ihrem Hund, einem Mops, der seiner Herrin, was die Körperfülle betraf, in einer verblüffenden Weise ähnlich sah.

»Jaaaa, du mein süßer, kleiner Liebling! Die kleinen Freuden sind uns beiden längst die Schönsten, nicht wahr?«

Der Hund hechelte und leckte sich mit seiner rosigen Zunge die Lefzen. Dies versetzte die Frau sichtlich in Entzücken, und mit einer weichen Stimme, die zur Fülle ihres Körpers gar nicht so recht passen wollte, gurrte sie.

»Ihr seid guter Laune, Exzellenz? Oh, dafür bekommt mein kleiner Liebling eine Belohnung.«

Erneut hob sie das Tier in die Höhe, drückte dann ihre gespitzten Lippen an die Schnauze des Hundes und küsste das Tier auf die feuchte Schnauze. Für die beiden Beobachter war sicher, dass zumindest die Frau diese Geste der Zärtlichkeit sehr zu genießen schien.

»Oh, du mein kleiner Kavalier. Was täte ich ohne dich? Verstehst mich und kennst meine Wünsche und meine Gedanken.«

Sie drückte das Tier an sich, und für einen Moment war nur der Schädel des Hundes zwischen ihren fülligen Armen zu sehen.

Martin de Alonso beugte sich ein wenig zu Francisco.

»Seid versichert, es gibt kaum einen Rock, der meine Lenden nicht in Hitze bringt«, raunte er ihm leise ins Ohr, »aber dieses Weib lässt alles Feuer in mir verlöschen … wahrscheinlich lässt sie sich von diesem Vieh auch noch besteigen!«

Francisco Diego de Ruiz lachte leise und beugte sich zu dem Freund hinüber.

»Nun, eine Frau, die einen Hund so küsst, muss wohl sehr ausgehungert nach den starken Lenden eines Mannes sein.«

De Alonso lachte leise, aber er sagte nichts.

»Kommt, ich stelle Euch vor, und Ihr seht sie Euch aus der Nähe an.«

»Seid Ihr toll oder was?«, antwortete de Alonso mit gespielter Empörung, »was soll ich mit dieser verblühten Rose? Am Ende macht sie sich Hoffnungen, wenn ich meine Avancen mache, die sie mir dann auslegt, als werbe ich um sie.«

»Seid nicht so einfältig!«, antwortete de Ruiz leise.

»Diese Frau ist eine persönliche Vertraute von Doña Ines. Kaum jemand ist ihr so nah. Also stellt Euch gut mit ihr. Denkt daran, auf unserem befohlenen Weg müssen wir an ihr vorbei.«

Ohne eine Antwort abzuwarten, richtete de Ruiz sich auf

und schritt vor die Frau, die dort auf der Bank saß, den kleinen Hund an sich gedrückt, gedankenvoll über das in der warmen Sonne Kastiliens flirrende Land schauend. Don Alonso verdrehte gequält die Augen, folgte ihm aber. Als die beide Granden näher traten, begann der Hund sogleich zu kläffen. Es sah ein wenig grotesk aus, wie dieses Tier, nicht sehr groß, mit heiserem Gebell versuchte, seine Herrin vor den beiden Männern zu schützen.

»Ruhig, Pollo, ruhig. Die *caballeros* bekommen ja Angst vor dir.«

Doña de Calva hielt den Hund mit beiden Händen fest und sprach mit beruhigender Stimme auf ihn ein; er beruhigte sich allmählich und ließ nur einige Male noch ein kurzes, drohendes Knurren hören. Die Männer traten jetzt höflich vor die sitzende Frau. Es war de Ruiz, der zuerst eine galante Verbeugung machte, und de Alonso tat es ihm gleich.

Don de Ruiz sprach zuerst.

»Einen wundervollen Tag wünsche ich Euch, verehrte Doña de Calva. Ich verstehe dieses beneidenswerte Wesen in Euren Armen. Wäre ich an seiner Stelle, ich würde keinen Deut weniger zögern, Liebreiz und Tugend meiner bezaubernden Herrin so zu schützen, wie dieser tapfere Gefährte es tut.«

Die Frau errötete bei dieser Begrüßung, und der Edelmann sprach weiter.

»Erlaubt, verehrte Gräfin, Euch meinen Freund, den Conde Martin de Alonso, vorzustellen.«

Der so Angesprochene verbeugte sich noch einmal, bevor er die Frau ansprach.

»Wir kamen hier beide des Weges, und keinesfalls wollten wir Euch stören. Aber als ich Euch sah, musste ich meinen Freund nicht lange bitten, Euch vorgestellt zu werden«, bekräftigte de Alonso.

Diese weitere Schmeichelei gefiel der Frau sichtlich. Da standen zwei stattliche junge Männer vor ihr, und beide bedachten sie mit Worten, die sich sehr angenehm anhörten.

»Ihr seid sehr galant, ihr Herren aber Ihr habt Recht. Mein süßer Pollo ist mir ein guter Wächter und Freund«, sagte sie züchtig und unterstrich ihre Worte, indem sie mit der freien Hand ihren Schleier noch fester über ihr Haar zog.

»Die Welt ist schlecht genug, verehrte Doña de Calva. Da kann man nie genug Freunde haben«, antwortete de Ruiz mit sanfter Stimme.

Die Gräfin lächelte und drückte den kleinen, massigen Hund wie ein Spielzeug an sich. Don de Ruiz stützte seine rechte Hand auf den Griff seines Schwertes, und sein Gefährte tat es ihm gleich.

»Erlaubt Ihr uns, eine Bitte an Euch zu richten?«, fragte er höflich.

Die Gräfin betrachtete beide Männer genau. Eine Bitte? Das klang nach Klatsch, vielleicht sogar nach einer kleinen Intrige oder einem Abenteuer?

»Eine Bitte?«, fragte sie.

»Jawohl, edle Doña, eine Bitte von der Art, wie man sie nur an eine liebe und vertraute Freundin richtet.«

»Oh, und Ihr denkt, ich wär eine solche?«, fragte die Gräfin.

»Darauf hoffen wir ganz inständig«, antwortete de Ruiz.

»Dafür würden wir augenblicklich beten!«, fügte de Alonso hinzu.

Die Frau blickte beide Männer einen Moment lang an und lächelte dann kokett, so als wäre es ihr peinlich, weiter zu sprechen.

»Dafür müsst Ihr nicht beten, nicht wegen mir. Aber einen Tanz müsst ihr mir gewähren, ein jeder von Euch«, sagte sie.

Beide Männer zögerten keinen Moment lang mit einer Antwort.

»Ihr seid nicht nur voller Liebreiz, sondern von ebensolcher

Großzügigkeit. Ihr folgt unserer Bitte und gewährt uns dafür auch noch eine große Gunst. Ein Tanz mit mir, verehrte Gräfin, sei Euch gewährt, sooft Ihr wollt«, antwortet de Ruiz und verbeugte sich erneut lange.

Jetzt richtete sich Doña Maria noch ein wenig auf. Die Farce gefiel ihr immer mehr, und die beiden jungen, stattlichen Männer hatten sicher noch mehr zu bieten außer ein paar Tanzschritten.

»Wie ist es mit Euch, lieber Don de Alonso?«, fragte die Gräfin nun kokett.

De Alonso zögerte keinen Moment. Er verbeugte sich nicht ganz so tief wie sein Gefährte, zog dafür aber den Hut, was als besondere Form der Höflichkeit galt, denn ein spanischer Grande zieht nur vor Gott und seinem König den Hut.

»Ich bitte Euch um dieselbe Gunst, verehrte Doña, und es sei Euch überlassen, wen ihr mehr mit Eurer Freundschaft beglückt.«

Es war beiden Männern anzusehen, wie gekonnt sie die Frau mit ihren Worten umschmeichelt hatten. Dieses Spiel wollte gekonnt sein, denn es galt als plumpe Tölpelei, um Dinge einfach und profan zu bitten, wenn es Worte gab, die schmeichelnd und süß waren, um ein wenig *comedia* oder gar *theatro* zu machen. Vergnügungen, die nicht nur der Adel glühend verehrte, sondern gemeinhin als Kurzweil galten. Und das nicht nur im prächtigen Anwesen des Don de Navarra.

»Ihr Herren, seid meiner Freundschaft gewiss. Aber lasst mir Zeit, mich besonderer Dienste zu versichern und sei es notwendig, auch einmal nur bei einem von Euch … nicht wahr?«

De Ruiz lächelte gewinnend.

»Ihr erfüllt mich mit Stolz und zugleich mit einer großen Freude. Seid versichert, mein Schwert, blank und pur, ist Euch zu Diensten, wenn Ihr danach verlangt.«

Er lächelte bei diesen Worten, und die Frau verstand. Sie atmete ein klein wenig heftiger, so dass der Hund zu seiner Herrin aufsah.

»Und Euer … Schwert, *caballero*?« fragte die Gräfin den Conde de Alonso.

»Edle Freundin – ich darf Euch doch so nennen? –, de Ruiz ist mir ein alter Gefährte. Niemals würde ich ihn allein lassen, werden meine Fähigkeiten als Mann der Tat erwünscht. Ich bin Euer Diener, wann Ihr es befehlt.«

Die Frau vergrub ihr Gesicht in dem faltigen Hals des Hundes. Dann zog sie mit der freien Hand erneut an ihrem Schleier, denn es war ein gar frivoles Gespräch gewesen.

»Wolltet Ihr nicht eine Frage stellen, Ihr Herren?«, fragte die Gräfin scheinbar beiläufig.

»Gewährt uns eine Bitte, jedem von uns«, sagte de Ruiz listig.

Sie blickte beide Männer erwartungsvoll und sichtlich neugierig an.

»Der Conde de Molinar wird bei dem Fest zu Ehren der seligen Isabella von Kastilien zugegen sein. Er ist uns ein Freund, und einem Freund hilft man auch über kleine Gefälligkeiten hinaus, müsst ihr wissen. Er ist ein Verehrer Eurer Herrin, der lieblichen Doña Ines.«

Die Frau hatte den Hund noch fester an sich gezogen. Nur ihre Augen blickten fragend von einem Mann zum anderen.

»Er gestand uns noch nicht die Verehrung Eurer Herrin. Er ist ein Edelmann. Aber er denkt, sie wäre seine Muse. Ihr müsst wissen, er schmiedet feine Verse nur für sie. Er ist Ihr Ritter.«

»Nicht mehr?«, gurrte sie.

»Keinesfalls mehr, verehrte Doña de Calva.«

»Wenn ihr dies sagt!«

»Er ist ein spanischer Grande, und die Ehre ist sein Kleid.«

»Natürlich«, nickte die Frau langsam.

Es war durchaus Sitte, der angebeteten Frau eines anderen Mannes Aufwartung und Gunst, Zuneigung und Liebe zu erweisen, und dies galt seit den Zeiten der Ritterschaft. Aber mehr galt als Frivolität und zugleich als schweres Verbrechen in einem so streng katholischem Land wie Spanien. Je höher der Stand der verehrten Person, umso größer die Schwere des Verbrechens, sollte einer der leidenschaftlichen Männer weiter als das erlaubte Singen eines Liebesliedes gehen.

»Was nun, Ihr Herren?«

»Ihr seid eine Freundin der geschätzten Doña Ines. Und wir? Wir sind Freunde des Don de Molinar. Warum sollten wir der Schönheit eines Gedankens im Wege stehen, wenn der Tugend kein Schaden geschieht?«

»Erklärt Euch!«

»Sprecht mit Ihrer Exzellenz Doña Ines. Erzählt ihr von einem Verehrer, der es als Teil seiner Ehre als Mann und Chevalier ansieht, einer Frau zu dienen, der wir alle gerne dienen würden. Aber wir lassen ihm den Vortritt. Denn wie bereits gesagt, er ist uns ein Freund.«

De Ruiz zögerte bei dieser faustdicken Lüge keinen Moment, und es war kein Zittern oder sonst gar eine Unsicherheit in seiner Stimme zu hören. Diese beiden Spanier verstanden ihr Handwerk – die Lüge und ihre Schwester, die Schmeichelei – perfekt zu gebrauchen.

Gräfin de Calva überlegte einen kleinen Moment, bevor sie, den Schleier ein wenig lüftend, antwortete.

»Ihr stolzen Herren. Ein Vorschlag von Offenheit, den Ihr mir da unterbreitet. Ich erkenne nichts, was meiner Herrin und Freundin schaden könnte. Ihr müsst wissen, Doña Ines zu schaden oder ihr gar Gram zu bereiten, wäre so, als würde man mir meinen Liebling Pollo mit Gewalt für immer und ewig entführen. Ich liebe nur wenige Dinge auf dieser Welt, aber die Doña und mein Pollo sind mir lieb und teuer.«

Als die Gräfin die beiden Männer mit unschuldiger Miene anblickte, mussten wohl beide unwillkürlich daran denken, wie sehr diese Frau es mit falschen Worten mit ihnen aufnahm. Dies tat sie mit einer Leichtigkeit, die Respekt nötigte. Damit begann das Spiel weitere Teilnehmer auf der Bühne anzukündigen: Doña Ines und Don de Molinar.

*D*oña Maria!«

Als nicht gleich eine Antwort erfolgte, rief die Stimme noch einmal.

»Doña Maria!«

Bevor die Gräfin de Calva antworten konnte, schloss sie schnell die schweren Fenster in dem Gemach.

»Ich bin hier, mein Engel!«

Sie schritt, so schnell es ihr fülliger Leib zuließ, zur Tür und öffnete diese. Eine Zofe knickste tief und erhob sich erst wieder, als die Gräfin an ihr vorbei war. In der Mitte des prächtigen Raumes stand ein kleiner Tisch, davor ein Spiegel. An diesem Tisch saß Doña Ines und fuhr sich mit beiden Händen durch ihr langes Haar. Neben ihr stand eine weitere Zofe, die ihr das Haar gebürstet hatte, bis es glänzte wie frisch gewebte Seide. Als sie die Gräfin hörte, wandte sie sich zu ihr um.

»Oh, da seid Ihr ja!«, rief sie.

Doña de Calva deutete einen Knicks an und trat dann näher.

»Was ist mit Euch, Ihr klingt ja so aufgeregt? Waren die Schneider für die Anprobe schon da?«

»Ja«, antwortete die junge Frau, »aber ich habe sie wieder fortgeschickt.«

»Aber warum denn, mein Kind?«

»Schwarz!«

»Was sagt Ihr da?«

»Schwarz! – Schwarz!«

»Aber, Doña Ines …«

»Immer nur schwarz!«

»Aber mein liebes Kind …«

»Man macht mir Vorschläge für ein Ballkleid, für mein Fest! Und wieder nur alles schwarz. Unterkleid, Überkleid, der Rock. Schwarz!«

Wenn Doña Ines zornig dreinblickte, konnte man ihr auch dafür nicht böse sein. Selbst wenn sie so etwas wie Entrüstung zeigte, gewann ihr Gesicht. Gräfin de Calva musste insgeheim zugeben, dass die junge Frau selbst im Zorn noch schön war, und sie musste insgeheim zugeben, dass man sich dem Liebreiz und der Anmut dieses Wesens nicht entziehen konnte. Niemand konnte das.

»Schwarz ist eine wohlgelittene Farbe. Sie ist gottgefällig«, sagte die Gräfin bestimmt.

»Sie ist sterbenslangweilig.«

»Doña Ines, so was dürft Ihr nicht sagen«, antwortete die Gräfin mit gespielter Strenge.

Bevor die junge Frau etwas erwidern konnte, wandte sie sich zu der Zofe um, die noch immer an der Tür wartete.

»Du kannst gehen, wir brauchen dich nicht«, befahl sie schroff, und das Mädchen verbeugte sich rasch, knickste und verließ den Raum.

Erst als sie die mannshohe Türe hinter sich geschlossen hatte, wandte sich die Gräfin erneut ihrem Schützling zu.

»Ihr und Euer Dickkopf! Was für eine Farbe sollte es denn sein?«

Sie trat näher. Die junge Herzogin lachte, streckte sich ein wenig und lehnte sich dann an die breite Brust der hinter ihr stehenden Gräfin.

»O liebe Freundin, jede, wenn es nur nicht schwarz ist. Ich hörte, in Florenz trägt man Rot und Grün, in Paris allerlei Töne in Blau, in …«

»Die Florentiner sind halbe Heiden und tragen alles, nur um sich wie Pfauen zu schmücken. Und was sich die Pariser anziehen, muss keinesfalls für eine spanische Herzogin kleidsam sein.«

»Oh, was ihr Euch immer sorgt.«

Ines lachte ihr ansteckendes Lachen.

»Ich muss auf Euch aufpassen, dass ihr mir die Sitten nicht verderbt«, antwortete Doña de Calva und versuchte, dabei streng zu klingen.

Erneut lachte die junge Frau und griff mit beiden Händen nach hinten und umfasste das breite Hinterteil der Gräfin.

»Ihr seid immer um meine Moral besorgt, liebe Freundin. Und wie vergelte ich es Euch?«

»Einer muss sich um Eure Wünsche kümmern«, entgegnete die Gräfin.

Sie genoss das Zusammensein mit der jungen Herzogin. Sie mochte sie, obwohl dieses junge Menschenkind all das verkörperte, was sie sich insgeheim wünschte und wovon sie nichts mehr erhalten würde: Jugend und strahlende Schönheit, unermesslichen Reichtum und einen hohen Stand. Aber sie selbst lebte gut im hellen Licht dieser Frau.

»Ihr solltet die Schneider sogleich noch einmal kommen lassen. Das Fest ist übermorgen, und nichts ist vorbereitet.«

»Oh, Ihr übertreibt.«

Ines lies die Gräfin los und beugte sich nach vorn, bis ihr Gesicht fast den Spiegel berührte.

»Was denkt Ihr, soll ich mir die Haare färben lassen?«

»Aber … was ist das denn wieder für eine Posse?«, schalt die Gräfin und seufzte »Ihr habt Haare wie ein Engel und wollt sie färben lassen?«

»Warum nicht? Es ist schön, ein wenig anders zu sein, meint Ihr nicht?«

»Es ist Sünde, jemand anders sein zu wollen, als man ist. Gott stellt uns alle auf den Platz, der für uns bestimmt ist. Euer Platz ist der einer Herzogin.«

»Oh, wie langweilig«, seufzte die junge Frau und Doña Maria runzelte die Brauen.

Sie wollte etwas sagen, aber Ines kam ihr zuvor.

»Nein, keine Predigt, liebe Freundin. Ruft mir lieber die Frauen für mein Haar.«

»Doña Ines …«

»Bitte … oder muss ich es selbst tun?«

Sie holte tief Luft, und die Gräfin wusste um die helle klare Stimme und um die Kammerzofen, die wahrscheinlich draußen vor der Türe ihre Ohren lauschend an das glatte Holz drückten, in der Hoffnung, etwas zu erfahren, worüber sie sich dann in der Nähstube genauso amüsieren konnten wie beim Gesinde in der Küche.

»Lasst es gut sein, Doña Ines, lasst es gut sein. Ich hole sie.«

Sie wandte sich um und schritt ein paar Schritte Richtung Tür.

»Was für eine Farbe wünscht Ihr Euch eigentlich?«

»Braun. Wie eine Kastanie, wenn sie reif ist.«

»Braun«, nickte die Gräfin und sie ahnte leise, welche Farbe das Ballkleid ihrer Herrin haben würde.

Don de Ruiz und sein Gefährte Don de Alonso saßen zusammen mit Ricardo de Molinar unweit eines Weihers im Schatten eines mächtigen Baumes. Dieses kleine verträumte Wasser gehörte ebenso zum Besitz des Herzogs von Navarra wie das sanft in die Hügel gebettete Land ringsum. Sie waren, wie alle Ankömmlinge hier, seit einer Woche zu

Gast auf dem Besitz des spanischen Granden und verbrachten ihre Zeit mit allerlei Glücksspielen, Reitturnieren und Fechtübungen. Und mit dem geheimen Wunsch, Frauen zu einem galanten Flirt zu verführen. Das war ein Übung, in der sich jeder junge Spanier dieses Standes gerne übte, denn es galt als schwierige Herausforderung, trotz der Strenge dieser Zeit den Frauen Respekt und Aufwartung sowie gecken Charme zu bieten. Für die bloße Fleischeslust kamen dagegen nur die Mägde und Zofen in Frage. Für eine Mätresse oder eine Hofdame galt es als hehres Ziel, das Lager einmal mit einem Edelmann zu teilen. So schwelgten alle Frauen, unabhängig von ihrem Stand, in dem Wunsch, einer der stattlichen Herren könnte sich für sie interessieren, um sie zu ehelichen. Es war eine der wenigen Möglichkeiten, in der strengen Hierarchie der spanischen Gesellschaft aufzusteigen: die Heirat mit einem Mann, der als gute Partie galt. Unter den Gästen dieses Hauses waren anlässlich eines Sommerfestes manch gute und etliche sehr gute Partien unterwegs.

»Verzeiht mir, wenn ich mich in meiner Neugier nicht mehr zügeln kann, mein verehrter Freund«, begann Don de Ruiz vorsichtig, »aber ich sah Euch heute, wie all die Tage zuvor, mit Federkiel und Tinte zugange.«

Don Ricardo de Molinar lachte unbekümmert, und die Beobachtung des Freundes, so bezeichneten sich die drei Männer bereits, obwohl sie sich erst seit dieser Woche kannten, schien ihn keinen Moment in Verlegenheit zu bringen.

»Neugierig wie eine alte Schleiereule!«, lachte Don de Molinar.

»Sagt das noch mal und ich fordere Euch aufs Blut!«, drohte Don de Ruiz in gespielter Entrüstung, und sein Gefährte Don de Alonso spielte das Spiel sogleich mit und stützte sich auf, so als wolle er im selben Augenblick aufspringen. Aber da mussten sie alle drei lachen, als sie feststellten, dass niemand von ihnen den gespielten Scherz sehr lange durchhalten würde.

»Bitte, ich habe mich in meiner Neugierde bereits entlarvt«, begann Don de Ruiz erneut, »nun müsst Ihr mir aber antworten.«

Don Ricardo de Molinar nickte und seufzte tief.

»Ihr habt recht gesehen, ich schreibe.«

»Einen Brief?«

»Ja.«

»Bei allem Respekt, an Eure Mutter?«

»Nein. Nicht an meine Mutter.«

»Ich frage, weil Ihr mir erzähltet, was für eine tugendhafte und rechtschaffene Frau sie ist, weniger streng als Euer geschätzer Herr Vater und Euch in Güte zugetan.«

»Das ist richtig, aber …«

Er zögerte einen Moment lang.

»Es ist kein Brief an meine Mutter.«

»Oho!« bemerkte jetzt Don de Alonso und setzte sich bequem hin, grinste frech und riss einen Grashalm ab, um darauf herumzukauen.

Seine Miene blieb abwartend, in der Hoffnung auf das, was de Molinar noch erzählen wollte.

»Also kein Brief an Eure Mutter«, fing nun Don de Ruiz erneut die Unterhaltung an, »und auch kein solcher an Eure Schwester. Denn wie Ihr uns sagtet, habt Ihr gar keine Schwester.«

»Nein«, lachte de Molinar.

Es schien, als genieße er das Spiel.

»Also?«, fragte Don de Ruiz, und sein Gefährte de Alonso nickte ebenfalls aufmunternd.

»Was also?«

»Oh, nun seid doch ein klein wenig gnädig, verehrter Freund. An wen sind die süßen Zeilen?«

»Hoppla, wie kommt Ihr darauf, das es Zeilen voller Süße sind?«

»Euer Gesicht! Ihr seid nicht von dieser Welt. wenn Ihr schreibt, denn es ist jeden Augenblick ein Glanz in euren Augen.«

Ricardo de Molinar schwieg lange und nickte dann.

»Ihr habt scharfe Augen, verehrter Don de Ruiz«, sagte er leise.

Der so Angesprochene antwortete nicht, und die drei Männer schwiegen, bis Don de Alonso einen kleinen Stein aufhob und in den nahen Teich warf. Das Geräusch schien Auftakt zu der kleinen Beichte zu sein, auf die sie hingearbeitet hatten, denn es war Don de Molinar, der ohne weitere Aufforderung zu erzählen begann.

»Es ist ein Brief an eine Frau. Aber sie ist eine Schimäre, ein Trugbild, ein Wesen aus meinen Träumen. Nicht mehr. Sie ist es, seitdem Ihr, liebe Freunde, mir gesagt habt, dass sie nach meinem Namen und meinem Stand fragen ließ.«

Er schwieg und schaute wie in Gedanken über den erneut daliegenden See. So sah er nicht die Blicke, die sich Don de Ruiz und sein Gefährte Don de Alonso zuwarfen und die so etwas wie Zufriedenheit zeigten.

»Die Dame Eures Herzens heißt …«

Don de Ruiz zögerte einen Moment, und sein Blick streifte erneut schnell den Gefährten.

»Doña Ines«, vollendete de Alonso den Satz seines Freundes.

Ricardo de Molinar sah abwechselnd auf die beiden Männer, bevor er tief seufzte und dann nickte.

»Ja, sie ist es.«

»Meinen Glückwunsch, verehrter Freund. Was für eine vortreffliche Wahl Ihr da getroffen habt, was für ein erlesener Geschmack.«

Ricardo lächelte erneut und schlug die Beine übereinander.

»Findet Ihr? Ja, warum auch nicht, sie ist die schönste Frau im spanischen Reich, nicht wahr? Man kann dem gar nicht oft genug zustimmen. Sie ist so« – seine Hand vollführte eine ausholende Geste – »so schön, so wunderschön.«

»Damit habt Ihr Recht, lieber Freund. Aber nun wissen wir immer noch nicht, was Ihr da in Eurem Brief schreibt«, bemerkte de Ruiz.

Ricardo de Molinar lächelte versonnen, dann erst antwortete er.

»Ich weiß, dass ich ihr keinen Brief schreiben darf, denn … nein, das schickt sich nicht. Allein der Stand, ich bin nur ein Graf, sie aber ist die Herzogin von Navarra. Dennoch, wenn ich meine Gedanken nicht aufschreibe, dann werde ich verrückt, dann frisst mich eine Art von Sehnsucht auf, die ich noch nie erlebt. Ich muss mir alles von der Seele schreiben, sonst zerfrisst es mir das Herz.«

»Dann gebt Euch ihr doch zu erkennen.«

»Mit diesem Brief? Nein, ich werde ihr diesen Brief niemals schicken, niemals!«

»Aber warum nicht?«

»Nein, dieses Papier dient nur dazu, mir die Sehnsucht vom Herzen zu schreiben, und danach werde ich den Brief vernichten.«

»Aber warum denn? Ja, sie soll wissen, dass Ihr ein Edelmann und Ritter seid, der Ritter ihres Herzens. Dafür kann Euch niemand gram sein, niemand kann Euch dafür schelten. Es ist eine Tugend und Ehrerbietung zugleich, wenn Ihr eine solche Frau anbetet.«

»Das weiß ich alles wohl, lieber Freund, aber diese Anbetung macht mich ganz wirr. Ich hege ernsthafte Ängste, den Verstand zu verlieren.«

»Wann?«

»Wann? Oh, jedes Mal, wenn ich sie sehe.«

»Maledito!«, platzte Don de Alonso heraus, und als ihn Ricardo ansah, sprach er sogleich weiter. »Der Dame seines Herzens muss man sich in aller Ritterlichkeit nähern, und da kann ein Brief nur erster Schritt sein. Aber ich plappere hier und mische mich in Eure Angelegenheiten. Bitte verzeiht mir diese Ungehörigkeit.«

»Nein, nein! Verehrter Freund, ich bitte Euch, sprecht weiter. Ich erkenne in Euren Worten so viel Verständnis.«

Der Angesprochene nickte nur.

»Wenn Ihr dies so seht, dann sprech ich weiter.«

»Ja, bitte tut dies«, drängte der junge Graf aus Jeréz.

De Molinar war zu aufgeregt, sonst hätte er die triumphierenden Mienen der beiden Männer bemerkt und sie wohl auch verstanden, denn beide hatten mit ihrem geschickten Gespräch den entscheidenden Schritt getan.

»Bedenkt doch, wenn sie nach Euch und Eurem Stande gefragt, kaum dass wir durch das Tor dieses Hauses … So etwas tut eine solche Frau, noch dazu im Stande der Ehe, nicht nur aus bloßer Höflichkeit, nicht wahr?«

»Glaubt Ihr wirklich?«

»Das glauben wir nicht nur, sondern dies ist unsere absolute Überzeugung, verehrter Freund.«

»O Ihr … wenn dies stimmt, wäre das der Lohn meiner kühnsten Träume, und alle Wünsche dieser Welt wären dagegen nichtig. Ach, Ihr wisst gar nicht, wie sehr mich dies freut, und doch, ich kann's kaum glauben, was Ihr da sagt.«

»Aber lieber Ricardo! Glaubt Ihr, wir würden Euch belügen?«

»Nein natürlich nicht, Ihr Herren, Freunde, die ich Euch beide nennen darf, es ist nur …«

Er schwieg aber seine Hände verrieten die kaum zu zähmende Freude, und er strahlte über das ganze Gesicht. Und die beiden Männer sahen es deutlich genug: Don Ricardo de

Molinar, Graf aus einem Landgut bei Jeréz, war in Liebe zu der schönen Doña Ines entflammt.

Don de Ruiz sprach als Erster.

»Ich glaubte schon, Ihr wollt uns erneut der Lüge oder gar des Trugs bezichtigen. Dann hätten wir Euch …«

»Ich weiß schon, auf Ehre gefordert!«

Don de Molinar sprang auf und zog seinen Degen.

»Santiago! Auf ihr Ritter, en Gardè, und nehmt Euch in Acht. Ich bin entflammt. Jawohl, entflammt in brennender Sehnsucht! Der Liebreiz der Doña Ines hat mich bereits in seinen Bann geschlagen. Nur durch Blut lässt sich dieser Zauber lösen.«

»Hört auf, genug! Gnade! Lasst es gut sein«, lachte de Ruiz, und sein Gefährte de Alonso lies sich auf den Rücken fallen und streckte Arme und Beine weit von sich.

Da lachte de Molinar, stieß die Klinge neben sich in die weiche Erde und setzte sich wieder zu den beiden Männern.

»Aber was jetzt?«

»Nun, ich wüsste, wie es weitergehen könnte … «, sagte de Alonso, noch immer auf dem Rücken liegend und zu einem Punkt irgendwo über ihm in den strahlend blauen Himmel sprechend. Dann schwieg er. Aber nur einen Augenblick später kniete Ricardo de Molinar neben ihm und ergriff seinen Arm.

»So sprecht doch weiter, Ihr seht mich doch in meinem Leid. Erst heizt Ihr in mir alle Feuer dieser Welt, und dann muß ich um jedes Eurer Worte betteln.«

Don de Alonso setzte sich auf und sah den Mann lange an.

»Wir kennen die wohl engste Vertraute der Herzogin: Gräfin de Calva.«

»Ah …«

»Ja, sie ist uns schon seit langem eine enge Freundin, müsst Ihr wissen, und sie würde uns keinen Wunsch abschlagen.«

»Aber was könnte dies für ein Wunsch sein?«

»Schreibt der Sehnsucht Eures Herzens ein paar Zeilen, und es wird die Gräfin selbst sein, die Ihr diese überbringt. Und sie wird es auch sein, die Euch die Antwort gibt.«

De Molinars Lippen bewegten sich einen Augenblick lang tonlos, bevor er hastig eine Frage stellte.

»Ihr glaubt, Doña Ines … sie würde antworten?«

»Natürlich müsst Ihr in Euren Zeilen, so kurz sie auch sind, darauf drängen. Sanft, ganz sanft, aber bestimmt«, antwortete Don de Ruiz leise, und sein Gefährte, de Alonso, nickte sogleich zustimmend.

Dann schwiegen sie noch ein Weile, bis sie sich stumm erhoben, ihre Kleider ordneten und sich zum Gehen anschickten. Jetzt begann das Spiel, anspruchsvoll zu werden.

Die Frauen traten in das Gemach der Doña Ines, und jede schleppte einen Korb mit sich, gefüllt mit reichlich Tiegeln und Töpfen, die Deckel zum Teil mit Schnüren zugebunden.

Die Gräfin de Calva befahl den Frauen, ihre Lasten abzulegen und sich sogleich bereitzumachen, um der Herzogin das goldblonde Haar zu färben.

Dann schritt sie hinaus in den Nebenraum, der ein wenig kleiner, aber dafür nicht minder prächtig als der Raum zuvor war. Vor den hohen, in schweres, böhmisches Bleiglas gefassten Fenstern hingen Vorhänge aus reinem Damast. Der Boden war mit farbigem Marmor belegt, von dem man stellenweise nur das Muster sah, denn kostbare Teppiche lagen darauf. Auch an den Wänden ringsum hingen Wandteppiche, viele davon so groß, dass zum Aufhängen derselben fast ein Dutzend Knechte helfen mussten.

»Die Frauen für das Haar sind da«, verkündete die Gräfin.

»Oh, wie schön. Sie sollen gleich beginnen«, sagte die Herzogin und sprang von ihrem Sessel auf.

Gräfin de Calva stand in der halb offenen Tür, noch immer zögernd.

»Liebes Kind, ist es Euch tatsächlich ernst bei dieser Posse?«

»Was? Von welcher Posse sprecht Ihr?«

»Euer Haar …«

»Liebe Gräfin, es ist mir sehr ernst damit, und zudem will ich meinem Gemahl gefallen. Es wird für ihn genauso eine Überraschung werden wie für unsere Gäste.«

»Und die Anprobe?«

»Machen wir danach. Mit dem Anmessen der Kleider sind die Schneider bereits fertig, das Vernähen steht noch bevor. Aber wir haben ja noch einen ganzen Tag lang Zeit.«

»Ja«, bemerkte die Gräfin knapp.

Doña Ines eilte auf sie zu.

»Was seht Ihr so griesgrämig drein?«

»Nur um Eurem Gatten zu gefallen?«, fragte de Calva stattdessen, und augenblicklich errötete die junge Frau.

Die Gräfin hatte also richtig geraten, da war noch etwas. Es war ihr nicht entgangen, dass die Herzogin oben auf einem versteckten Balkon sitzen konnte, um die Gäste zu beobachten, die seit Tagen auf dem prächtigen Anwesen eintrafen. Bei einem einzigen Ankömmling hatte sie wissen wollen, wer dies gewesen, und wollte unbedingt seinen Namen und seinen Stand erfahren. De Calva war enttäuscht gewesen, als sie erfuhr, dass jener junge Mann nur ein unbedeutender Landgraf war, ein *hidalgo* aus einem Gut unweit von Jeréz. Wobei sie zugeben musste, dass er ein stattlicher und sehr gut aussehender Edelmann mit feinen Manieren war. Umso überraschter war sie, als ihr die beiden Edelmänner de Ruiz und de Alonso ihre Aufwartung gemacht hatten. Das waren zwei Männer, die sie keinesfalls verachten würde. Und nun hatten sie ihr sogar einen Brief überreicht, den sie ihrer Herrin geben sollte. Zu gern wüsste Doña Maria, was darin stand. Aber so oder so, sie freute sich einerseits auf das Fest, andererseits auf den Gefallen, den sie ihnen tat, denn dafür würden sich beide Herren sicherlich großzügig zeigen.

»Für ihn also auch?«

»Für all meine Gäste, verehrte Freundin«, sagte Doña Ines und lachte wieder fröhlich.

Sie zog die Gräfin mit sich in den Raum nebenan, wo die Frauen warteten. Beim Eintritt der Herzogin knicksten beide und warteten, bis die Gräfin de Calva rief: »Ihr könnt beginnen!«

Die beiden Frauen erhoben sich, aber Doña Ines war schon neugierig zu den Körben gestürzt. Sie schnupperte, und die Gerüche, die von den irdenen Tiegeln ausgingen, behagten ihr gar nicht.

»Was ist das nur für ein Geruch?«

Eine der Frauen trat näher.

»Die Essenzen, Exzellenz«, antwortete sie.

»Was ist das?«

Eine der Frauen nahm einen Tontopf, nestelte die Schnur auf, die eine frische Kalbshaut gehalten hatte.

»Farblauge, Eure Exzellenz. Um das Haar rotbraun wie die Farbe der Kastanie zu färben, nehme ich eine Lauge aus Kullerkraut, welches ich vorher getrocknet, verbrannt und dann zu feiner Asche gemahlen habe. Dazu reibe ich viel Alaunstein hinein. Mit dieser Essenz werden wir Euer Haar waschen.«

»Warum das?«

»Nun, danach werden die Haare so vorbereitet sein, dass sie später die Farbe annehmen werden. In dieselbe Lauge habe ich frische Blätter vom Buchsbaum gegeben, dazu die frisch geschabte Rinde des Baumes. Dazu kommt fein geschnittenes Gerstenstroh, Eichenholzspäne, Lupinen- und Erbsen-mehl. Diesen Sud habe ich über Nacht stehen lassen. Alles Grobe ist nun heraus, und damit färbe ich Euer Haar.«

»Und es wird so, wie ich es gesagt?«

»Ja, Exzellenz, alsbald wird sich das Haar kastanienbraun färben, und die Farbe bleibt so einige Wochen. Kämmt man das trockene Haar, dann wird es glänzen, vor allem, wenn man etwas frische Mandelmilch und etwas Bier hinzugibt.«

»Dann auf, beginnt, tut dies«, verlangte Doña Ines, und so färbten die Frauen das blonde Haar braun wie eine reife Kastanie. Als sie damit fertig waren, das Haar endlich getrocknet war und der Herzogin eine neue Frisur gestaltet wurde, war sie schöner denn je.

Die beiden Frauen wurden nicht mehr gebraucht. So knicksten sie und verließen still den Raum. Den Rest der Frisur der Doña oblag der Gräfin. Sie begann, das Haar aus der Stirn zu kämmen, um es an den Schläfen in feine Locken zu drehen.

»So haltet doch still!«, schalt sie in zärtlichem Tonfall.

»Ich bin so aufgeregt!«, lachte die junge Frau vor dem Spiegel.

»Warum?«

»Das Fest!«

»Ach so«, antwortete die Gräfin ungerührt.

»Oh, tut nicht so, als wär es Euch egal. Ihr seid ebenfalls darauf gespannt.«

»So? Was wisst Ihr davon?«

»Nichts, was sollte ich wissen?«

»Nun, Eure Andeutung.«

»Einige Herren haben Euch Ihre Aufwartung gemacht.«

Für einen Moment wurde die Gräfin rot, und sie ärgerte sich, dass Ines dies im Spiegel sehen konnte.

»Ich hoffe, ich hab Euch nicht in Verlegenheit gebracht«, flötete die junge Frau, um gleich darauf zu lachen.

Die Gräfin musste ebenfalls lachen.

»Es ist schier unmöglich, etwas vor Euch geheim zu halten!«, sagte sie.

»Es sind aber auch zwei stattliche Herren. Aber wer von beiden ist Euer Favorit?«

»Seid nicht so neugierig, Gänschen.«

»Aber das bin ich doch gar nicht.«

»Seid Ihr doch, zudem geht es gar nicht um mich, sondern ...«

Die Gräfin legte den Kamm zur Seite und betrachtete die Frisur ihres Schützlings im Spiegel.

»Sondern?«, drängte die junge Frau.

»Es geht um Euch, liebe Ines.«

Jetzt war es die junge Herzogin, die rot wurde, und Gräfin de Calva konnte nicht umhin, sie ein wenig am Haar zu ziehen.

»So, und Ihr? Seid ihr jetzt verlegen?«

»Schlange!«, rief die Herzogin, und beide Frauen lachten.

»Euer Haar ist fertig. Seid Ihr zufrieden?«

»Aber ja.«

»Ich werde die Schneider holen«, sagte die Gräfin, aber Ines verzog sogleich ihren schönen Mund.

»O nein, die Anproben sind so schweißtreibend.«

»Meine Liebe, wir werden nicht fertig. Wir müssen heute die letzten Anweisungen geben.«

Ines verzog erneut den Mund.

»Nun, wenn Ihr brav seid, dann habe ich was für Euch«, bemerkte die Gräfin.

Einen Moment zögerte sie, dann griff sie in die Tasche ihres weiten Kleides, zog einen Brief hervor und hielt ihn ihrer Herrin hin.

»Ein Brief, für mich? Oh, gebt her!«

Doña Ines war ganz aufgeregt, aber die Gräfin hielt ihn fest.

»Nur wenn Ihr folgsam seid«, verlangte die Hofdame, und Ines nickte eifrig mit dem Kopf.

»Ja, holt Eure Schneider.«

Sie war aufgesprungen und griff nach dem Brief, ehe die Hofdame sie daran hindern konnte.

»Jetzt geht schon«, verlangte Ines fröhlich, »und lasst Euch Zeit dabei. Viel Zeit.«

Da verließ die Gräfin de Calva den Raum, und Ines begann zu lesen.

*D*as Fest sollte drei Tage dauern, und die Vorbereitungen im Hause des Herzogs von Navarra waren in vollem Gange. Es waren fröhliche Vorbereitungen, die nicht zur Sittenstrenge dieser Tage passen wollten. Der König von Spanien war nicht angetan vom Frohsinn und von den Launen der Zeit. Das Land Spanien zu neuer Größe zu führen, geht nicht, wenn man sich dem Spaß, der Kurzweil und dem Müßiggang verschreibt. So pflegte er zu sprechen, und obwohl er noch jung an Jahren war, nickten seine Berater und die Heerscharen der Kirchenfürsten, denn mit diesen Ansichten traf er ihre Gesinnung aufs Genaueste. Aber Don de Navarra war alt und in seinem Hause ein würdiger Patriarch. Er fühlte, dass eben dieses strenge Protokoll und das Höfische, das als erstrebenswert galt, ihn an vielen Dingen gehindert hatte. An diesen Ansichten war seine junge Frau nicht ganz unschuldig. Ines war sein Licht, so etwas wie ein Jungbrunnen – auch für seine Gedanken. Er genoss es, dass sie das eine Mal ein wenig kokett war, sogar mal die Fußspitzen zeigte oder gar mit bloßem Hals und gelöstem Haar durchs Haus und durch die Gärten eilte, mit dem entwaffnendsten Lächeln, das er je gesehen hatte. Sie war es gewesen, die sich ein Fest gewünscht hatte, und es sollte etwas von dem Frohsinn vermitteln, den Spanien gar zu gern ablehnte. Das Land war auf dem Weg zur Weltmacht, aber seine Bewohner galten als steif, sie bewegten sich ungelenk, waren kompliziert in ihren Reden, im Leben wirkten sie schroff. Ihre Kleidung war prächtig und zugleich düster, fast leblos. Schwarz war die dominante Farbe dieses Landes, und jeder Farbton, der etwas heller und lebendiger wirkte, galt als unschicklich und war verpönt. Es ging so weit, dass es schwierig war, in diesen Zeiten kostbaren blauen oder roten Samt für Kleidung zu kaufen. Samt und Seide, Damast, aber auch andere, weniger kostbare Stoffe waren nur erhältlich, wenn sie schwarz waren. Dazu kamen Stil und Mode. Jeder Körperteil verschwand unter Wolken von Stoff, und ein unbedeckter Fuß, nackte Arme oder gar ein Hals ohne verbergende Spitzenkrägen, Bänder und Schleifen galt sofort als lockendes Signal von Sinnlichkeit, was mit der Sünde und dem ständigen Werben des Teufels gleichgesetzt wurde. Keine Frau von Ehre, ihr Stand war dabei zweitrangig, ging ohne Schleier, Haube oder sonst einer Kopfbedeckung aus dem Haus, und das galt auch für die Männer. Nur das einfache Volk lockerte bei seiner Kleidung die Tradition ein wenig. Denoch galt Spanien als das sinnenfeindlichste Land in ganz Europa. Die Konturen des Körpers verschwanden unter dieser Kleidung, und nirgendwo war diese Sitte so starr wie im spanischen Reich. An diesem Abend begann das Fest damit, dass livrierte Diener in einer langen Prozession in den großen Saal des Hauses zogen, jeder mit einer mächtigen, fast mannshohen Kerze beladen. So stellten sie sich der Reihe nach, Schulter an Schulter, rings um den großen Ballsaal auf, die mächtigen Kerzen mit beiden Händen umklammernd. Alsbald folgten ihnen weitere Diener in derselben Livree, aber zur Unterscheidung mit weißen Strümpfen. Sie trugen kleine, kaum handlange Kerzen in den Händen, nahmen Aufstellung vor den anderen Dienern, um sich dort die Flammen zu holen, sich dann wie eine Phalanx umzuwenden, zu den zahllosen

Leuchtern aus schwerem Silber oder Messing zu schreiten, um diese zu entzünden. Es war eine geheimnisvolle Choreographie und als solche seit Tagen einstudiert worden. Immer heller erstrahlte der Saal im Kerzenschein, und es war von Sekunde zu Sekunde ein aufregender Anblick, wie das Licht von den vielen Spiegeln ringsum an den Wänden verstärkt wurde. Zuletzt erstrahlte der Saal in hellem Licht, das Schwarz der Diener milderte sich ein wenig, und der düstere Eindruck wich einer vornehmen Pracht. Leise Musik ertönte, und der Reihe nach schritten die unzähligen geladenen Gäste in den Saal. Die Frauen trugen ausnahmslos lange schwarze Kleider, je nach Stand und Vermögen mit Perlen und kostbaren Steinen bestickt, geführt an der Hand eines Mannes, sei es der eigene Ehemann oder ein männlicher Verwandter. Die Männer ohne weibliche Begleitung traten durch eine Tür am anderen Ende des Saales, ebenfalls dunkel gekleidet, angetan mit prächtigen Degengehängen, die ihre kostbaren Waffen hielten, und warteten. Einige Männer trugen den modischen Boemio, jenen kurzen, prächtigen Mantel, der nur über die linke Schulter gelegt und mit Spangen oder teuren Knöpfen festgehalten wurde und der als neueste Mode aus Frankreich kam; dazu trugen sie die aufgeplusterten Hosen, die bis zu den Schenkeln reichten. Den Rest der Beine bedeckten seidene Strumpfhosen, die Füße steckten in feinen, prächtig verzierten Lederschuhen. An diesem Abend hatten einige Herren auf die oft mühlradgroßen Spitzenkrägen verzichtet, die in Spanien besonders beliebt waren. Keiner der Männer trug den Kopf unbedeckt, ein Hut oder ein Barett waren Pflicht. Auf der anderen Seite das Saales wartete eine große Schar Frauen und Mädchen, alle unverheiratet, aber nicht eine davon unvermögend. Sie trugen nicht minder prächtige, dunkle Kleider, und wenn eine der jungen Frauen ein dunkelblaues Kleid trug, war das Getuschel über diese Extravaganz groß.

Aber es gab nur einen Gesprächsstoff, obwohl dies niemand aussprach: Der Auftritt der jungen Herzogin Doña Ines von Navarra, die sich an diesem Abend amüsieren wollte. Wohl alle fragten sich insgeheim, was da bevorstand. Jeder der wartenden Edelmänner erhoffte sich einen Tanz und damit ein Gespräch mit ihr. Dann durfte man ihr nahe sein, durfte galante Komplimente machen, ja vielleicht sogar ein klein wenig frivol sprechen? Welches Kleid würde sie tragen? Mit ihrem Auftritt sollte erneut der Reichtum des Hauses gezeigt werden. Längst wussten alle, dass die junge Doña sicherlich kein schwarzes Kleid tragen würde. Sie mochte die Farbe nicht, die ihr trist und düster erschien. Deshalb war sie sogar von ihrem Beichtvater ermahnt worden, aber sie hatte nur gelacht, und mit ihrem strahlenden Lächeln war die Bitte an ihren Gatten nicht ungehört geblieben. Don Diego hatte angeordnet, seine schöne Frau für diesen Abend mit einer neuen Garderobe auszustaffieren. Drei Schneider und sieben Gehilfen, dazu zwei Saumnäherinnen waren dem Wunsch nachgekommen. Es galt, vier prächtige Ballkleider anzufertigen, dazu einen Mantel, sollte es an jenem Abend kühl werden. Nun waren alle Gäste neugierig und gespannt, in welcher Farbe und Aufmachung die Herzogin von Navarra diesen Abend schmücken würde. Jeder Gast an diesem Abend wollte die schönste Frau des spanischen Reiches sehen, und jeder Mann von Rang wollte in ihrer Nähe sein, zeigte es den übrigen Anwesenden doch, welch eine besondere Wertschätzung man im Hause des Don de Navarra genoss. So warteten alle auf das Erscheinen des Gastgebers und seiner Frau.

Die Musik wurde ein wenig leiser, und unzählige Bedienstete eilten mit silbernen Tabletts umher, auf denen sich Schalen mit parfümiertem Wasser befanden, seidene Fächer in herrlichen Farben, kostbare Seidentücher, ebenfalls nach Rosen, Zitronen oder Gewürzen duftend. Wer wollte, konnte sich mit dem Wasser die Arme oder die Stirn benetzen, denn es wurde in dem Saal allmählich heiß. Die Fächer waren ein Geschenk an die wartenden Damen, die sogleich von dieser Aufmerksamkeit Gebrauch machten. Bald sah man, wie sich die Frauen rasch ein wenig Kühlung verschafften. Die Tücher dagegen waren der Einfall der Herzogin. Ein Seidentuch galt als Pfand für einen Herren wie für eine Dame gleichermaßen, denn damit ließ sich amouröses Spiel treiben.

Die Musik wurde wieder ein wenig lauter, und das Stimmengemurmel ringsum, ab und an von einem leisen Lachen unterbrochen, ebenfalls. Alle warteten.

Don Ricardo de Molinar hatte seine beiden Gefährten unter den Wartenden erspäht. Sie standen in der ersten Reihe bei den anderen Herren ohne weibliche Begleitung, so wie es ihrem Rang entsprach. Allgemein wusste man, dass beide Herren bei Hof Einfluß hatten und sogar das Vertrauen des Mayordomo mayor genossen. Don Ricardo de Molinar verbeugte sich mit dem üblichen Respekt, und die beiden Männer nickten wohlwollend statt eines Grußes.

»Welch ein herrlicher Abend«, entgegnete de Molinar höflich.

»Ihr habt Recht«, antwortete Don de Ruiz, und Don de Martin rückte ein wenig näher.

»Und?«, fragte de Martin.

»Was und, verehrter Freund?«, fragte de Molinar.

»Wie ihr Euch fühlt, will ich wissen!«

»Wie frisch geboren, wach mit jeder Faser meines Fleisches, aufgeregt in Erwartung des Abends.«

»Ihr wisst noch um Eure Gefühle und seid Euch sicher?«

»Aber ja! Es sind mit jedem Augenblick des Wartens mehr geworden.«

Die Männer lächelten höflich, aber wissend. De Ruiz trat noch etwas näher und beugte den Kopf.

»Don Ricardo! Verfügt heute Abend über uns beide.«

»Wie darf ich das verstehen?«

»Ihr seid ein Ritter, und Ihr werdet doch Eurem Herzen heute Abend ein wenig Balsam verschaffen, nicht wahr?«

»O ja, darauf hoffe ich.«

»Seht Ihr, und das alles kann das eine oder andere Mal die Hilfe eines Freundes erfordern.«

»Ihr Herren, Ihr wärt diese …?«, stotterte Ricardo.

»Nun, dafür sind wir da, und wir hoffen sehr, das Ihr uns die Ehre gebt, Euch von uns helfen zu lassen, so Ihr es wünscht.«

»Oh, Don de Ruiz, Don de Martin, o ja, Ihr seid wahre Freunde, Ihr seid … nein, Ihr seid mehr, Ihr seid mir wie Brüder.«

Er war so gerührt, dass er beide Männer mit seinen Armen ein wenig umfasste, ein wenig nur, denn ein spanischer Grande zeigt seine Gefühle nicht in aller Öffentlichkeit, noch dazu unter den neugierigen Blicken der anderen Gäste.

»Heute Abend sollt Ihr Gewissheit haben.«

»Ja, und die Herzogin ebenfalls. Sie hat den Brief bekommen, sagt Ihr?«

»Still, kein Wort davon. Wollt Ihr Gegenstand von Tratsch und Klatsch sein, bevor sie dieses Fest schmückt?«

Don de Molinar senkte sogleich den Kopf. Solch eine Unbesonnenheit! Aber seine Gefühle waren in Aufruhr. Da ertönte plötzlich eine Fanfare, und sogleich verstummten alle Gespräche. Ein Mann trat in das Rund der Wartenden. Tracht und Alter, stolzes Auftreten, der gestutzte Bart – all dies ließ ihn wichtig erscheinen.

»Des Herzogs Haushofmeister«, flüsterten einige Gäste. Alle wussten, dieser Mann würde etwas von Wichtigkeit verkünden, denn er war das Sprachrohr und die Stimme seines Patrons, des Herzogs.

»Höret! Höret! Höret!«

Die Menschen begannen zu tuscheln, unzählige Hände zupften noch einmal an ihren prächtigen Gewändern, ordneten Schleifen und Falten, Schleier wurden gerichtet, Fächer heftiger bewegt, und das leise Klirren unzähliger, eilig zurechtgerückter Schwertgehänge ertönte allenthalben.

»Höret, hoch geehrte Damen, edle Frauen! Höret ihr Herren, ihr Mutigen, ihr Edlen und Weisen, die ihr alle weit gereist seid. Wir lassen ankündigen den Herrn und Meister dieses Hauses, unseren wohlgeliebten Patron, und seine Gemahlin!«

Sogleich war es still, und die Blicke aller hingen weiter an der Gestalt des Herolds, des Haushofmeisters.

»Seine Exzellenz, Don Diego Ramón de Navarra, Cousin seiner Majestät, Herzog von Kastilien, Graf von Lérida, etc., etc., und seine Frau und huldvolle Exzellenz Doña Ines de Navarra, Herzogin von Kastilien, etc., etc.!«

Nach diesen Worten verbeugte sich der Mann tief und zog dabei den Hut. Es ertönte ein leises Klatschen, und durch eine der großen Saaltüren schritten die Angekündigten. Der Herzog bemühte sich, stolz und seiner Würde entsprechend einzutreten, was ihm aber nur mit Mühe gelang. Er musste seinen prächtig verzierten Gehstock benutzen, aber jeder sah seinem Gesicht die Zufriedenheit an. Er stützte sich auf den Arm seiner jungen Frau, und als beide ein wenig näher in den Kreis der Wartenden geschritten kamen, setzte der Applaus ein, lauter und immer lauter, bis plötzlich der Saal zu beben schien und Bravo-Rufe ertönten. Und der Grund dafür war sie, die Herzogin von Navarra.

Sie stand neben ihrem Gemahl, angetan mit einem bodenlangen Kleid aus leuchtendem, goldfarbenem Mailänder Samt, den weiten Stoff mit Tausenden von Perlen bestickt, flämische Spitzen an allen Säumen und feine grüne Streifen von der Taille bis zu den Schultern hinauf, die ihren schlanken Leib modellierten. Die Brust war nur bis zu den Schultern von dem schweren Stoff bedeckt, darüber lag ein Gespinst aus seidener Spitze, die von einer Durchsichtigkeit war, die jeden Betrachter in Entzücken versetzen musste. Ihr Haar trug sie wider der gängigen Mode nicht hochgesteckt, sondern offen. Es flammte in braun-rötlichem Ton, der bei der leisesten Drehung ihres Kopfes rubinrote Farbblitze auszusenden schien. Das Haar war an der Stirn und im Nacken mit einem goldenen Netz eingefasst, und die hohe Stirn zierte ein Perlenkollier. Sonst hatte sie auf weiteren Schmuck verzichtet, und das war gut so, denn ihre Schönheit war Schmuck genug. Wie sie da stand, den Kopf ein wenig gesenkt, ein zartes Lächeln auf ihrem Gesicht, nahm sie sogleich jeden für sich gefangen. Es schien, als leuchte die junge Frau. Das Paar ging zwei Schritte weiter, und noch immer war der Haushofmeister in jener devoten und respektheischenden Stellung verblieben, ohne sich zu rühren. Der Applaus schien kein Ende zu nehmen, ja, es war, als würde die Begeisterung der Gäste immer stärker. Erneut tönten Hochrufe auf das Paar und Glückwünsche, und etliche Herren rissen sich die Hüte und Barette vom Kopf und grüßten. Der Herzog nickte huldvoll in die Menge und hob dann ein wenig die Hand. Sogleich beruhigten sich die Menschen, und der Herzog begann zu sprechen:

»Ihr Gäste, Ihr, die Ihr gekommen seid, um mit Frohsinn schöne Stunden zu verbringen. Ich begrüße Euch und wünsche Euch, dass Euch die Gastfreundschaft meines Hauses dieses Fest unvergesslich macht. Genießt und vergesst mir nicht bei allem Feiern: Gott segne unsere allerkatholischste Majestät. Gott segne Spanien!«

»Santiago! Gott segne Spanien!«, riefen nun alle laut.

Erst jetzt richtete sich der Haushofmeister wieder auf, und sogleich brachten Bedienstete zwei prächtige Sessel für das Paar. Beide nahmen Platz, und schon ertönte die Musik. Die war jedoch nicht gleich zu hören, denn die Anwesenden klatschen erneut langen Beifall, und wohlgefällig huldvoll nickte das Paar ihren begeisterten Gästen zu. De Ruiz und de Alonso aber hatten nur Augen für Don Ricardo de Molinar. Der applaudierte wohl am heftigsten, und beide Edelmänner sahen Tränen in den Augen des jungen Grafen glitzern.

Ricardo de Molinar glaubte, es wäre Leidenschaft. Oder Stolz. Oder nur der Versuch, sich einer der schönsten Frauen weit und breit mehr als nur zu einem süßen Lied zu nähern. Mit Bestimmtheit wusste er es nicht zu sagen, aber er wusste, im Moment war es nur das blanke, gierige Verlangen nach dieser Frau.

Er hatte seinen Degen in seinen Mantel eingewickelt, um kein Geräusch zu machen, als er behände an den Gebäudetrakt heranschlich, in dem Doña Ines' Schlaf- und Privaträume lagen. Er wusste um die strengen Wachen. Männer mit scharfen Hunden, leidliche Fechter, ehemalige *tercios* oder reguläre Fechtlehrer, die ihr Handwerk verstanden. Einem von ihnen zu begegnen, das würde bedeuten, dass er den Mann töten musste, und den Hund dazu. Alles andere würde ihn verraten. Denn ein spanischer Grande, der im Areal seiner Angebeteten umherschleicht, hat möglicherweise vielerlei Entschuldigungen, sollte man ihn bei seinem Tun überraschen. Aber was sagt ein junger Adeliger im besten Alter, der als Gast auf einem prächtigen Anwesen sich anschickt, in die Gemächer der schönsten Frau des Landes einzudringen?

Ricardo de Molinar stand jetzt direkt vor der Mauer. Diese Stelle war ihm vertraut. Hatten nicht die beiden freundlichen Herren jene Stelle beschrieben, bevor sie den Hinweis gaben, hier ließe es sich besonders leicht hinaufsteigen?

De Molinar hörte Schritte.

Er wollte nach seinem Degen greifen, aber er verwarf den Gedanken wieder. Denn wer immer da kam – hatte er einen Hund bei sich, wurde es schwierig, denn dann würde ihn ein Schatten von ungeheuerer Kraft anspringen und zu Boden reißen. Die Wachhunde dieses Anwesens waren Bluthunde und dazu abgerichtet, einem Eindringling sofort an die Kehle zu gehen, ohne den geringsten Laut von sich zu geben. Sie durften erst bellen, wenn ihr Opfer tot war.

Er schwang sich an den Ranken empor. Wohlweislich trug er seine langen Stulpenhandschuhe aus feinem Leder. Sie schützten seine Hände vor den Dornen des Rosenstockes, der mit kräftigen Reben das feine Spalier hinaufkroch, vier Mannlägen über dem Boden, bis unter einen kleinen Balkon, der direkt vor dem Schlafgemach der Doña Ines lag.

De Molinar kletterte rasch und lautlos. Die Schritte unter ihm waren nun deutlich zu hören. Er hielt inne und sah hinab. Es war nicht völlig dunkel, und so ließ sich die Gestalt des Mannes deutlich erkennen: Ein Wächter, der aber ohne Wachhund unterwegs war. De Molinar atmete erleichtert auf. Ein Hund hätte ihn gerochen. Der Mann dort unten aber roch selbst nach Branntwein. Der Geruch war so stark, dass er an der Mauer heraufzog und für einen Moment intensiver schien als der süßlich warme Duft der Rosenblüten ringsum.

Dann entfernte sich der Mann, und de Molinar schwang sich über das Geländer auf den Balkon der Doña Ines.

*A*n diesem Morgen waren nicht nur Don de Ruiz und sein Gefährte Don de Alonso bereits sehr früh auf den Beinen. Eine Anzahl weiterer Gäste, allerdings nur Männer, versammelten sich nach einem kurzen Frühstück im Hof hinter dem Palast. Hier umstanden sie ein weites, loses Geviert, der Boden war mit feinem Sand bestreut und nur durch ein dickes Tau begrenzt, und sahen auf zwei Bedienstete, die ein wahres Kleinod auf dem sandigen Platz bewegten. Einen pechschwarzen Hengst, prächtig gesattelt und gezäumt, wohl mit andalusischem Blut, aber zweifelsohne von arabischen Ahnen abstammend, mit schmalem Kopf, perfektem Maß und einem prächtigen Gang. Ein solches Pferd war selbst in diesen Kreisen nicht allzu häufig zu sehen. Das Tier spürte die vielen Neugierigen, wurde nervös und wirkte auf die Betrachter fast wie einer der Zentauren, von welchen man zu fabulieren weiß, wie sie plötzlich schnell und leicht davonjagen können. Die beiden Pferdeknechte hatten alle Hände voll zu tun, das Tier so zu führen, dass es im Schritt blieb. Mehr und mehr Zuschauer sammelten sich ringsum, denn der Hengst stand zum Verkauf. Besitzen wollte ihn wohl jeder hier von den Anwesenden, aber noch niemand wusste, wer ihn kaufen sollte. Die meisten vermuteten auf den Herzog, den Conde de Navarra, als Käufer. Der Feudalherr wäre mit Abstand am leichtesten in der Lage, beinahe jeden Preis für dieses prächtige Tier aus seiner Leibbörse zu bezahlen. Andererseits besaß de Navarra selbst eine berühmte Zucht mit etlichen Tieren, die sich ohne weiteres mit dem Pferd dort in diesem Geviert messen konnten. So unterstand er deshalb keinerlei Zwängen, das Tier zu erwerben. Aber genauso bekannt war seine Leidenschaft für solch edle Geschöpfe, die sich der Herzog seit Jahrzehnten unglaubliche Summen kosten ließ. All dies wussten die versammelten Herren, und deshalb versprach es interessant zu werden, den bevorstehenden Handel zu beobachten.

De Ruiz und de Alonso sahen in die Runde. Hier warteten gewiss keine armen Herren, und selbst sie beide besaßen die Mittel, um sich manchen Wunsch zu erfüllen. Aber dies hier war kein billiges Angebot, denn das Pferd repräsentierte mindestens den Gegenwert eines guten Landhauses, einschließlich des nötigen Personals und vollen Inventars. Damit war dieses Rassetier ein so sündteures Vergnügen, das sich kaum jemand leisten konnte.

Ein Raunen ging durch die Reihen der wartenden Männer, und das Stimmengemurmel verstummte. Herzog Don de Navarra kam herangeschritten, begleitet von einem Knecht mit einem Bluthund und einem weiteren Bediensteten seines Hauses. Höflich zogen die anwesenden Männer ihre Hüte als Zeichen allerhöchsten Respektes vor ihrem Gastgeber. De Navarra nickte huldvoll nach allen Seiten und trat an einen der Männer ganz vorn an dem Geviert heran. Er wirkte frischer und nicht mehr so greisenhaft wie einige Abende zuvor bei dem rauschenden Fest in seinem Palast.

»Nun, Señor Cataneo. Ich hoffe, ihr habt die Nacht in meinem Hause angenehm verbracht?«

Der so Angesprochene war Miguel Cataneo, Verwalter und zugleich der Agent eines der führenden Gestüte des Königreiches. Er beugte den Kopf.

»Exzellenz, Eure Frage ist zu gütig. Aber seid versichert, jene Nacht war mir sehr erfrischend und wird mir in allerangenehmster Erinnerung verbleiben.«

Der Höflichkeiten genug, konnte auch de Navarra den Blick nicht mehr von dem herrlich gebauten Tier lassen.

»Nun denn, Señor Cataneo, nennt mir doch einmal Euren Preis für diesen prächtigen, schwarzen Teufel dort.«

De Navarra wandte den Blick keinen Moment mehr von dem Pferd.

»Ich habe das Vergnügen, Euch ein Angebot zu unterbreiten, Exzellenz«, begann Cataneo freundlich.

»Nun denn, frei heraus«, ermunterte ihn der Hausherr.

»Das Pferd ist für fünftausend Golddukaten frei, Exzellenz.«

Verhaltene Rufe ringsum bestätigten die Vermutungen der Wartenden: Das Tier kostete wahrhaftig ein kleines Vermögen.

Der Adelige zögerte einen Moment lang.

»Nun, für die Zucht wohl zu gebrauchen, aber der Preis, mein lieber Cataneo, der Preis. Euer Herr scheut sich nicht, mich mit seiner Forderung verlegen zu machen!«

Er legte die Hand an seinen Degen und ging mit langsamen Schritten an der Absperrung entlang. Der Agent folgte ihm, immer einen halben Schritt Abstand wahrend.

»Erlaubt ein Wort, Exzellenz, aber dieses Ausnahmetier ist seinen Preis wohl wert, ergo *diesen* Preis«, sagte er listig.

Der Herzog wandte sich zu dem Agenten um und sah ihn an.

»Señor Cataneo, ich zögere keinen Moment, Euren Worten zu glauben, doch zwischen dem Wert einer Sache und dem tatsächlichen Betrag, den man aus seiner Börse zählt, ist immer ein Unterschied. Und um eben diesen Unterschied möchte ich wissen.«

Die wartenden Zuhörer ringsum nickten beifällig mit den Köpfen. Es war allen hier bewusst, warum es de Navarra in seinem Leben zu solch sagenhaftem Reichtum gebracht hatte. Er war ein Mann, der wusste, was es ihm wert war, eine Sache nicht nur zu wollen, sondern sie auch zu seinen Bedingungen zu bekommen, und dafür galt nicht nur sein Besitz als sichtlicher Beweis. Alles, was er besaß, war kostbar, gediegen und schön …

Der Agent und Verkäufer verstand es zweifelsohne gut, ein

solch prächtiges Pferd zu verkaufen. Er lächelte kaum merklich und beugte erneut höflich den Kopf.

»Es ist mir eine Ehre, über solcherlei Differenz zu sprechen. Aber Ihr seid der Herr und unser Gastgeber hier. Haltet es nicht für vermessen, wenn ich Euch um ein erstes Gebot für diesen Hengst bitte.«

Die Frage war geschickt gestellt. Denn nun musste de Navarra Farbe bekennen und eine Summe nennen. Tat er es, war seine Absicht, das Pferd zu erwerben, sicher. Die Höhe seines Gebotes würde den Stellenwert des Hengstes noch deutlicher machen, denn de Navarra wollte sicherlich feilschen. Alle schwiegen und blickten auf den Herzog, dem diese Bitte erneut ein Lächeln in sein hageres und stolzes Gesicht gezaubert hatte. Jetzt lachte er kurz auf, bevor er antwortete.

»Ein Gebot? Nun, es sei! Ich biete Euch dreitausend deutsche Dukaten oder dieselbe Summe in venezianischer Währung.«

Ringsum war nichts zu hören. Nur das Pferd schnaubte ab und zu, während die beiden Knechte es herumführten.

»Exzellenz«, hub Cataneo an, »im Namen meines Patrons erlaube ich mir, Euch für Euer Gebot zu danken. Aber mit Verlaub, es entspricht nicht den Forderungen meines Brotherrn und seines Hauses. Ich will aber seinen Wunsch nach dem richtigen Platz und der richtigen Hand für dieses edle Tier deutlicher machen und mich von unserer ursprünglichen Forderung entfernen.«

Hier hielt er einen Moment inne und bewegte seine Lippen, so als ringe er nach Worten, nach einem Wert, welcher dem bisher Gebotenem entsprach. Er rieb dabei die Finger seiner Hand aneinander, bewegte den Kopf ein wenig hin und wieder her, um dann zu antworten.

»Viertausendsechshundert Dukaten in spanischem Gold. Bei dieser Summe, Eure Exzellenz, könnte ich meinem Herrn glaubhaft versichern, dass dies für ihn, aber ganz besonders für Euch, ein fairer Handel wäre.«

Die wartenden Zuhörer ringsum raunten und flüsterten miteinander. Kaum einer hier war ohne Sachverstand, was edle Pferde betraf. Der Gastgeber lächelte. Das Spiel dieses Handels schien ihm zu gefallen.

»Mein lieber Freund. Ich will Euer Bemühen, Eurem Herrn zu gefallen, indem ihr ihm ein gutes Geschäft vermittelt, keinesfalls schmälern. Und bei Gott, der hier an diesem Morgen wohl unser Zeuge ist, Ihr macht Eure Sache wirklich gut.«

Bei diesen Worten verbeugte sich der Händler. Don de Navarra aber sprach weiter.

»Aber ich sprach von der Differenz zwischen dem Wunsch eines Gedankens und dem Betrag, für den letztendlich eine Sache wohlfeil ist. Diese Differenz hier wäre für eine Sache dieser Größe zu wenig.«

Der Conde trat einen Schritt nach vorn, näher an das mit einem Tau abgeteilte Geviert. Schweigend betrachtete er das herrliche Tier, wie es erneut vor den unzähligen Augen der Gäste herumgeführt wurde. Das Pferd hatte sich beruhigt und schritt gleichmäßig im Rund. Es schien wie für diesen Augenblick gemacht. Das warme Braun der Mauern ringsum, der fast schneeweiße Sand und darauf der tiefschwarze Hengst, dessen Anblick auch Nichtkenner in Begeisterung versetzen musste. Mit einem Mal wandte sich Don de Navarra um.

»Ich nenne dreitausendfünfhundert Dukaten.«

»Exzellenz, dies ist kein Preis, der meinen Herrn glücklich machen würde. Aber bei viertausendvierhundert Dukaten wär er mir nicht gram.«

»Ich sagte dreitausendfünfhundert und ich bleibe dabei.«

»Exzellenz, mit Verlaub, aber mit diesem Gebot kann ich Eurem Wunsch nach dem Pferd nicht entsprechen. Ich bitte Euch, Eure Absicht zu überdenken.«

»Señor Cataneo, ich werde auf meinem vorherigen Gebot beharren. Ich muß dazu bemerken, dass es mein letztes Angebot ist. Dreitausendfünfhundert Dukaten in spanischem Gold.«

Die Miene des Mannes war jetzt siegessicher. Jedermann wusste, dass niemand sonst diese oder eine ähnliche Summe für dieses prächtige Pferd würde bezahlen können.

Der Agent hatte seine freundliche Miene ein wenig verloren. Er spürte den Verlauf dieser Verhandlung.

»Exzellenz, bei dieser Summe …«

» Dreitausendfünfhundert …«

»Bei allem Respekt, Verehrte Exzellenz, ich muss gestehen, dass ich mit dem Eigentum meines Herrn ein gefährliches Spiel betreibe. Er wird mir gram sein, denn ich erinnere Euch an den gestrigen Abend. Ihr selbst schwärmtet, welch ein Ausnahmetier dies wäre. Damit, so denke ich, und mit Verlaub, nicht nur ich, ist auch ein Ausnahmepreis gerechtfertigt. Ich offenbare mich jetzt und sage einen Betrag, den ich kaum mehr vertreten kann, den ich aber wohl vor meinem Patron erklären muss. Alle Herren hier sind Zeugen, dass ich mein Bestes gegeben habe. Verehrter Conde, Eure Exzellenz Don de Navarra: Für viertausend Dukaten sei dieses Pferd ein weiteres Kleinod in euren prächtigen Stallungen.«

Der Conde schüttelte als Antwort den Kopf.

»Ein gutes Geschäft muss auch für den Käufer als solches erkennbar sein. In Eurem Gebot erkenne ich eine Offerte, aber kein gutes Geschäft für mich. So muss ich Euch enttäuschen. Von meiner Vorstellung werde ich nicht mehr abrücken. Trotzdem bitte ich Euch, den möglichen Handel noch einmal zu überdenken. Wir treffen uns heute nach der Siesta wieder.«

»Exzellenz sind sehr freundlich, und der Vorschlag ehrt mich gewiss. Aber vesteht mich, auch ich muss auf meinem letzten Gebot beharren.«

»Viertausend?«

»Ja, Euer Exzellenz.«

Der Conde schüttelte den Kopf.

»Dann bleibt Euch dieses Tier, auch wenn ich dies bedaure.«

»Verzeiht mir, aber ich muss auf dieser Forderung bestehen.«

»Das seh ich ein …«

Plötzlich trat Don de Molinar zwischen die beiden.

»Erlaubt mir, Ihr Herren.«

De Molinar straffte seine Schultern.

»Wenn Seine Exzellenz vom Kauf dieses Tieres Abstand nehmen will … dann würde ich … ich würde dieses Pferd kaufen.«

Alle starrten auf den jungen Adeligen.

De Alonso beugte sich zu seinem Gefährten und flüsterte ihm ins Ohr.

»Was redet er da? Er dürfte sich schon schwer tun, die Hälfte der geforderten Summe aufzubringen.«

Cataneo verbeugte sich nun erneut vor dem Conde.

»Edler Don de Molinar. Die Summe ist wohl fest.«

»Ich weiß. Viertausend verlangt Ihr. Ich werde sie bezahlen. Aber erst will ich das Pferd reiten.«

Der Mann nickte, und als de Molinar den Adeligen ansah, nickte dieser nur, wenn auch belustigt.

»Mein lieber Ricardo. Eure Kühnheit ehrt Euch, aber übernehmt Euch nicht wegen einer Sache, die Euch in Eurem Ansehen keinesfalls schmälert, wenn Ihr sie nicht annehmt.«

»Seid versichert, Exzellenz, auch wenn mich Eure Fürsorge rührt, aber es gibt Dinge im Leben, die sollten ein solches Opfer wert sein.«

»Wie Recht du hast, mein schöner Stecher«, murmelte de Ruiz.

De Navarra stützte seine Hand auf das Heft seines Degens. Er wirkte fast ein wenig beleidigt. Der Agent Cataneo aber frohlockte sichtlich. Vielleicht begann der neue Interessent das Geschäft doch wieder zu beleben? Die Knechte hatten den Hengst an die Begrenzung herangeführt. Das Tier blähte sogleich nervös die Nüstern bei so vielen fremden Menschen. Als de Molinar an das Pferd herantrat, drängten auch die Zuschauer näher, und mit ihnen auch die beiden Grafen Don de Ruiz und Don de Alonso.

»Erlaubt, junger Freund«, sagte de Ruiz schnell, » dass ich Euch meine Handschuhe leihe, denn ich sehe, Ihr tragt im Moment keine bei Euch.«

Mit diesen Worten hielt er de Molinar seine eigenen ledernen Stulpenhandschuhe hin. Der junge Graf zögerte einen Moment.

»Meinen Dank, lieber Don de Ruiz. Ich bin in der Aufregung dieses Morgens wohl ohne vollständige Toilette erschienen.«

Er nahm die Handschuhe und streifte sie über. Dann saß er mit einer geschmeidigen Bewegung auf, zog die Zügel etwas enger, und die beiden Knechte traten zur Seite. Das Pferd stand frei, tänzelte nervös und versuchte, den edlen Kopf ein wenig hin und her zu bewegen. Aber de Molinar wurde seinem Ruf als versierter Reiter gerecht, und er zwang das Tier sanft in das Rund, wo das Pferd in einen leichten Trab verfiel. Es war ein prächtiger Anblick, den Hengst in der Bewegung zu sehen, das Fell in der hellen kastilischen Sonne glänzend schwarz, der lange Schweif, dessen Spitze den Boden gerade so berührte.

De Alonso beugte sich zu seinem Gefährten.

»Wo hat unser Vögelchen seine Handschuhe? Kein Mann von Rang trägt seine Hände blank.«

»Buhler, nennt Ihn Buhler«, raunte de Ruiz als Antwort, »er sah die Herzogin heute Nacht, wie all die Nächte zuvor.«

»Ihr … wir haben dafür keinen Beweis«, raunte de Alonso.

»Haben wir wohl.«

»Was? Was macht Euch so sicher?«

De Ruiz öffnete ein wenig seine Bluse aus purpurnem Stoff. Darunter lugten ein paar Handschuhe hervor.

»Das hier sind seine!«, antwortete de Ruiz und nickte dabei in die Richtung des Reiters im Geviert.

»Aber … woher habt Ihr die?«, flüsterte de Alonso neugierig.

»Gefunden.«

»Gefunden? Wo?«

»Seht selbst!«

Er zog einen der Handschuhe ein wenig in die Höhe, so dass man die lederne Handfläche sehen konnte.

»Dornen!«, bemerkte de Alonso verblüfft.

Er musste sich bemühen, nicht zu laut zu sprechen.

»Ja, Dornen!«, bestätigte de Ruiz mit leichtem Spott, und er sah sich zu dem Gefährten um.

Der nickte nur und lächelte wissend.

»Der Balkon der Doña Ines! Ihr meint, er war bei ihr?«

»Was kann einen Mann so verwirren, das er Dinge vergisst? Ja, er war bei ihr. Nicht, um ihren Schlaf zu bewachen, sondern um sie um denselben zu bringen.«

Er lachte ein wenig, und es klang gemein.

»Ihr denkt …?«

»Er beschlief sie, da wette ich meinen Arm«, flüsterte de Ruiz und schloss die Knöpfe seiner Weste.

Einige Augenblicke später kaufte Don de Molinar das Pferd zu dem geforderten Preis von viertausend Dukaten und vermachte das Pferd zugleich dem Conde als Geschenk für dessen Frau.

Der Mann schwieg und wagte nicht, weiterzusprechen, bevor ihn der kastilische Grande dazu aufforderte. Aber daran, wie schnell und heftig sich die Brust des alten

Mannes hob und senkte, so als giere er nach Luft, die ihm diese Andeutung geraubt hatte, allein daran konnten die beiden Männer sehen, wie sehr ihn die soeben erhaltene Nachricht bewegte. Aber beide Männer hatten Stunden über Stunden heimlich darüber beraten, wie sie mit ihren heiklen Andeutungen umgehen mussten, damit sie nichts von dem kunstvollen Gebilde zerstörten, das sie über Wochen hinweg aufgebaut hatten. Beide wussten sich in ihrer Taktik auf dem richtigen Weg.

»Was Ihr mir sagt, ist infam!«, sagte Don de Navarra dumpf, »So sehr, dass ich es nicht zu glauben vermag. Ihr Herren, nicht einmal als plumpe Posse mag ich dies sehen! Erklärt Euch!«

Don Ruiz war es, der zuerst antwortete und dabei langsam und eindringlich sprach, um der ungeheuren Mitteilung noch mehr Gewicht zu verleihen.

»Verehrter Don Diego Ramón de Navarra! Wir beide, mein Gefährte und ich, wir sprechen wie ein Mann, und wir tun dies als Freunde. Ihr müsst uns glauben, wenn wir beide behaupten, es schmerzt uns, haben wir doch die Annehmlichkeiten dieses gastfreundlichen Hauses in Eurer großzügigen Freundschaft genossen. Wir sehen es deshalb als Dienst und Geste von allerhöchster Besorgnis um Euch und den Ruf Eures Hauses, Euch mit dieser Nachricht zu informieren. Wenn wir Euch damit getroffen, dann ist dies besonders schmerzlich für uns beide. Glaubt uns, Euch auch noch mit Worten der genauesten Botschaft Gram und Leid zuzufügen, liegt uns so fern wie jeder böse Gedanke darüber.«

»Was Ihr sagt, ist nicht wahr!«, rief der alte Mann.

In diesem Augenblick war der ungläubige und zugleich verzweifelte Ausdruck Zeichen für die Ungeheuerlichkeit der Nachricht, die Don Diego Ramón de Navarra erfahren hatte.

»Wie Leid es uns tut, Exzellenz. Es ist so, wie wir gesagt. Euer Eheweib, die ehrenwerte Doña Ines, Herzogin von Navarra, buhlt in schwerer Sünde.«

»Mit wem? Wer ist der Hundsfott?«, schrie Don de Navarra plötzlich mit lauter Stimme, die so gar nicht zu seiner eher schmächtigen Statur passen wollte.

»Ein Mann, der Euch und uns gut bekannt.«

»Seinen Namen! Nennt mir seinen Namen!«

»Es ist ein Mann, dem Ihr das geschenkt, was Ihr in Eurer großherzigen Gunst auch uns geschenkt: Freundschaft und Wohlwollen, auch die Gastlichkeit dieses Hauses.

»Sein Name?«, schrie de Navarra voller Wut.

»Don Ricardo de Molinar.«

Nach der Nennung war es in dem prächtigen Gemach einen Moment lang still. De Navarra schüttelte den Kopf, den Mund geöffnet, mit einem Ausdruck tiefer Ungläubigkeit im Gesicht.

»Das ist nicht wahr«, ächzte er mühsam, »… kann ich nicht glauben … es … Ihr Herren, bitte beendet meine Seelenpein und sagt, dass es nur ein Scherz ist. Sagt, dass Ihr Euch nur einen Scherz mit einem alten Mann erlaubt. Dafür werd ich Euch nicht gram sein … ich bitte Euch nur … sagt es …«

Flehend blickte er von einem zum anderen, in der Hoffnung, ein leises Lächeln in einem der beiden Gesichter zu erkennen, um zu wissen, dass es so war, wie er insgeheim noch hoffte, dass er das Opfer eines Scherzes, eines üblen wohl, aber eben nur eines Scherzes, war. Doch nichts im Antlitz der beiden Männer zeigte ihm, dass er auf dies hoffen konnte. So schüttelte er nur immer wieder den Kopf, und wie er da saß, auf einem Sessel kauernd, alt und so unendlich verletzlich, dauerte er die beiden abgebrühten Männer, deren Geschäft die Intrige war, doch keinen Moment lang. Denn es war ein Auftrag, dem sie nachkamen, und nur wenn er nach

Plan verlief, konnte damit ein Mann von Ehrgeiz es bei Hofe rasch zu hohen Ämtern bringen.

»Es ist so, wie wir Euch gesagt. Fasst Euch, Don Diego. Seid versichert, Ihr seid jetzt nicht allein. Für diese Ungeheuerlichkeit stehen wir Euch als Edelmänner wie auch als Freunde zur Verfügung. Befehlt, und wir sind Euer Werkzeug.«

»Einen Beweis! Ich will einen Beweis«, murmelte Don Diego de Navarra dumpf, »einen Beweis.«

»Wir hofften sehr, dass ihr dies nicht von uns verlangen wollt. Denn diesen Weg zu gehen, bei Gott und der seligen Majestät Isabella von Kastilien, dieser Weg ist schwer.«

»Was soll das heißen?«

»Ist die Tat allein Euch ein Beweis genug?«

Der alte Mann hielt sich an der Lehne seines Sessels fest, und dabei griff er so fest nach dem glatten, geschwungenen Holz, dass seine spindeldürren Finger wie aus bloßem Bein erschienen, ohne Farbe des Blutes, ohne eine Spur von Fleisch.

»Ihr wollt behaupten, dass jene Buhlschaft jetzt, in diesem Moment, in meinem Haus geschieht. Und Ihr wisst davon?«

»Seid versichert, Don Diego, uns fällt es schwer, dies zu sagen. Aber wahrlich, so wie wir hier vor Euch stehen, so gibt sich Euer Weib dem de Molinar hin.«

»Ihr belügt mich, *caballeros*!«, schrie der Grande und stampfte mit dem Fuß auf. »Wenn dem so ist …, dann will ich dies auf der Stelle sehen!«

Der Graf blickte mit vor Wut verzerrtem Gesicht abwechselnd auf beide Männer, die ohne Regung dastanden, das Opfer ihrer Intrige genau beobachtend, denn nichts durfte in dem fein gesponnenen Spiel falsch gemacht werden. Ein Wort zu viel, eine Geste zu deutlich in ihrer Bewegung hätten bei de Navarra Argwohn erzeugt, angesichts der Vorstellung, die sie hier Schritt für Schritt inszenierten.

»Wie Ihr es wünscht, Don de Navarra. Aber gestattet uns, Euch zu begleiten, denn vor Ort sollt Ihr über uns als Freund und Diener jederzeit verfügen können.«

»Ja, geht mit mir!«, befahl der Grande und stemmte sich, so rasch er es vermochte, aus seinem Sessel empor, griff nach seinem Gehstock und eilte durch den Raum hin zur Tür.

Die beiden Adeligen folgten ihm in höflichem Abstand, und es war Don Ruiz, der, die Etikette beachtend, zwei Schritte schneller war, um dem Granden die Tür zu öffnen. Die beiden Diener vor dem Raum verbeugten sich, denn wenn ein Grande einem anderen die Tür öffnete, also gleichsam das Amt eines Dieners für einen Moment übernahm, waren dies Wertschätzung und klare Rangfolge von höchstem Niveau, der sich jeder Bedienstete unterwerfen musste. Ihm blieb nur die demütige Rolle des Domestiken, der Kopf und Knie tief beugen musste.

Mit verbissenem Gesicht schritt der alte Edelmann durch die langen Flure seines Familiensitzes. Die beiden Granden lenkten seine Schritte dabei so geschickt, dass er nicht so recht merken wollte, wie sie ihn in einen völlig entlegenen Teil des Schlosses führten. Aber ohne Zögern schritt er weiter. Diesen Bereich des Anwesens betrat er nie, denn es war ein Teil, der von Bediensteten und ihren Familien, niederen Höflingen und den Offizieren der Hausgarde bewohnt wurde. So war manches Gesicht erschrocken und neugierig zugleich, als es entdeckte, wie der alte Patron, flankiert von zwei Rittern, durch diesen Teil des Hauses eilte.

In einem Seitentrakt hatte Don Ruiz kaum merklich die Führung übernommen und schritt voraus, eine enge Treppe hinauf, die in einer schmaler werdenden Drehung nach oben führte. Dort am Ende lag ein kleiner Gang, eher finster und unscheinbar. Nie hätte jemand hier noch Räumlichkeiten vermutet. Auch Don Diego Ramón de Navarra konnte sich nicht an alle Räume erinnern und diese auch noch genau kennen. Hatte das Haus seiner Ahnen doch mehr als hundertzwanzig Räumlichkeiten der verschiedensten Größe, von denen er selbst im Laufe seines Lebens noch einmal vierzig dazubauen ließ.

Don Ruiz deutet mit der Hand, leise zu sein, und de Alonso verstand sogleich. Er nickte seinem Gefährten noch einmal zu und zog dann ohne das geringste Geräusch seinen Degen. Er hielt die Klinge gesenkt, wandte sich an den Granden und wartet auf dessen Einverständnis, die Tür zu öffnen. Kein Laut war zu hören, denn die Tür war aus schweren, dicken Bohlen gefertigt. Vorzeiten sollte sie es Eindringlingen, die es mit Leitern über einen der Erker geschafft hatten, in das Gebäude einzudringen, erschweren, rasch in die unteren Räumlichkeiten vorzudringen. Eine solche Tür, war sie fest verriegelt, zu öffnen, dazu gebrauchte es wenigstens eine Axt und eine starke Hand, und selbst dann war die Aufgabe schwierig. In Don de Navarras Haus gab es Hunderte solcher Türen.

Der Hausherr nickte und straffte seine schmalen Schultern. »Öffnet!«, befahl er dumpf.

Don Alonso drückte die schwere Klinke so leise nieder, wie er es vermochte. Ihre Vorbereitungen machten sich bezahlt. Denn wie sehr hätte sich mancher der Bediensteten gewundert, hätte er gesehen, mit welcher Sorgfalt die beiden jungen Edelmänner den Mechanismus der Klinke wie auch die Scharniere der schweren Tür gefettet hatten, um auch nur den leisesten Laut von Metall zu verhindern.

Martin de Alonso öffnete die Tür und trat einen Schritt vor. Don de Navarra folgte ihm, während Francisco de Ruiz als Wortführer des Komplotts an der Tür stehen blieb. Denn jetzt begann der wichtigste Teil ihres sorgfältig inszenierten Plans.

Raumhohe Vorhänge aus besonders feinem Leinen schirmten die Sonne ab und ließen nur das zarte warme Licht des kastilischen Sommers in den Raum. Das Turmzimmer war klein, mit hohen schmalen Fenstern. Trotzdem wirkte es äußerst anheimelnd. Außer einem Bett, besonders groß, aber schmucklos, befanden sich noch ein reich geschnitzter Sessel und ein Weidenkorb in dem Raum, so wie ihn die Wäscherinnen an jedem Montag und an jedem Donnerstag benutzten, wenn sie am Fluss die Wäsche wuschen. Jetzt lag der Korb umgestülpt in der Ecke, darauf der schmale Degen des Mannes, der mit einer Frau in dem breiten Bett lag und zärtlich ihren weißen Rücken streichelte. Im Raum verstreut lagen ihre Kleider, ausgezogen in großer Hast und noch größerer Vorfreude dessen, was auf dem Bett geschehen sollte. Die beiden Menschen dort im Bett waren Doña Ines und Don de Molinar. Beide waren nackt. Sie hatten die Eindringlinge nicht bemerkt.

Don Diego Ramón de Navarra trat erstaunlich geräuschlos näher. Das Gleiche tat auch Don Alonso, der blitzschnell neben dem Bett stand und den fein gewebten Vorhang ein wenig zur Seite schob. Ricardo de Molinar bemerkte die Gestalt neben sich am Bett wie einen Schatten und wollte aufspringen, aber Don Alonso hatte ihm die Klingenspitze seiner Waffe an das rechte Ohr gesetzt.

»Keinen Laut, Bauerngraf! Sonst wird mein Schwert ein Spieß, und Ihr seid mir das Wildbret. Ihr versteht, was ich meine?«

Doña Ines hatte einen leisen Ruf der Überraschung ausgestoßen und sich in dem Bett umgedreht. Als sie ihren Ehemann und den Granden an der Tür erkannte, stieß sie einen weiteren Ruf aus und zog sich ein dünnes Leinen vor ihre

Blöße. Sie sah in ihrer Verletzlichkeit, die von ihrer Verlegenheit noch verstärkt wurde, verführerischer denn je aus. Don Alonso musste sich zwingen, keinen Blick zu viel auf ihren makellosen Leib zu verschwenden und sich ganz auf Don de Molinar zu konzentrieren. Es war ihm klar, wenn es dem Grafen gelang, an seine Waffe zu gelangen, würde es zu einem Kampf kommen, der für die weiteren Pläne gefährlich werden konnte. Denn de Molinar galt als geübter und gewandter Fechter, der es durchaus mit zwei Männern zugleich aufnahm.

Eine Weile sprach niemand ein Wort. Es war, als schien der Augenblick stillzustehen, eingefangen wie die Gemälde der Maler, die in duftenden Ölfarben auf ihrer Leinwand von solchen erzählten. Bis Don de Navarra das Schweigen brach. Seine Stimme war ruhig, aber rau, so rau, als hätte er eine große Kälte geatmet.

»Don Alonso, Don Ruiz, Ihr seht, was hier geschieht? Ihr seht es doch, nicht wahr, Ihr Herren?«

Der alte Mann atmete tief ein, und noch immer sprach keiner der beiden jungen Granden ein Wort.

»Don Alonso, Ihr steht dort am Nächsten. Ich hoffe, es macht Euch nicht zu viele Umstände, meinem Wunsche zu entsprechen. Aber ich bitte Euch, tötet diesen Mann dort, sein Anblick verschafft mir gar zu tiefe Gram. Erschlagt ihn …«

Ines schluchzte auf und zog die Spitze der dünnen Decke bis zu ihrem Mund.

»Wenn Ihr ihn tötet, Don Diego Ramón de Navarra, ist Eurer Schmach Genugtuung widerfahren. Aber ist dieses Vergehen hier nicht von einer gewaltigen Größe?«

Don Ruiz war näher getreten, während er sprach, und stand nun neben dem alten Mann. Er sah, wie dieser zitterte, wie seine Lippen bebten und wie er sich kaum auf seinen Beinen halten konnte. Don Ruiz beugte sich ein wenig vor, und seine Stimme war leise, aber eindringlich genug, um von allen in diesem Raum verstanden zu werden.

»Dieser Mann, dessen Name sei verflucht und deshalb spreche ich ihn nicht mehr aus, hat Euch entehrt und bestohlen. Ein Stoß durch seinen Schädel? Gut, aber lindert dies wirklich Euren Zorn? Wer weiß, vielleicht wäre dem Strolch diese Buhlschaft sein Leben wert? Ich will Euch nicht raten, Don Diego, aber nützt er Euch lebendig nicht viel mehr? So kann er, der Schwere seiner Schuld entsprechend, wenigstens einen Teil davon begleichen, und den Preis bestimmt einzig Ihr.«

Die Worte waren eindringlich genug, und während der Mann noch zögerte, sprach nun Don Alonso weiter, der dem nackten Conde noch immer seinen Degen an die Schläfe hielt.

»Edler Herr. Wie gern würde ich diesem Faun hier meinen Stahl durch den Schädel jagen. Ich tät's, schon um ein wenig von Eurem Gram zu nehmen, der Euch umgibt.«

Er wandte den Blick keinen Moment von dem nackten Grafen ab, während er sprach.

»Aber unser Freund de Ruiz hat Recht. Das wäre ein gar zu billiger Handel für sein Vergehen.«

Da sprach auf einmal Don Ricardo de Molinar.

»Don de Navarra, ich will mich jetzt nicht erklären, aber gebt mir wenigstens ein Schwert. Selbst einem tollen Hund lässt man all seine Zähne, wenn er sich verteidigen soll.«

»Schweigt, denn Ihr seid weniger als ein toller Hund!«, knurrte Don Alonso böse und verstärkte den Druck der Klingenspitze.

»Schafft ihn hinaus, bindet ihn und wartet nicht auf mich. In den Stall. Schafft ihn in den Stall, in den Schweinestall«, befahl der Patron mit tonloser Stimme.

Als Erster sprach Martin de Alonso.

»Los, de Molinar, raus aus dem sündigen Laken, und seid erfreut für jeden Moment, wo ich Euch noch bei Eurem geerbten Namen nenne. Wer weiß, wie lang dies noch geschieht. Auf jetzt!«

De Molinar erhob sich langsam.

»Erlaubt, dass ich meine Blöße bedecke«, bat er, zu Don de Navarra gewandt.

»Hinaus, Abschaum, hinaus, so wie Ihr seid«, sagte der alte Mann mit tonloser Stimme.

Don Ruiz hatte ebenfalls seine Waffe gezogen und hielt den Degen dem zur Türe schreitenden de Molinar an die Seite. So flankiert, bedroht von zwei blanken, scharfen, stählernen Klingen, war an eine Flucht nicht zu denken. Eine Bewegung, und einer der Männer würde den Adeligen mit einem Stoß töten.

So führten sie ihn hinaus.

Don Diego Ramón de Navarra stand eine Weile still. Ein leiser warmer Hauch ließ die langen Vorhänge in Bewegung geraten, und irgendwo ertönte der Ruf eines Vogels. Er wandte sich an seine schöne Frau, die noch immer still weinend in dem großen Bett saß. Sie hatte ihre schlanken Beine angezogen, und ihre Füße wirkten verletzlich und zugleich für den Betrachter von eindringlicher Begehrlichkeit.

»Zieht Euch an, Dirne. Es sei mir wohl gestattet, dass ich als Euer angetrauter Ehemann zugegen und Euch dabei zusehe. Doch, dies sei mir vergönnt, denn Ihr seid noch immer mein Weib. Vor Gott und dem Gesetz.«

Sie bewegte die Lippen und wollte etwas sagen. Ihre Augen flehten in diesem Moment, als wollten sie den Gatten erweichen. Der aber schüttelte nur schnell den Kopf. Er wandte sich ab und zwang sich, sie nicht mehr zu betrachten, denn er konnte sich kaum halten, und seine Stimme war brüchig bei dem Befehl, den er jetzt gab.

»Bedeckt Euch! Ja, und eilt Euch dabei! O Gott, eilt Euch! Mich widert dieser Ort an.«

Er fasste nach dem Griff seines Degens, und für einen Moment ging ihm der Gedanke durch den Kopf, das blanke italienische Eisen zu ziehen und diese leise schluchzende Frau zu töten. Es müsste von seltsamer Süße sein, noch einmal ihre strahlende Schönheit zu bewundern und dann zu sehen, wie sie verblasste, bis sie jenen weißen, fahlen blutleeren Torsi aus weißem Marmor glich, die von dem Römer Michelangelo geschaffen wurden und derzeit so sehr in Mode waren. Aber er verwarf diesen Gedanken sogleich wieder. Denn er wusste genau, wenn er dies tat, dann tötete er zugleich einen Teil von sich selbst.

D on Diego Ramón de Navarra kniete in seiner Kapelle, einem sanft geschwungenen Gewölbe, eingehüllt in dämmriges Licht, und weinte.

Er tat dies in der Überzeugung, vom Schicksal ganz besonders schwer getroffen zu sein und dabei etwas eingebüßt zu haben, was für einen Mann seines Standes unentbehrlich war und niemals aufgegeben werden durfte: seinen Stolz.

Der Herzog Don Diego Ramón de Navarra war ein Geschlagener. Dass er zum Hahnrei gemacht wurde, war schlimm genug, doch wog die Tatsache noch schwerer, dass er den Stolz und seine Liebe an einen Mann verloren hatte, der all das besaß, was er nicht mehr hatte, und keine noch so sehr gefüllte Börse konnte auch nur einen Hauch davon zurückkaufen: Jugend, Gesundheit, die Anmut und die Unbeschwertheit eines jungen Menschenkindes.

Auch deshalb weinte er.

Er wusste, dass er eines der Spiele verloren hatte, die er nicht mehr spielen konnte, weil er zu alt war, um daran Teil zu nehmen. Nie zuvor in seinem langen Leben war ihm so sehr bewusst geworden, dass er alt war. Doña Ines hatte er aus dem Kloster geholt, um sie ins Licht zu führen, denn die Nonnen hatten sie dort versteckt. So viel Schönheit, so viel Anmut waren kein Geschenk Gottes, so behaupteten die Mönche, die Priester, die Nonnen. Solcherlei Liebreiz gibt der Teufel einem Menschen, um die übrigen Menschen zu prüfen. Halten sie stand, sind jene vom wahren Glauben, sind sie es nicht, dann bestätigt dies nur das, was fromme Männer und Padres der Heiligen Inquisition immer behauptet haben. Das Böse weilt unter uns, und seine Gestalt ist nicht immer böse, sondern verstellt sich geschickt und führt uns alle in Versuchung. Darüber hatte er einst nur gelacht.

Don Diego Ramón de Navarra weinte.

In der Stille des großen Raumes war nur das Schluchzen aus der fahlen Brust zu hören, und für eine ganze Weile gefiel sich der alte Mann, steinreicher Großgrundbesitzer und stolzer Edelmann mit einem berühmten Namen, in der stillen Verzweiflung und dem Selbstmitleid. Er spürte, dass es ihm half, seine Trauer, seine Enttäuschung ein wenig zu verringern, um seinen Zorn dafür umso stärker werden zu lassen. Als er von der Buhlschaft erfuhr, und später, all die Zeit danach, war es ihm, als beginne er ein klein wenig zu sterben, nur ein ganz klein wenig, und diese Art des Todes war gar scheußlich, und er schüttelte sich insgeheim bei dem Gedanken, dass sein Ende so verlaufen sollte. Denn es begann wie ein langes Herzeleid, von dem er nicht mehr geglaubt hatte, dass es ihn in seinem hohen Alter noch sehr treffen könnte und von dem ihm sein Verstand und seine Erfahrung sagten, dass es ihn zuletzt töten würde, wenn er nicht dagegen ankämpfte.

Aber wie? Wie sollte er gegen etwas ankämpfen, das ihn niederzog wie ein Mühlstein von großem Gewicht und kalter Schwere? Also betete er, um Klarheit in seine Gedanken zu bringen. Aber die Zwiesprache mit Gott und der Austausch eines wohl klugen und durchaus altersweisen Geistes fielen ihm schwer.

Er hörte ein Geräusch an der Tür.

»Grämt Euch nicht, Don Diego Ramón de Navarra.«

Es war die Stimme des Mönches, Bruder Bernabé.

»Dies ist die Sache nicht wert. Lasst den Geist stark sein, um jene zu bestrafen, die einer gerechten Bestrafung bedürfen.«

Don de Navarra hatte diesen Mann nie sonderlich gemocht, so wie er überhaupt die Vertreter der Kirche insgeheim ablehnte. Sie kamen ihm vor wie Bettler, nur versteckten sie geschickt ihr Anliegen. Diese frommen Männer waren allezeit von einer Aufmerksamkeit, derer man sich ständig gewiss war. So auch Bruder Bernabé. Seine Blicke waren überall. Alles, was nach den Worten der heiligen Schrift nicht gerecht war, trug er weiter bis an die Ohren der Heiligen Inquisition. Dieser Mönch war noch jung, und dennoch hatte er mit seinen Worten genug Macht, um als heimlicher Patron im Hause des Don de Navarra gelten zu können. Denn auf dem ganzen Besitz des Conde fürchtete man die fragenden Augen jenes frommen Bruders, der kundig und aufmerksam genug seine Welt ringsumher beobachtete, bei jeder Unzufriedenheit zum Gebet mahnte, nicht, ohne zu vergessen, auf die vielfältigen Beispiele der Buße hinzuweisen.

»Ich wollte allein sein«, seufzte de Navarra und trocknete seine Tränen mit dem Ärmel.

Der Bruder trat näher und griff mit spitzen Fingern nach dem langen Docht der Kerze. Daumen und Zeigefinger bogen den Docht gerade, und de Navarra konnte nicht erkennen, wie der Mönch es anstellte, sich an der groß und hell gewordenen Flamme nicht die Finger zu verbrennen. Aber selbst diese Beobachtung passte zu jenem Bild, das sich der Edelmann von diesem Bruder gemacht hatte. In seinem großen Anwesen waren immer fromme Pilger, Mönche, junge Novizen aber auch Padres zu Gast gewesen. Sein Haus hielt jenen Frommen immer Speis und Trank und auf deren Wunsch auch ein Nachtlager bereit. Das war so Sitte, nicht nur in dieser Provinz, sondern in allen Teilen des Spanischen Reiches. Es galt als Flegelei und unkluge Entscheidung zugleich, einem Vertreter der Kirche derlei Gunst zu verweigern, war dieser in seinem Rang auch noch so niedrig. Dieser Mönch, obwohl noch so jung an Jahren, war in dem Augenblick auf seinem Anwesen zugegen, als er die Absicht auch öffentlich bekräftigte, Doña Ines zu ehelichen, die in dem kaum bekannten Kloster in der Nähe von Gerona, wenn auch nicht als Nonne, lebte. De Navarra war klug genug und zugleich war dies nicht weiter schwierig, den Mann als Beobachter und Agenten der spanischen Inquisition zu erkennen. Noch klüger war es, nicht in ohnmächtigen Zorn darüber zu verfallen, ihn um sich und unter seinem eigenen Dach dulden zu müssen. Es gab eine Macht, die war stärker als all sein Geld, sein wohlklingender Name und sein überzeugter Glaube: Die Allmacht der spanischen Kirche. Der Franziskaner Jiménenz de Cisnero, Erzbischof von Toledo und dies durch Ernennung und Gunst von Isabella von Kastilien, galt als strenger Asket, der mehr und mehr an Macht gewann. Seit dem Jahre 1507 war er Großinquisitor des spanischen Reiches. Es galt als gefährliches Spiel, sich mit ihm anzulegen, denn seine Fäden der Protektion und des Einflusses spannen weit.

»Ich wollte allein sein, allein ... nur meinen Gedanken ein wenig Muße geben ...«, flüsterte der alte Mann.

Er hoffte, dass diese Worte, gequält gehaucht, deutlich genug waren, um den Bruder zum Gehen zu bewegen. Doch der fromme Mann machte keine Anstalten, die Kapelle zu verlassen.

»Don Diego Ramón de Navarra, fasst Euch. Auch wenn das, was Euch widerfahren, schrecklich ist. Ja, es besudelt Eure Ehre und beleidigt Euren Namen, aber es ist Euch, angesichts der vorliegenden Beweise, ein Leichtes, die Schuldigen zu bestrafen. Lasst eine Untersuchung durch die Inquisition zu …«

»Nein, Bruder Bernabé, nein.«

Don de Navarra kannte diese Untersuchungen zur Genüge. Mann nannte es Befragung. Aber er wusste, was die Mönche oder ihre Knechte in den dunklen Kellern trieben und mit welchen Methoden sie jede Seele zum Sprechen brachten. Immer wieder war er entsetzt gewesen, wie sie den Beschuldigten die Geständnisse entlockten. Bilder erschienen in seinem Kopf, kurz und wie mit nasser Farbe verwischt, um keine Kontur, keinen festen Strich mehr erkennen zu lassen. Aber er hörte die Schreie des Mädchens noch deutlich. Erst zehn Jahre alt war sie gewesen und der Buhlschaft mit dem Teufel beklagt. Mutter und Schwestern hatten nach stundenlanger Tortur gestanden, gebrochen und bereits mehr tot als lebendig. Aber dieses Mädchen, ein Kind noch, war zu verwirrt, gepeinigt vor Angst vor der Folter, dazu unschuldig genug, um zu erkennen, dass sein Leben genauso verwirkt war wie das seiner unglückseligen Mutter und ihrer älteren Schwestern. Aber wie sollte ein Kind erkennen, dass es sich und allen Beteiligten wenigstens das unsägliche Leid der Folter ersparen könnte, wenn es gestand? Was immer es auch gestand, es war besser, als das Unfassbare zu leugnen. Bis heute war er sich sicher gewesen, dass diesem Kind und seiner Mutter wie auch seinen Schwestern kein Vergehen angelastet werden konnte. Er war bei jener Tortur dabei, denn es gehörte zu seinen Aufgaben als junger Mann von Adel, der am spanischen Königshof Karriere machen wollte. Er war auch dabei, als man sie schuldig sprach und dem Feuer überantwortete. Die Bilder verschwanden, und zurück blieb das fragende Gesicht des Bruders. Die Kutte, dieses lange, unförmige Gewand, trugen sie alle. Die Farbe ist praktisch, dachte de Navarra plötzlich, denn man sieht nicht gleich das Blut der »peinlich Befragten« auf dem dunklen, groben Stoff.

»Dies ist eine Angelegenheit zwischen mir und dem Mann, der mir dies angetan.«

»Und dem Weib, das Ihr geehelicht und das Euch schmählich verriet«, fügte der Mönch mit kühler Stimme hinzu.

»Sie verriet mich nicht, sie war nur schwach. Sie ist mein Weib, und sie trägt meinen Namen. Nichts, was meinen Namen trägt, hat mich je verraten, nichts, hört Ihr …«

Don de Navarras Stimme war wieder fest geworden. Die stille Verachtung auf jene Kirchendiener kam erneut ans Tageslicht, und er wollte diesen Vertreter hier in seine Schranken weisen, ihm seine Grenzen zeigen.

»Es ist meine Angelegenheit, einzig und allein. Nur meine, versteht Ihr?«

Da beugte der Mönch den Kopf, raffte seine Kutte und verließ die Kapelle.

*E*s war warm, und obwohl alle Fenster weit geöffnet waren, schien sich all die warme Luft in diesem weiten Raum zu stauen. Der Patron saß steif in seinem Lehnsessel, als wäre er nur eine Figur aus Erz oder Stein. Das hagere Gesicht wirkte ruhig, und nur manchmal konnte der aufmerksame Beobachter am Zucken der Wangen erkennen, in welchem Gemütszustand sich Don Diego Ramón de Navarra befand. Vor ihm auf einem Sessel saß ein Abgesandter der Krone von Spanien.

Ein Diener trat an de Navarra heran und flüsterte ihm zu.

Erst jetzt hob der Mann den Kopf und blickte den Gesandten vor sich an.

»Seid gegrüßt, Don Jaime Fray de Pérez, willkommen in meinem Hause. Wenn auch der Moment nicht günstig gewählt ist«, sagte der Mann müde, »Ihr wünscht, mit mir ein Wort zu reden, ein Wort über jene Angelegenheit, die ganz allein die Meine ist. Es verwundert mich, zu erfahren, dass Ihr bereits davon wisst.«

»Ich danke Euch für Euren Gruß. Es waren der Wunsch und die Sorge seiner allergnädigsten Majestät, mich hier zu wissen. Glaubt mir, diese Sorge grämt ihn als Freund«, antwortete Don de Pérez sanft.

Der alte Edelmann nickte. Er wirkte gefasst, und seine Stimme verriet keinerlei Gefühlsregung.

»Ist Euch eine Erfrischung genehm, so sagt nur Eure Wünsche«, forderte er ihn höflich auf.

De Pérez schüttelte den Kopf, während er antwortete.

»Meinen Dank an Euch, edler Diego, aber lasst uns gleich sprechen.«

Der Herzog sog die Luft langsam ein, und dabei straffte er seinen hageren Leib noch ein wenig mehr. Dann nickte er und begann langsam zu sprechen.

»Da gibt es nicht viel zu sagen. Ein Schurke hat es gewagt, mein Weib zu besteigen. Ich sage Schurke, auch wenn ich weiß, dass er von Adel. Aber selbst dies mindert die Schande um nichts in der Welt …«

Er knirschte mit den Zähnen, und der Abgesandte des Königs konnte beobachten, wie sehr sich der alte Mann angesichts der zurückliegenden Ereignisse beherrschte.

Dann sprach de Navarra weiter.

»Ein Mann von hoher Geburt soll mein Vertreter in jener Angelegenheit sein. Jener soll diesen … verzeiht, aber ich spreche den Namen dieses Kretins nicht mehr aus.

Hab ihn vergessen. Erschlagen soll er ihn wie einen tollen Hund.«

Don Jaime Fray de Pérez antwortete vorsichtig:

»Gewiss, edler Don de Navarra, gewiss. Ihr könnt auf mich zählen. Don Martin de Alonso ist ein Meister mit dem Schwert, und auch Don Francisco de Ruiz hat in seinem Leben so manchen Kampf gefochten, um einen Mann wie …«

Er hielt einen Moment inne und strich sich mit der Hand über seinen grauen Bart.

»… wie de Molinar nicht zu fürchten. Ein Wort genügt, und diese beiden *caballeros* sind Euer Werkzeug. Aber, verehrter Don de Navarra, hört Euch zuvor erst an, was ich Euch zu sagen habe.«

De Navarra sah Don de Pérez an. Seine Miene war noch immer unbeweglich, denn mit keiner noch so geringen Geste verriet er, wie sehr er in seinem Wunsch, Genugtuung für die ihm angetane Schmach zu üben, vor Hass beseelt war.

»Ich bin sehr unhöflich, Don Jaime Fray de Pérez, bitte verzeiht. Aber meine Zeit bei Hofe liegt lange zurück. Daher rühren auch meine plumpen Formen der Höflichkeit.«

Don Jaime blieb sitzen, beugte aber den Kopf ein wenig nach vorn, um eine kleine Verbeugung anzudeuten.

»Ich habe Euch nichts zu verzeihen, denn Eure Gründe sind eines Edelmannes würdig und nur verständlich. Euer Benehmen ist ohne Tadel. Da lerne ich noch von Euch«, antwortete Don Jaime höflich.

»Seine Majestät bittet Euch um Hilfe«, fügte er hinzu.

»Unser aller König?«, fragte der alte Mann., »Bitte, sprecht weiter, Señor!«

»Wie alle wissen, ist Seine Majestät ein frommer und gläubiger König. Er kennt die Heilige Schrift so gut wie nur wenige Fürsten. Nach vielerlei Studium glaubt Seine Majestät, dass es nach wie vor hier auf Erden einen Ort gibt, ja geben muss, der in der Heiligen Schrift der Garten Eden genannt wird.«

Nach diesen einleitenden Worten schwiegen beide Männer einen Moment, bis Don Jaime Fray de Pérez in seiner Erklärung fortfuhr.

»Seine Majestät glaubt, dass dieser Ort in jenem neuen Land auf der anderen Seite des großen Meeres liegt. Er sieht es als große heilige Aufgabe für das Königreich Spanien, jenes Land zu finden und für die Krone in Besitz zu nehmen.«

Don de Navarra schwieg. Dann bat er mit fester Stimme:

»Bitte, fahrt fort in Euren Worten, edler Don Jaime Fray de Pérez.«

Der Angesprochene nickte.

»Es sei Spanien zu Recht das einzige Land unter den christlichen Völkern, welches als Bewahrer des katholischen Glaubens auftreten könnte, und Spanien wäre damit das erste unter allen Ländereien, wenn dieses Stück der Landnahme gelingt. Der Preis dafür wäre wahrlich gering.«

Don de Navarra wog bedächtig seinen hageren Schädel. Aus den verbrieften Rechten einer solchen Entdeckung ließen sich Ruhm, unermesslicher Reichtum und nicht zuletzt der einzig wahre Glaube zu allen Zeiten erben.

»Mit dem Auftrag, diesen Garten Eden zu suchen, schickt Spanien eine Expedition in das neue Land.«

Don Jaime sprach weiter, und seine Stimme war leise und eindringlich.

»Wenn es uns gelingt, den Garten Eden zu finden, den Beweis zu erbringen, dass es diesen Ort gibt, dann … Bedenkt nur, dann ist dies ein großer Moment für die wahre Allmacht der Christenheit. Dann sind es jene, die an Jesus Christus glauben, die triumphieren können. Dann ist der Beweis endgültig erbracht: Der Glaube an Gott, den Herrn, so wie ihn unsere katholische Kirche lehrt, ist der einzig wahre Glaube auf dieser Welt.«

Er beugte sich noch ein wenig mehr nach vorn, und seine Stimme war voll Leidenschaft.

»Exzellenz, bedenkt die Tragweite jener Idee. Die Kühnheit! Wo alles wirklich begann, im Garten Eden! Da ist anderes nichtig. Das müssen alle Heiden, Juden, Mauren, Lutheraner einsehen! Jeder der zaudert, der spottet oder schmäht gegen diesen wahren Glauben, muss erkennen und abschwören. Denn es gibt das Paradies, wie es schon im Buch der Bücher beschrieben steht: *Und Gott der Herr pflanzte einen Garten in Eden gegen Morgen und setzte den Menschen hinein, den er gemacht hatte.* Denkt nur, wie es wäre, wenn Spanien dies Land, den Garten Eden, als Beweis sein Eigen nennt!«

Während Don Jaime Fray de Pérez sprach, leuchteten seine Augen vor Begeisterung.

»Bedenkt, wenn Spanien das einzige und wahre Paradies findet, sichert es uns die Herrschaft über die Christenheit. Nach dem Sieg von Granada durch unsere allerheiligsten und allergnädigsten Majestäten ist damit die Herrschaft der Mauren endgültig zu Ende. Es beginnt eine neue Zeit für Spanien, dessen Ruhm sei viele Jahrhunderte lang gewiß, ja, wohl für alle Zeit. Denn der Geist des Menschen kehrt an den Ort zurück, den Adam und Eva, Vater und Mutter, die Ahnen aller Menschen, einst auf Gottes Weisung hin verlassen mussten! Es wird Spanien sein, welches diesen Schritt tut.«

Eine Weile schwiegen die Männer, und Don Jaime Fray de Pérez konnte sehen, wie der Grande über die Aufgabe nachdachte, der sich der König und sein Land stellen wollten.

»Wer wird sich auf die Suche machen?«, fragte Don de Navarra.

»Der Graf Don Ricardo de Molinar«, antwortete Fray de Pérez sanft.

Die Reaktion des Edlen war voll unterdrückter Wut, und seine Antwort kam mühsam.

»Nach alldem … Ihr wollt diesem Hundsfott auch noch solch große Ehre zuteil werden lassen? Don Jaime Fray de Pérez … derlei Scherze sind mir genug. Wenn Ihr wollt, mich an Seelenqual sterben zu sehen, dann nur weiter so. Weiter solche Worte!«

Erneut ließ Don de Pérez einen Moment ohne Antwort verstreichen.

»Exzellenz! Wir verstehen Euren Zorn. Glaubt uns, diese Aufgabe ist größer als jede Aufgabe zuvor in der Christlichen Welt. Entsinnt Euch an die Geschichte, als Moses das Volk der Israeliten durch die Wüste führte, immer auf der Flucht vor der Rache des Pharaos. Deshalb haben wir jenen Mann bestimmt. «

»Aber Moses war auserwählt! Von Gott selbst! Er konnte nicht scheitern, denn er war ein besonderer Mensch, erwählt von Gottes Gnade!«, antwortete Don de Navarra zornig.

»De Molinar wird nicht scheitern«, antwortete ihm der Hofbeamte feierlich. »Tut er dies, bleibt er für alle Zeit heimatlos, denn eine Rückkehr nach Spanien würde die Krone niemals erlauben.«

Aufgebracht erhob sich Don de Navarra, schritt mit müden Schritten an das Fenster und blickte hinaus. Hier war es gewesen, dass er seine Frau dort unten in dem sonnenbeschienen Patio betrachtet hatte, so wie ein stolzer Mann seinen Traum betrachten kann. Nur, dieser Traum war kein solcher, er war Wirklichkeit. Doña Ines, diese junge Frau, war sein Weib, ein Wesen aus Fleisch und Blut, voll Licht und Schönheit. Teil von ihm und von ihm geliebt. Ines de Navarra, die schönste Frau Spaniens. Bis zu jenem Tag, als er von der Schmach hörte, die ihn altern ließ. Die Art von Wahrheit, die einen Menschen besonders hart trifft, denn wer glaubt und hofft nicht, alle Zuneigung zu einem Menschen sei endlos, ja, ewig und durch nichts zu erschüttern?

»O Bitterkeit … nichts währt ewig …«, murmelte er.

»Exzellenz, sagtet Ihr etwas, so verzeiht, denn ich hörte es nicht genau«, wollte Jaime Fray de Pérez höflich wissen.

Der alte Mann am Fenster wandte sich um und winkte ab.

»Nein, mein Herr, nein. Gedanken laut gesprochen, nichts von Wichtigkeit. Worte eines alten Mannes.«

Er seufzte ein wenig und nahm seinen Platz wieder ein.

»Was, wenn ich auf mein Recht der Sühne poche? Wenn ich mit diesem Plan nicht einverstanden bin, weil er mir meine Ehre nimmt, ja, mich zum gehörnten Ehemann vor Spanien und für alle Zeit verurteilt?«

»Der König würde dies bedauern und einen anderen Mann über das Meer schicken. Ich vermag zu behaupten, ein anderer würde scheitern. Denn nichts treibt ihn, außer seinem Wunsch nach Gold und schnellem Ruhm. Aber dies ist bei solcher Expedition zu wenig! Wer jenes Land für Spanien suchen und finden soll, muss mehr zu Wege bringen als je ein Sterblicher zuvor. Ja, Ricardo de Molinar ist ein Schurke. Aber er ist ein spanischer Grande, und als solchem ist ihm seine Ehre heilig. Bei dieser Aufgabe ist er ein Gefangener dieser Ehre. Sie ist ihm wie eine Fessel, mächtiger als jeder Kerker.«

Don de Navarra hatte die Augen geschlossen. Er atmete schwer, und am Zucken seiner hageren Wangen sah der Abgesandte der Krone, wie sehr ihm dieser Vorschlag missfiel.

Also spielte Don Jaime Fray de Pérez seinen letzten Trumpf aus.

»Seine Majestät gibt Euch zu bedenken, dass dieser Mann, den ihr mit eurem Hass so sehr verfolgt, Großes leisten muss. Versagt er, bleibt ihm nicht nur seine Heimat verwehrt, sondern er unterliegt dem Bann des Königs, und dieser Bann trifft alle aus seinem Geschlecht, und alle und er selbst werden exkommuniziert. Bedenkt, das Seelenheil ist ihnen für alle Ewigkeit verwehrt. Erst wenn er seiner Aufgabe nachgekommen ist und zurückkehrt, bestimmt ihr allein, ob er wieder frei sein wird. Ist Euer Zorn dann noch groß, so soll mit Don Ricardo de Molinar geschehen, was immer Ihr befehlt, und dabei sei völlig gleichgültig, was er für Spanien getan. Das lässt Euch Karl, der König von Spanien, Euer Cousin und Freund, feierlich durch mich und meine Helfer erklären.«

Jetzt hatte Don de Navarra die Augen wieder geöffnet und blickte den Mann vor sich an.

»Nie ward einem Mann solch eine Rache zuteil«, fügte Don Jaime feierlich hinzu.

»Woran wird er das Land erkennen, das in der Schrift das Paradies genannt wird?«, fragte der alte Mann müde.

»Es ist ein ganz besonderer Ort, edler Don de Navarra, an dem es nichts gibt, was uns Menschen sündigen lässt oder was uns zur Sünde verleitet. Es ist ein Land, wo wir Gott besonders nahe sind. Es ist ein Land ohne das Böse. Nur ein Conquistador Gottes kann es finden und in Besitz nehmen.«

D er Buhler, der mir die Ehre nahm und mich betrog, indem er mein Weib beschlief, genau jener geht in die neue Welt.«

Don de Navarra sagte dies ohne eine Spur in seiner Stimme, die irgendeinen Aufschluss darüber geben konnte, wie sehr ihn diese Entscheidung getroffen haben musste.

Der Mönch aber schüttelte den Kopf.

»Ist dies wirklich Euer Wunsch?«

Die Frage klang ungläubig. Der Gottesmann konnte von der Größe dieser bevorstehenden Aufgabe nichts wissen.

»Es ist der Wunsch Seiner allergnädigsten Majestät. Als Freund und Vertrauter werde ich seinem Wunsche gerne folgen und diesem entsprechen.«

Der Mönch rang einen Moment lang nach Worten. Er wollte darauf etwas erwidern, und Don de Navarra genoss die Unschlüssigkeit des Kirchenmannes.

»Aber Exzellenz, das ist …«

»Was immer es auch ist, Bruder Bernabé, ich weiß von Eurem Wunsch zu missionieren und Heidenkindern das Heilige Wort zu predigen. So vernehmt dies: Ihr geht mit in die neue Welt und begleitet Don de Molinar bei seiner Mission. Ihr achtet darauf, wie er seiner Aufgabe nachkommt, vor allem jener, seine Schuld zu begleichen, die er mit der Buhlschaft mit meinem Weib auf sich geladen hat«, erklärte der Adelige mit ruhiger Stimme.

»Aber Exzellenz«, stotterte der Mönch.

An seiner Miene war für Don de Navarra zu erkennen, wie schrecklich er diese Vorstellung empfand. Aber de Navarra genoss diesen Moment und antwortete ihm so ruhig, dass keine Spur von Widerspruch zu hören war.

»Ihr geht, weil es der Wunsch Seiner allergnädigsten Majestät ist, und dessen Wunsch beugen wir uns alle, nicht wahr?«

»Es ist so, wie Ihr es wünscht, und aus Eurem Mund spricht auch der Wunsch des Königs, dem ich mich beuge«, erklärte der Mönch mühsam.

Er beugte den Kopf und die Knie, raffte seine Kutte und verließ den Raum.

Aber ich werde wiederkommen, Don de Navarra, und dann werde ich Euer Weib befragen! Diese Worte dachte der Mönch jedoch nur für sich. Es war nicht der Moment, eine solche Drohung dem Mann dort ins Gesicht zu sagen.

151

Die beiden Granden hatten es eilig. Wer die zwei Männer bei ihrem Tun beobachtete, musste von der Hast, mit der sie ihre Habseligkeiten zusammenpackten, überrascht sein. Kein Zweifel, die beiden Männer wollten fort, das Haus des Don de Navarra verlassen, und dies so bald wie möglich. Da klopfte es an der Tür. Beide Männer hielten in ihrer emsigen Tätigkeit inne und sahen sich an. Es war de Ruiz, der dem Gefährten zunickte und dann laut auf das Geräusch vor der Tür antwortete.

»Wer ist da!?«

»Es will Euch jemand sprechen, Exzellenz!«, rief eine Stimme vor der Tür.

De Alonso ließ sein Bündel sinken und griff nach seinem Degen. De Ruiz tastete auf seinen Rücken, wo er den Griff seiner Kurzwaffe spürte. Zugleich trat er näher an sein Schwert, das auf einem Tisch lag.

»Kommt herein!«, befahl de Ruiz.

Die Tür öffnete sich, und ein Diener stand vor ihnen. Er verbeugte sich, bevor er sprach:

»Ihr Herren, die Doña Maria Gräfin de Calva wünscht Euch zu sprechen.«

Kaum hatte der Diener dies gesagt, stürzte die gewichtige Matrone an ihm vorbei, und er hatte gerade noch Zeit zu einer höfischen Verbeugung, die dem Stand der Hofdame entsprach.

»Beiseite!«

Sie blieb vor den beiden Granden stehen, die Wangen gerötet, ihre Augen blitzten, und beide Männer konnten erkennen, dass die Gräfin ihren Zorn nur mühsam unterdrückte. Es galt als unschicklich für eine Frau, sich im Zorn in der Öffentlichkeit zu zeigen, noch dazu vor einem Mann von Stand.

»Geht hinaus! Verschwindet!«, befahl sie dem Diener.

Der tat sogleich, wie ihm befohlen, und zog die große Tür des Gemachs hinter sich zu. Eine Weile stand die Gräfin vor den beiden Männern. De Ruiz und de Alonso hatten ihre Waffen losgelassen. Von der Gräfin ging wohl keine Gefahr aus, deren Bann ein Schwert gebraucht hätte.

»Meine Verehrung, Gräfin de Calva«, begrüßte sie de Ruiz, und seine Stimme war sanft.

»Ich grüße Euch, liebe Freundin«, sagte auch de Alonso.

Die Gräfin trat näher, antwortete aber nicht, sondern schnaubte ein wenig durch die Nase.

»Ihr wollt schon fort?«, fragte sie.

»Ja«, antwortete de Ruiz knapp.

»Warum diese Eile?«, verlangte die Gräfin zu wissen.

»Geschäfte von Dringlichkeit, die weder Aufschub noch ein Zögern erlauben«, sagte de Alonso.

»Das allein ist der Grund?«

»Natürlich.«

»Das ist nicht wahr!«, erwiderte die Gräfin scharf.

Die beiden Männer schwiegen, und es war zuerst de Ruiz, der wieder sprach. Aber seine Stimme hatte nichts mehr von dem sanften, schmeichelnden Ton, sondern sie war schroff und unfreundlich.

»Was soll das heißen, verehrte Gräfin? Ihr wollt uns keinen Glauben schenken? Sagt, warum?«

»Ihr habt mich getäuscht.«

»Was redet Ihr da?«

»Jawohl, getäuscht! Ich vertraute Euch so sehr, dass ich Euch bei einem schändlichen Spiel half, das nun meinem Herrn und ganz besonders meiner Herrin Schmach und …«

»Lasst Euch erklären, verehrte Freundin.«

Der Conde de Ruiz trat näher und streckte ihr galant die Hand entgegen, doch Maria de Calva wich zurück.

»Rührt mich nicht an!«, rief sie.

Jetzt war es de Alonso, der sie anfuhr.

»So mäßigt Eure Stimme! Wollt Ihr, das die gesamte Dienerschaft von Eurem Aufruhr erfährt?«

Sie atmete schwer, doch sie blieb stehen, ein wenig zitternd, die Haare in Auflösung und sichtlich zornig.

»Nun erklärt Euch schon«, verlangte de Ruiz gnädig.

Die Gräfin holte tief Luft, und beide Männer glaubten, sie würde erneut anfangen zu schreien, aber ihre Stimme war nicht lauter, als ein höfliches Gespräch es erlaubt.

»Mit süßen Worten verspracht Ihr mir, kein Leid würde meiner Herrin geschehen.«

»Aber sagt selbst, was ist schon geschehen?«

»Ha, das wagt Ihr noch zu fragen? Ihr glaubt wohl, ich weiß nichts von dem schändlichen Spiel, dass hier passiert ist? Dieses Haus ist groß, aber um eine Gemeinheit zu vertuschen, ist es zu klein, viel zu klein. Ich habe alles längst durchschaut!«

»Ich weiß noch immer nicht, wovon Ihr sprecht«, antwortete de Ruiz und bemühte sich, ruhig zu bleiben.

Zugleich wanderte sein Blick hin zu seinem Gefährten, und es war ein Blick, der so etwas wie eine geheime Absprache barg, denn der Grande ließ sein Schwert nicht mehr los.

»Beruhigt Euch, Doña de Calva, und nehmt erst einmal Platz«, sprach de Ruiz, aber sie schüttelte den Kopf.

»Ihr Herren, ich höre noch Eure Worte: Wir sind Freunde des Don de Molinar. Warum sollten wir der Schönheit eines Gedankens im Wege stehen, wenn der Tugend kein Schaden geschieht? Was für feine Worte.«

»Und?«

»Das habt Ihr doch gesagt, nicht wahr?«

»Das behauptet Ihr, aber wer könnte dies je beweisen?«

»Oh, wie schändlich, wie niederträchtig …«

»Haltet ein!«, wies de Ruiz sie zurecht, »keiner von uns läßt sich von einer Dame beleidigen. Vergesst nicht, wenn Ihr vor Euch habt.«

»O nein, wie könnte ich das vergessen! Ihr mit Euren schmeichlerischen Reden, Eurem feinen Benehmen. Alles nur Farce! Ihr wolltet dieses Unglück vom ersten Augenblick an. Ihr wolltet den Geist dieses Hauses zerstören.«

»Ihr seid ja völlig verblendet!«, fuhr de Ruiz die Frau an, aber sie redete weiter.

»Ich war hier glücklich, versteht Ihr das nicht? Das Leben an der Seite der Doña Ines in diesem Haus ist auch für mich ein Leben in der Sonne. Das lass ich mir nicht nehmen, nicht von Euch. Was Ihr mit Eurem Freund dort im Schweinestall macht, ist mir gleichgültig. Von mir aus soll er dort verfaulen! Aber Ihr, wenn Ihr noch von Ehre seid, tretet vor den Patron dieses Hauses und klärt das schändliche Spiel auf. Vor ihm sagt Ihr alles!«

»Das verlangt Ihr von uns?«

»Ja!«

»Nichts weiter?«

»Fürs Erste soll dies genügen.«

Die beiden Männer sahen sich an und brachen dann in lautes Lachen aus.

De Ruiz war der Erste, der sich fasste.

»O Gräfin, geliebte Freundin! Ihr seid umwerfend in Eurer Einfalt.«

Sie sah unsicher von einem zum anderen. De Alonso sprach weiter.

»Ihr denkt tatsächlich, damit ist diese Angelegenheit zu Ende?«, fragte er kalt.

Nun sank sie auf einen Stuhl nieder und fing an zu weinen. Die beiden Männer rührten sich nicht, sondern blickten ungerührt auf die weinende Frau.

155

Es war de Ruiz, der nach einer Weile zu sprechen begann.

»Fasst Euch, Doña, fasst Euch.«

Sie hob den Kopf. Ihr verweintes Gesicht hatte ihrem Teint nicht gut getan, und vor den beiden Granden saß nur noch eine ältliche und unglückliche Frau.

»Wie sollte ich?«, fragte sie und sah zu den beiden vor ihr stehenden Männern auf, »Erklärt mir das! Der Patron hat mich verstoßen. Sein Zorn trifft mich seit dieser Affäre. Und meine kleine Ines? Sie war mir eine Freundin, Schwester, Gefährtin. Sie grämt sich nach allem, was passiert ist, so sehr, dass Diener über ihren Zustand wachen müssen, denn ich fürchte, sie tut sich etwas an. Und daran seid Ihr schuld!«

»Das müsst Ihr uns aber erklären«, antwortete de Alonso schnell.

Die Gräfin zog ein weißes Tuch aus ihrem Ärmel und betupfte sich damit das Gesicht.

»Sprecht mit Ihrer Exzellenz, der Doña Ines. Erzählt ihr von einem Verehrer, der es als Teil seiner Ehre als Mann und Chevalier ansieht, einer Frau zu dienen, der wir alle gerne dienen würden. Aber wir lassen ihm den Vortritt. Das habt Ihr gesagt.«

De Ruiz und sein Gefährte antworteten nichts darauf.

»Das habt Ihr doch gesagt?«

»Ich wiederhole«, sagte de Alonso und lächelte dabei, »wer sollte Euch diese Worte glauben?«

Auch de Ruiz trat etwas näher an die Frau heran.

»Ein Mann, der das Vertrauen eines gastfreundlichen Hauses so enttäuscht hat wie er, ist uns kein Freund mehr. Ihr beleidigt uns, wenn Ihr irgendwelche Worte von uns mit ihm in Verbindung bringt. Ricardo de Molinar wird vor ein Gericht kommen, angeklagt der Hexerei und des Ehebruchs. Man wird ihn einem Gericht überstellen, und wir beide werden es sein, die dem Conde diesen Dienst tun. Glaubt Ihr wirklich, er würde auch nur ein Wort von Eurem törichten Geschwätz glauben?«

Verblüfft sah die Gräfin von einem Gesicht zum anderen.

»Aber, aber …«

Sie stammelte nur, und von ihrem leidenschaftlichen Zorn schien nichts mehr übrig zu sein.

Erneut sprach de Alonso.

»Wir sind spanische Edelmänner und tun Dienst bei Hofe in Madrid. Wir sind einem Wort und damit nur einem Mann von Ehre verpflichtet: Don de Navarra. Ihm allein. In dieser Stunde sind wir seine Stütze, Freunde, Helfer. Wir sind seine Diener für alles, was er anordnet, was er befiehlt. Wir kennen nur einen Herrn und nennen ihn Freund. Uns mit irgendjemandem aus dieser schändlichen Angelegenheit in Verbindung zu bringen, beleidigt uns beide, habt Ihr verstanden?«

»Was Ihr sagt, ist ein Treuebruch und infam!«, rief sie empört, aber beide Männer lachten daraufhin erneut spöttisch.

»Ha, was für ein Treuebruch? Dass die Herzogin sich jedem sofort darbietet, der ihr unter den Rock gaffen will, haben wir selbst, wie alle hier in diesem Haus, bisher für unmöglich gehalten. Aber der Teufel prüft uns allezeit, warum auch nicht eine in Wollust entflammte Frau?«

Maria de Calva konnte sich vor Entrüstung kaum halten.

»Ihr wagt es, meine Herrin …? Es war doch Euer feiner Freund, der sich an sie heranschlich wie ein streunender Kater!«, schleuderte sie den beiden Männern entgegen.

»Ein Kater in Hitze braucht zum Besteigen immer noch eine ebenso heiße Katze. Aber das könnt Ihr doch in jedem Stall hier selbst beobachten«, sagte de Ruiz höhnisch.

»Ihr seid unverschämt!«, schrie sie vor Zorn.

Sie war aufgesprungen. Die höhnisch lächelnden Gesichter der beiden Männer sagten ihr, dass sie nichts mehr von ihnen erwarten konnte. De Ruiz nickte nur, und de Alonso schritt zur Tür und riss sie auf.

»Ihr solltet jetzt gehen, verehrte Freundin. Aber seid versichert, die Erregung macht Euch wieder jung, ja sogar schön!«, lachte de Alonso böse.

Die Gräfin stürzte an den beiden Männern vorbei zur Tür. Dort blieb sie noch einmal stehen, und ihre Augen blitzten auf im Zorn, als sie beide Männer betrachtete. Dann sprach sie, und ihre Stimme war ruhig.

»Ich werde mich offenbaren, alles dem Patron erzählen, und er, der Herzog, wird mir glauben, seid versichert, Ihr feinen Herren. Er soll alles erfahren, auch wenn es mich mein Amt in diesem Hause kostet. Sollte es so weit kommen, möchte ich doch noch sehen, wie Ihr Euch dann aus der Affäre zieht. Was Ihr dann tut und sagt, wenn ich vor Gott und allen Heiligen schwöre und alles gestehe, hört Ihr, alles!«

Ihr Blick war nun voll kalter Wut, als sie hinausrauschte.

Als sie fort war, wandte sich de Ruiz zu de Alonso.

»Hüte dich vor dem Zorn eines Mannes, aber fürchte immer den Hass einer gekränkten Frau.«

De Alonso fuhr sich mit der Hand über seinen gepflegten Bart. Dann streifte er seine Handschuhe über.

»Sie wird lästig«, sagte er.

»Sie *ist* lästig«, bemerkte de Ruiz und zog sich ebenfalls seine Handschuhe an.

»Dann lass uns gehen.«

»Wartet noch einen Augenblick, ein Mann von meinem Rang geht doch nicht ohne sein Schwert.«

So wartete de Ruiz, bis sein Gefährte sein Schwert, eine schlanke Florentiner Waffe, umgürtet hatte. Als dies ge-

schehen war, schritten die beiden Männer hinaus und den langen Gang hinunter und hörten die Gräfin de Calva rufen. »Diego!«
Sie rief nach ihrem ehemaligen Geliebten.

Der Herzog von Navarra stand gebeugt in dem großen Raum. Gebeugt vor Gram, in allem, was er tat, so verharrend, ganz gleich, ob er saß oder stand, seit ihn die Nachricht und zuletzt die Wahrheit darüber, was in dem kleinen Turmzimmer passiert war, so traf. Er arbeitete, um seine Gedanken zu zerstreuen und sich zugleich abzulenken. Der riesige Besitz bedurfte einer führenden Hand. Der Besuch des ersten Hofbeamten der Krone, des Mayordomo mayor und Ritter des Hauses Habsburg, Don Jaime Fray de Pérez, war noch frisch in seiner Erinnerung. Sein Cousin, der König von Spanien selbst, bot ihm einen feinen Handel, und er hatte dem Vorschlag zugestimmt. Jawohl, genau so würde er ihn annehmen. Denn er wusste, Jiménenz de Cisnero, Erzbischof von Toledo und gefürchteter Großinquisitor des spanischen Reiches, würde diesen Fall mit exemplarischer Härte zelebrieren wollen. Welch ein Prozess vor den Augen der übrigen Welt: Die schönste Frau des spanischen Reiches buhlt unter den Augen ihres eigenen Mannes mit einem *hidalgo*. Das Haus Navarra und alle aus diesem Geschlecht vor ein Gericht zu stellen, würde das nicht allen Katholiken Spaniens die wahre Allmacht der mächtigen Kirche zeigen? Sogar dieser habsburgische Dilettant, den sie zum König von Spanien gemacht hatten, würde dagegen nichts tun können. De Navarra wusste genau, Don Jaime Fray de Pérez kam mit der Vereinbarung einer Anklage des Erzbischofs von Toledo entgegen. Darüber war er am meisten froh. Die Vorstellung, Ines, sein Licht, vor dem Tribunal zu sehen, vielleicht gar mit der Drohung, sich einer peinlichen Befragung zu stellen, sollten ihre Antworten zu zögerlich kommen – nein, niemals würde er dies zulassen!

Außerdem hatte Jaime Fray de Pérez versprochen, dass er, Diego Ramon de Navarra, seine Rache erhalten sollte!

Wenn nur dieses Herzeleid nicht wäre, dieser nagende Schmerz in seiner Seele, der so schwer wog. Da war wohl der Hass auf diesen dahergelaufenen Grafen, Bauerngraf, wie ihn die beiden Herren genannt hatten. Ja, genau das war er: ein Bauerngraf. Er, Ramon de Navarra, hätte es wissen müssen. Seine Weisheit, die mit dem Alter kommt, hätte ihm die Augen öffnen müssen. Dieser Bursche kauft ein Pferd, das er nicht auf einen Satz bezahlen kann, nur um es seiner Gemahlin zu schenken! Wer tut so etwas, wenn nicht ein Mann, der dafür etwas rauben wollte, was mit allem Geld dieser Welt nicht zu bezahlen gewesen wäre? Sein Licht, seine Ines.

Die Türe wurde aufgestoßen, und das schwere Holz krachte mit einem dumpfen Geräusch gegen das prächtige Säulenportal. Die Gräfin de Calva stand in der Tür, das Haar wirr, ein Schleier hing ihr unordentlich an der Seite herab, und ihr Gesicht war gerötet von der Anstrengung des Laufens.

»Diego!«

Sie stürzte, so schnell es ihr weites Kleid und das Gehen über den blanken Boden zuließ, auf den Patron zu.

»Was willst du hier?«

»Diego, Ihr wißt, wie ich zu Euch stehe. Ihr wisst, das ich Euch nie belogen habe. Das wisst ihr doch, nicht wahr?«

»Das ist lange her, warum wärmst du solche Geschichten auf?«

»Ich will nur …«

»Was willst du? Abbitte leisten, dass du meiner Gemahlin eine schlechte Hofdame warst? Du hast in dieser Aufgabe versagt. Was willst du noch von mir?«

»Es geht nicht um mich, sondern um das Kind.«

»Ines?«

Der Herzog hauchte ihren Namen, und die Gräfin hörte die leise Zärtlichkeit in dem Wort, als er ihn nannte.

»Ja!«, nickte die Gräfin, »Es war alles ein Spiel, gespielt auch von mir, ja, auch von mir.«

»Was sagst du da?«

Er war verwundert und ratlos zugleich. Wovon redete diese Frau? Warum stocherte sie erneut in der Wunde der Erinnerung herum, jetzt, wo er dabei war, alles zu tun, um zu vergessen?

»Ich werde Euch alles erzählen Diego, alles, so wie es sich zugetragen hat, und Ihr werdet sehen, das Ines keine Schuld trifft.«

Sie ergriff seine beiden Arme und hielt ihn fest. Dabei war der Druck ihrer Hände von einer Vertrautheit, die ihn an längst vergangene Stunden der vertrauten Zweisamkeit erinnerten. Die Gräfin Doña de Calva war einmal ein Teil seines Lebens gewesen, aber das war lange her. Er sah sie an.

»Sprich!«, befahl er.

»Soll sie das wirklich?«, fragte eine Stimme, »Soll sie wirklich sprechen?«

Die Gräfin wandte sich um und sah zur Tür, und auch Don de Navarra blickte auf. De Ruiz und de Alonso traten näher. Die schwere Tür hatten sie ohne ein Geräusch hinter sich geschlossen.

»Oder soll sie doch lieber schweigen, verehrter Don Diego de Navarra?«, fragte de Ruiz ruhig.

Die Gräfin starrte ihn nur ungläubig an. Aber bevor sie antworten konnte, sprach der Grande weiter, und seine Stimme hatte wieder etwas von dem Klang, der den Herzog aufhorchen ließ, um dem Gesagten zu folgen.

»Gut, lasst sie sprechen, und die Gräfin de Calva wird

Euch Dinge erzählen, die aus dem gleichen Lügensumpf stammen, die Euch in jener Angelegenheit so schwer getroffen. Aber vergesst bitte nicht, es waren wir, die Euch die Augen öffneten, und nicht die Gräfin, deren Aufgabe doch Schutz und Bewahrung der Tugend Eurer Gemahlin ist, nicht wahr?«

»Denn was immer sie Euch erzählen wird, verehrter Herr«, fuhr jetzt de Alonso fort, »einige Fragen wird sie Euch nicht beantworten, weil sie diese nicht beantworten kann.«

Die Gräfin blickte die beiden Männer mit weit aufgerissenen Augen an, und das ungläubige Entsetzen über die Ruhe der beiden Männer ließ sie schweigen.

»Fragen?«, wandte Don de Navarra ein. »Welche Fragen?«

Erneut sprach de Ruiz.

»Warum gelingt es einem Gast Eures Hauses nach nur kurzer Zeit, in das abgeschirmte Schlafgemach Eurer Frau zu gelangen? An den Wachen und ihren Hunden vorbei?«

»Woher«, fragte nun de Alonso weiter, »woher hat ein Mann wie de Molinar all das Wissen über die Gewohnheiten in diesem Haus? Der Bursche war nie zuvor als Gast hier, kennt aber geheime Räume, ausgestattet als Liebesnest mit einem Bett, frischen Laken, Möbeln? Fragen über Fragen, die nur die Gräfin hier beantworten kann.«

»Ihr, Ihr …«

Sie wandte sich zu ihm um, und ihre Hände umkrallten die dürren Arme des alten Mannes, als würde sie ertrinken und er wäre ihr einziger Halt.

»Diego, glaubt Ihnen kein Wort, sie wollen Euch nur täuschen, so wie sie auch mich getäuscht haben.«

»Aber verehrte Doña de Calva, warum sollten wir so etwas tun?«, fragte de Ruiz, und seine Stimme war sanft, aber mit einer leisen Gefährlichkeit. »De Molinar ist ein Schurke. Nun ist aber selbst die Vorstellung, dieser Hundsfott hat auch Euch, verehrte Gräfin de Calva, Avancen gemacht, auf einmal gar nicht mehr so abwegig, oder nicht? Schließlich hatte er ein Ziel, nämlich das Schlafgemach seiner Herrin. Was ist da schon eine kleine Galanterie mit ihrer Hofdame?«

»Welche Gunst habt Ihr diesem Lumpen gewährt?«, fragte de Alonso langsam.

»Gar keine! Ihr lügt!«, schrie sie, und der Griff um die Arme des Herzogs war so schwer, dass es den alten Mann fast auf den Boden niederzog.

Der Herzog sah sie und dann wieder die beiden Männer an.

»Was ist das nur wieder für ein Wort, ihr Herren?«, stöhnte er.

Sein Blick, voll Unbehagen über weitere Enthüllungen, irrte zu der Gräfin und dann zu den beiden Männern.

»Eine Botschaft, lieber Freund,« antwortete de Ruiz, »die Euch die Gräfin gleich selbst sagen wird, denn deshalb ist sie ja zu Euch gekommen, nicht wahr? Um Euch zu beichten. Alles, was sie getan, damit dieser Emporkömmling mit dem schönen Gesicht sein Ziel erreicht. Aber Ihr, Don de Navarra, den wir Freund nennen dürfen, Ihr glaubt doch nicht wirklich, dieser schöne Faun wäre so schnell an sein Ziel gekommen, hätte er keine Hilfe erhalten? Ob Eure Gemahlin schwach war, weiß doch letztendlich nur Gott der Allmächtige in all seiner Barmherzigkeit. Aber wenn sie schwach war, hat man dann ihre Schwäche nicht aufs Schamloseste ausgenutzt? Wir sagen ja, genau dies tat die Gräfin hier, denn sie würde alles für ihre Herrin tun, alles. Hat sie dies nicht geschworen, oft genug gesagt? Hattet Ihr deswegen nicht größtes Vertrauen in sie? Aber jetzt? Glaubt uns, verehrter Freund, sie hat nicht gezögert, sich in dieser Angelegenheit für sich zu holen, worauf sie beim Anblick des Grafen von Anfang an spitzte.«

Bevor der Herzog oder die Gräfin irgendetwas entgegnen

konnten, sprach de Alonso mit leiser und zugleich eindringlicher Stimme weiter.

»Kann unsere teure Gräfin sich nicht eine Galanterie von ein und demselben Mann versprochen haben, der sich als Ritter von Ehre und Verehrer Ihrer Herrin ausgibt? An sein Ziel angekommen ist der Kerl ja doch, dies habt Ihr, so sehr die Erinnerung daran auch schmerzt, ja selbst gesehen.«

»Nein, das ist nicht wahr!«, weinte Doña de Calva.

Ihre Stimme versagte, und sie wollte sich an die Brust des Herzogs lehnen und für einen Moment Trost erfahren, aber der Mann stieß sie von sich. Die Erinnerung an diesen Moment in der sonnendurchfluteten Kammer war zu frisch und schmerzte ihn zu sehr. Und das wussten die beiden Granden ganz genau. Alles an de Navarra bebte, und er hielt sich beide Fäuste an die Schläfen.

»Hört dieser Albtraum denn niemals auf?«

Don de Alonso trat neben ihn.

»Beendet diese Posse, Don de Navarra, beendet sie, und Ihr werdet wieder atmen können. Dann seid Ihr wieder frei, und alles wird so wie es war, so, wie es Euch der Vertraute der Krone gesagt.«

Der alte Mann schüttelte den Kopf. Er sah die beiden Granden an, und seine Hände beschrieben Gesten der reinen Hilflosigkeit.

»Sie hat Euer Glück verraten, Don de Navarra«, entgegnete de Alonso eindringlich. »Befreit Euch, Don Diego! Befreit Euch!«

»Diego! Hör mich an, und glaub ihnen kein Wort!«

Die Frau umklammerte den alten Mann wie eine Ertrinkende.

»Sag nichts, Weib!«, keuchte er.

Grob machte er sich erneut los von ihr und trat zur Seite.

»Es ist scheußlich genug, was ich hier erfahren muss.«

»Diego …!«

Aber seine Exzellenz Don Diego Ramón de Navarra, Herzog von Kastilien und zugleich Graf von Lérida, schüttelte nur den Kopf.

»Diego!«, schrie sie jetzt voller Angst. »Lasst mich nicht allein, nicht mit diesen … Teufeln!«

Er murmelte irgendetwas, was aber niemand verstand, und schritt so schnell er konnte zur Tür. Das Letzte, was er hörte, war der metallische Ton, den ein Schwert macht, wenn es aus seiner Hülle fährt. Schnell schloss er die Tür hinter sich, und dann war es still. In seinem Kopf genauso wie in seinem Herzen. Endlich still.

*D*er elende Karren erreichte Sevilla, genannt *la maravilla*, das Wunder. Genau die Stadt, die bis zuletzt der *reconquista* standhielt. Die Stadt am Río Guadalquivir, dem Fluss, der bei Cádiz in den Atlantik mündet und das Tor für alle Conquistadores ist, die sich nach Amerika aufmachen, dem Land hinter dem großen Meer.

Die Straße endete auf einem kleinen Hügel. Dort lag vor einem weiten Platz die Casa de Contracción. In diesem schlanken, weißen Gebäude, zweigeschossig, mit auffallend prächtigem Zierrat überall an den Wänden, der Eingang verschlossen von zwei mächtigen Toren aus schwerem Eisen, prächtig geschmiedet und noch prächtiger vergoldet, fand sich eine Institution, die bald nicht nur innerhalb von Spanien, sondern in der ganzen christlichen Welt und darüber hinaus bekannt werden sollte. Seit sechzehn Jahren gab es diese Behörde. Ihre Aufgaben waren vielfältig und befassten sich mit allem, was mit Amerika zu tun hatte. Ein Vorsteher, der Sekretär und der Geschäftsführer dieser Behörde, dazu ein Heer an Schreibern, bedeuteten die Casa de Contracción.

Sie kontrollierten die Auswanderung nach Hispaniola und Panama, setzten alle Verträge mit den Conquistadores auf und regelten den Handel mit der neuen Welt. Die Casa war zudem Gerichtshof und Jurisdiktion und erstreckte sich auf alles und jeden, der mit Amerika und seinem Handel dort zu tun hatte. Zudem betrieb die Behörde eine Navigationsschule und eine nautische Universität. Sie finanzierte auch Publikationen in Form von Büchern, Tabellen und Karten über Navigation, die bald in ganz Europa bekannt waren.

Der Karren hielt nicht etwa vor dem Gebäude, sondern rumpelte durch ein seitliches, kleineres Tor, um dort vor einem großen Eingang zu halten. Wachen traten näher, aber Don de Ruiz schickte sie weg. Don de Alonso stieg von seinem Pferd und schlug die Plane des elenden Gefährts zurück. Der Anblick hätte jeden Betrachter gedauert, allerdings nicht so die beiden Granden.

Don Ricardo de Molinar war, an Händen und Füßen gefesselt, wie ein Schwerverbrecher mit einem schweren Halseisen an das massive Bord des Karrens gekettet. Und nach den geltenden Gesetzen war er dies ja auch. Dennoch musste wohl jeder Beobachter Mitleid empfinden beim Anblick dieses völlig verschmutzten Mannes, der in die grelle Sonne blinzelte, mit einem ungepflegten Bart, stinkend vor Schweiß und Schmutz, das Beinkleid und der Rest eines Hemdes voll Schweinekot, von den beiden Adeligen argwöhnisch flankiert.

»Vamos!«, befahl de Alonso und zerrte den Mann wie einen Hund an der schweren Kette von dem Karren.

De Molinar bemühte sich, sich einen Rest von Stolz zu bewahren, auch wenn die beiden Verschwörer ihm dies nicht leicht machten. Endlich war er von dem Karren herunter und folgte den beiden Männern, barfüßig, sein loses Hemd festhaltend, da es längst in Fetzen war, weil es seit Wochen zugleich einzige Kleidung, Leibtuch und Decke für kühle Nächte war.

Der junge Graf war sichtlich erschöpft, müde und am Ende seiner Kräfte. Eine Gegenwehr war wohl nicht zu befürchten, und dies war der Grund, warum die beiden Männer den Gefesselten nachlässiger mit sich führten, als sie ihn einst verhaftet hatten.

Für Don de Molinar war klar, dass man ihn hierher führte, um ihn vor ein Gericht zu stellen. Er wusste nicht, wo er sich befand, nur dass er angekettet auf dem elenden Karren seit fast zwei Wochen quer durch Spanien unterwegs gewesen war, einige Male in kleinen Marktflecken haltend, meist aber nur draußen auf einem freien Feld, wo ihm die beiden Männer manchmal gestatteten, seine Notdurft nicht auf dem Karren, sondern in einem Gebüsch zu verrichten, um ihn dann wieder festzuketten.

Don Ricardo de Molinar war am Ende.

Vor dieser Fahrt quer durch das spanische Königreich hatte man ihn bereits wochenlang in den Schweinestallungen des Herzogs Don de Navarra gefangen gehalten. Nun wollte er nur noch ein Ende der Reise erleben, und das Gebäude hier mit seinen Wachen musste wohl ein Gerichtsgebäude sein. Das Einzige, was er wusste, war, dass er in einer Stadt angekommen war, die an einem breiten Fluß lag, da der Wind manchmal die brütende Hitze auffrischte und den Geruch nach Wasser zuließ. Aber de Molinar wusste nicht, um welche Stadt es sich handelte. Sie hatten ihn nicht in den Keller geführt, wie er zuerst angenommen hatte. Wohl über Stufen, die aber hinauf in helle gekalkte Gänge führten, die zu einem lieblichen Innenhof zeigten und deren offene Durchgänge typisch waren für die neue Bauweise dieser Tage. In einem hohen Raum, der mit den hell gekalkten Decken wie eine Halle wirkte, ließen sie ihn Platz nehmen. Sie boten ihm sogar einen Stuhl an. Außer einem Tisch gab es kein weiteres Mobiliar in dem Raum. Aber Ricardo de Molinar bemerkte, dass alle Fenster leicht zu erreichen waren und es keine schweren Gitter davor gab. Wo war er wirklich? Wollte man ihm mit Absicht eine Flucht ermöglichen, um ihn dann von den allgegenwärtigen Wachen erschlagen zu lassen? An der Tür blieben die beiden Grafen noch einmal stehen und sahen den Gefangenen an, so als wollten sie sein Bild in sich aufnehmen.

»Bei allem, was jetzt passiert, verhaltet Euch klug, Bauerngraf«, sagte de Ruiz.

»Ihr habt mich einmal Freund genannt«, antwortete Ricardo leise.

»Ihr seid nur ein Bauerngraf«, antwortete de Ruiz voller Verachtung.

Don de Molinar hatte keine Gelegenheit, festzustellen, ob diese Worte ein Befehl oder ein Ratschlag waren, denn die beiden Männer verschwanden durch die Tür, ohne noch ein weiteres Wort zu sprechen. Sie ließen ihn wahrhaftig einfach so zurück?

»Willkommen, Don de Molinar!«

Der Mann war eingetreten, ohne dass es der Adelige gehört hatte.

Der ihn so ansprach, war ein älterer Mann, dem Rang nach ein hoher Beamter bei Hofe, denn seine Kleidung war kostbar. Zudem trug er neben einem hohen Hut und einem wertvollen Degen auch die purpurne Schärpe der königlichen Hofbeamten.

»Ja … seid mir gegrüßt«, murmelte de Molinar misstrauisch.

Neben den Mann trat ein weiterer Mann, sehr viel jünger, der Kleidung nach wohl ein Diener. Er trat zu de Molinar und verbeugte sich höflich vor ihm.

»Erlaubt mir, edler Herr«, sagte er.

De Molinar traute seinen Ohren nicht. Es war nach all den Erlebnissen auch mehr als verwunderlich, zu hören, wie man mit ihm sprach. Noch mehr verwunderte es ihn, als der Mann einen Schlüssel hervorzog, um ihm das Halseisen aufzuschließen und dann behutsam abzunehmen. Mit einem Messer schnitt der Mann auch die Fesseln des Conde durch.

»Eure Füße, Herr!«

»Was …?«

Noch immer glaubte de Molinar, zu träumen.

»Eure Füße! Erlaubt mir, Euch von Euren Fesseln zu befreien!«

Der Diener kniete vor ihm nieder. Jetzt verstand de Molinar und nickte. Er ließ es geschehen, dass der Diener ihm auch die dicken Hanfstricke an seinen Füßen durchschnitt. Das erste Mal seit Wochen konnte er seine Füße wieder bewegen, und er konnte nicht umhin, die geschwollenen Gelenke zu betasten und zu massieren. Der Diener erhob sich und schritt mit deutlicher Ehrerbietung an dem noch immer wartenden Beamten vorbei, um den Raum leise zu verlassen.

Don de Molinar rieb sich noch immer die Fußgelenke. Seine Füße schmerzten, und er hoffte, das taube Gefühl möge bald nachlassen. Seine Knie taten höllisch weh, und wie er sich auch auf seinem Sessel hinsetzte, spürte er überall in seinen Gliedern Schmerzen.

»Wer seid Ihr?«, fragte er den Würdenträger.

»Oh, verzeiht meine Unhöflichkeit. Man sollte mich diesbezüglich öfter tadeln, aber ich habe mich Euch nicht vorgestellt. Mein Name ist Don Jaime Fray de Pérez. Ich bin ein besonderer Vertrauter der Krone. Dies muss Euch einstweilen genügen.«

»Was wünscht Ihr von mir?«

Die Stimme des Conde war voller Misstrauen.

»Später, mein lieber Freund, alles zu seiner Zeit. Jetzt bitte ich Euch erst einmal um Euer Vertrauen.«

»Erlaubt mir ein Wort, denn das letzte Vertrauen hat mich in jenen Zustand gebracht, in dem ich mich jetzt befinde.«

»Ich weiß, Don de Molinar, ich weiß dies, und glaubt mir, ich bedaure aufrichtig Eure derzeitige Lage. Aber Ihr könnt versichert sein, ich habe die Möglichkeit und auch den Wunsch, Euch für erduldete Unbill zu entschädigen.«

»Welchen Handel wünscht Ihr Euch dafür von mir? Und wo sind wir hier?«

De Pérez lachte freundlich.

»Später, mein Freund, später. Folgt mir nur, und seid unbesorgt, in wenigstens einer Stunde erinnert nichts mehr an Euren jetzigen Zustand.«

Der Mann drehte sich um und gebot Ricardo de Molinar noch einmal mit einer höflichen Handbewegung, ihm zu folgen. Durch eine seitliche Tür gelangten die Männer in einen großen Raum, ebenfalls hell und mit hoher, weiß gekalkter Decke, deren Strenge durch tiefbraune, blanke Holzbalken gemildert wurde. Don de Pérez deutete auf einen großen hölzernen Zuber, aus dem heißer Dampf aufstieg. Zwei Knechte gossen vorsichtig Wasser in den Trog.

»Ihr könnt sogleich ein Bad nehmen, was ich Euch zweifellos raten möchte, oder Ihr esst erst ein paar Bissen. Ganz wie es Euch beliebt.«

»Ihr seid sehr freundlich zu mir. Was ist, wenn ich Euch …?«

»Dies verpflichtet Euch zu nichts. Ihr könnt tun, was Euch beliebt, Don de Molinar. Aber um ein Bad möchte ich Euch doch bitten, sind die Düfte Eures Leibes doch gar zu streng.«

Der Mann lächelte, und sogar de Molinar gelang ein kurzes Lachen. Der Beamte verließ den Raum, und der Conde trat näher an den Zuber. Er tastete mit der Hand in das Wasser und fühlte, wie angenehm warm es war; dazu roch es kräftig nach Mandelöl. Die beiden Knechte traten dezent zurück. De Molinar riss sich den Rest seiner armseligen Kleidung vom Leib und stieg splitternackt in den Zuber.

»Ist Euch das Wasser angenehm, Herr?«, fragte einer der Diener, und de Molinar nickte.

»Wo sind wir hier?«, wollte der Conde wissen.

Die Diener schwiegen. Als er sich umwandte, traten zwei weitere Diener ein und deckten auf: etliche tönerne Schalen mit feinen Pasteten aus vielerlei Wildbret, zwei kalte gebratene Tauben, Käse, Brot und Krüge mit Wein und frischem Wasser. De Molinar verlangte nach Wasser, welches ihm die Diener sogleich einschenkten. Er trank in großen Schlucken.

»Habt Ihr noch einen Wunsch, Exzellenz?«, wollte einer der Männer wissen.

»Ja, wo bin ich hier? Wer ist der Mann, der mich so freundlich empfangen hat? Was ist sein Amt? Was für einen Handel will man von mir, und warum seid Ihr um mein Wohlergehen so sehr bemüht?«, fragte er schnell.

Keiner der Diener antwortete ihm, stattdessen verbeugte sich der Sprecher und verließ zusammen mit den anderen Männern schweigend den Raum. De Molinar sah ihnen nach und streckte sich in dem warmen Wasser aus. Es war lange her, so schien es ihm wenigstens, dass er ein Bad genossen hatte. So war es kein Wunder, dass er die Augen schloss und einschlief.

In den nächsten Stunden kleidete man ihn in ein frisches, einfaches Gewand. Dann führte man ihn in eine kleine Kammer und bat ihn noch einmal um Geduld. In der Kammer befand sich ein weiches Bett, und de Molinar schlief erneut sofort ein.

Am Morgen des nächsten Tages fühlte er sich besser. Nachdem er ein weiteres Bad genommen hatte, massierte ihm ein Diener den Rücken, die Waden und Schenkel, die Arme und den Nacken. Die krampfartigen Schmerzen in seinen Gliedern ließen allmählich nach. Nach einem kurzen Frühstück führten ihn Diener in einen weiteren Raum, und dort wartete erneut ein Unbekannter auf ihn. Der Mann war mittelgroß, auffallend schlank und hatte gebräunte Haut. Er trug einen kurzen, gepflegten Bart, das Haar der neuen Mode entsprechend kurz, und als besonders extravaganten Schmuck einen winzigen Ohrring. Er sah ernst und würdevoll drein und stellte sich als Graf Lurani, ein venezianischer Edelmann und Abenteurer, vor.

»Edler Don de Molinar, der Graf war so fürsorglich, mich Euch als Fechtmeister zur Verfügung zu stellen.«

Von diesem Tag an übten Ricardo de Molinar und sein Lehrer viele Stunden lang, und de Molinars an sich sehr gute Fechtkünste wurden noch mehr verfeinert.

An einem frühen Vormittag, drei Tage später, bat ein Diener die beiden Männer, ihm zu folgen. In einem großen Saal bot man ihnen Plätze an. Don de Pérez und zwei weitere Männer warteten bereits auf sie. De Pérez begann als Erster zu sprechen.

»Don de Molinar, es ist nun an der Zeit, Euch ein wenig darob zu berichten, warum Ihr hier seid. Ihr seid in der *la maravilla*, in der Casa de Contracción. Dies hier ist Miguel de Raimondo, Vorsteher und oberster Beamter dieses Hauses. Er dient der Krone. Der Herr neben ihm ist Antonio López, Schreiber und Cancellarius. Er wird alles, was wir hier sprechen, mit eigener Hand in einem Protokoll festhalten.«

Don de Molinar sah sich um. An der Tür hatte der Venezianer Aufstellung genommen, und seine Miene war die eines Mannes, den dies alles nichts angeht. De Pérez wandte sich an den Venezianer.

»Graf Lurani, ich bitte Euch, auf uns zu warten.«

Der Mann verbeugte sich schweigend und verließ den Raum.

De Pérez nahm auf einem Sessel unweit des Conde Platz und bot ihm einen freien Stuhl an.

»Setzt Euch, de Molinar. Ich weiß um Eure Beine, die noch ein wenig schmerzen. Obwohl mir der Graf über Eure Beweglichkeit nur Feines zu berichten wusste.«

Gehorsam setzte sich der so Gelobte.

»Er hat Euch berichtet?«, wollte de Molinar wissen.

»Ja!«, antwortete der Mayordomo mayor kurz, bevor er weitersprach. »Don Ricardo de Molinar, die Krone bietet Euch einen Pakt. Ihr geht in das neue Land über dem Ozean. Ihr kommt dort einer Aufgabe nach, auf den Wunsch Seiner allergnädigsten und allerhöchsten Majestät, unserem König Karl.«

De Molinar antwortete nicht, sondern hörte schweigend zu, als ihm der Hofbeamte seine Mission erklärte. Als dieser geendet hatte, schwiegen alle in dem Raum, nur das Kratzen der Feder des Schreibers war zu hören.

»Don de Molinar! Señor Miguel de Raimondo wird Euch nun ein Papier verlesen, welches diesen Auftrag besiegelt und gleichzeitig all Eure Ansprüche festlegt.«

Ohne auf ein weiteres Wort zu warten, gab der Hofbeamte dem Vorsteher einen kurzen Wink. Der verstand, erhob sich und räusperte sich. Dann begann er mit gleichmäßiger Stimme zu lesen:

»Nachfolgend steht geschrieben die capitulación zwischen Seiner allergnädigsten Majestät, unserem König Karl von Spanien etc., etc., etc. und dem Conquistador Don Ricardo de Molinar, welcher mit vier wohl gerüsteten Karavellen über das ozeanische Meer in einer besonderen Angelegenheit und versehen mit einem besonderen Auftrag im Namen Seiner allerheiligsten Majestät ad partes America reisen wird.

Dies sind: Erstens –

Kraft der Autorität Seiner Majestät ernennen Wir die Person Ricardo de Molinar auf ewig zum Admiral der Flottille, welche vier Karavellen umfasst. Die da wären die Santa Luìsa, die Aragón, die San Férnando und die Cádiz.

Ferner ernennen Wir ihn auf ewig zum Capitan general und zum Gouverneur aller von ihm neu entdeckten Länder. Derlei Titel gelten nicht für bereits entdeckte Ländereien und solche, die bereits entdeckt sind, aber von Rechts wegen im Besitz der portugiesischen Krone sind. Nach seinem Tod sollen Amt und Titel auf alle direkten Nachkommen oder Abkömmlinge aus der Person seines Geschlechtes übergehen. Die Titel können, im Besonderen von dieser Mission, nur von Seiner Majestät wieder genommen, respektive aberkannt werden.

Dies sind: Zweitens –

Wir, Seine Majestät, berechtigen die Person des oben Genannten, und nur ihn allein als Nutznießer dieses Dokumentes, bei dieser besonderen Mission verdiente Männer auszuzeichnen und sie in den Stand eines Ritters zu heben, sollte eine Person dieser Reise derlei Auszeichnung wert sein. Ferner ist der Genannte berechtigt, Seiner Majestät bei seiner glücklichen Rückkehr namentlich Mitglieder dieser Expedition für eine besondere Auszeichnung vorzuschlagen, sollte ein Mitglied seiner Besatzung sich in besonderer Weise verdient gemacht haben. Trifft dies zu, kann der oben Genannte höchste Auszeichnungen des Spanischen Reiches in einer Anhörung gegenüber Seiner Majestät gutheißen.

Dies sind: Drittens –

Wir, Seine Majestät, gewähren der Person des oben Genannten eine Beteiligung an den zu erwartenden Gewinnen, sollte er seinem Auftrag zu Unserer vollsten Zufriedenheit nachkommen. Dies sind dann der zehnte Teil aller in seinem Admiralsbereich gehandelten und verkauften Waren und Produkte, nach Abzug aller anfallenden Kosten.

Dies sind: Viertens –

Wir, Seine Majestät, gestehen dem oben Genannten die Befugnis zu, sich Mannschaft und Ausrüstung selbst zu erwählen. Ferner sei ihm erlaubt, Indios in Ketten zu legen und sie als Sklaven zu behandeln, sollten sie gegen Spanien rebellieren oder sich dem Reglement durch den Vertreter der Kirche widersetzen.

Dies sind: Fünftens –

Wir, Seine Majestät, erlauben dem oben Genannten im Falle eines Rechtsstreites, der in unmittelbarer Folge zu der Expedition steht, Recht zu sprechen auf dem Wasser wie zu Lande. Dies gilt auch für alle Bewohner, welche in dem neuen Land angetroffen werden und dem Einfluss der Krone unterstehen.

Dies sind: Sechstens –

Wir, Seine Majestät, erlauben dem oben Genannten, in den eroberten Gebieten Festungen zu bauen, sollte dies von Vorteil sein. Dazu ist die hier benannte Person berechtigt, dies mit Hilfe des »königlichen Fünftels« auszuführen.

Dies sind: Siebtens –

Wird diese Mission nicht zur vollen Zufriedenheit Seiner Majestät erfüllt, ist dem oben Genannten die Rückkehr nach Spanien für alle Zeiten verwehrt.

Dies ist gezeichnet von Seiner Majestät, König von Kastilien, etc., etc., etc., Graf von Barcelona, Landesherr von Biscaya und Molina, Herzog von Athen und Neopatria; Graf von Roussilion und Cerdagne; Markgraf von Oristano und Gocinao. etc., etc.

Als Zeuge unterzeichnet der erste Hofbeamte der Krone, der Mayordomo mayor und Ritter des Hauses Habsburg, Don Jaime Fray de Pérez.

Geschrieben, verlesen und gesiegelt von Miguel de Raimondo am 12. März des Jahres 1518 in der Casa de Contracción zu Sevilla.«

Der Vorsteher ließ das Dokument sinken und sah zu den vor ihm sitzenden Männern. Don Jaime Fray de Pérez nickte und fasste sich als Erster.

»Dank Euch, Señor de Raimondo, Vorsteher und Hüter dieses Hauses.«

Er wandte sich an de Molinar.

»Nun, wie entscheidet Ihr Euch?«

»Wie viel Bedenkzeit gewährt Ihr mir, edler Don Jaime?«

Der Angesprochene strich sich langsam mit seiner Linken über den sorgsam gestutzten Bart.

»Keine, Don de Molinar. Wie immer Ihr Euch entscheidet: Tut es jetzt und hier sogleich.«

»Warum die Eile?«

»Die Größe dieser Mission drängt zu einem raschen Aufbruch.«

»Und Seine Exzellenz, der Herzog?«

»Don de Navarra? Seid unbesorgt, es ist ein Handel, und jeder, auch er, ist mit seinem Teil gut bedient. Aber dieser Handel kommt nur zu Stande, wenn Ihr Euch zu einem Einverständnis entschließt.«

Ricardo de Molinar zögerte nach diesen Worten nicht mehr und unterzeichnete das Dokument.

Die Vorbereitungen waren alle abgeschlossen, und bereits am nächsten Tag wollte de Molinar nach Cádiz aufbrechen, wo die vier Schiffe samt ihrer Mannschaft auf ihn warteten. Bei der Abreise wollte auch Don de Pérez als Vertreter und Zeuge der Krone dabei sein.

Die Flottille sollte gegen Ende März auslaufen. Nicht unbedingt die beste Zeit, um den Weg über den Atlantik zu machen, aber die Mission ließ keinen Aufschub mehr zu. Alles sollte so schnell wie möglich geschehen, denn seit der Vertragsunterzeichnung drängte die Zeit. De Molinar fand keinen freien Moment, in dem er mit dem Mayordomo mayor über persönliche Dinge sprechen konnte. Alles schien bereit zu sein, und ein letztes Mal waren beide in eben dem Raum, den man de Molinar in den letzten Tagen in der Casa de Contracción als Bleibe zugewiesen hatte.

»Exzellenz, Ihr wart mir sehr verbunden. Dafür möchte ich Euch danken.«

Don Jaime Fray de Pérez beugte ein wenig sein Haupt und nahm wohlwollend den Dank des Conde de Molinar an.

»Gestattet ihr mir eine Frage?«, bat der Conde.

»Nur zu, Don de Molinar.«

»Was hättet Ihr getan, wenn ich dem allerhöchsten Wunsche Seiner Majestät nicht entsprochen hätte?«

Don Jaime lächelte, und statt einer Antwort erhob er sich von seinem Sessel und schritt hinaus auf einen sonnenbeschienenen Balkon. Dort blieb er stehen und blickte über das Land ringsum. Die Villen der wohlhabenden Bürger Sevillas fügten sich in das Land wie große Steine in weiches Moos. Die Mauern leuchteten in hellem Ocker, manchmal auch in Weiß und zartem Gelb, und ließen die Größe wie auch die Weite der vielen Gärten und kleinen Wälder ringsum nur ahnen. Die Luft roch jeden Augenblick angenehm nach den ersten Blüten des Frühjahres und vermischte sich dabei mit dem Geschmack der ersten erdigen Düfte, die von den zahllosen Pinien und Olivenhainen herrührten. Der junge Graf trat näher an die offene Tür und blieb stehen. Aber bevor er erneut eine Frage stellen konnte, sprach Don de Perez.

»Kein Land der Welt vermag im Moment das zu tun, was Spanien tut. Wir nutzen diese günstige Stunde.«

»Edler Don Jaime Fray de Pérez, erlaubt aber noch einmal meine Frage: Was wäre geschehen, wenn ich nein gesagt?«, drängte der Edelmann den Hofbeamten.

»Damit haben wir niemals gerechnet.«

»Wir?«

»Seine Majestät, natürlich, und alle, so wie ich, welche dieser Mission dienen.«

»Ihr wart Euch meiner Person in dieser Angelegenheit also sicher?«

Statt einer Antwort, wandte sich der Beamte um und richtete seinen Degen gerade. Dann sah er auf, und seine Stimme war ruhig.

»Ja, sicher, von Anfang an. Trotz allem, ein besonderes Glück wünsche ich Euch nicht, aber dafür weiche der Segen Gottes keinen Moment von Euch. Erfüllt Euren Auftrag, Conquistador. Denkt immer daran, einen Fehlschlag darf es nicht geben.«

Der junge Conde beugte den Kopf und schloss für einen Augenblick die Augen. Wie konnte der Mayordomo mayor annehmen, dass er dies auch nur einen Moment vergessen könnte?

Der Beamte schritt an ihm vorbei in den Raum zurück. Er rollte behutsam eine Abschrift des Kontraktes zusammen und schob das Dokument in eine lederne Hülle. Diese legte er zu einer Seekarte, die auf den neuesten Stand gebracht, doch weiß und unberührt war, angesichts der weithin unbekannten Welt über dem Ozean. De Molinar stand noch immer in der offenen Tür des Balkons und sah ihm dabei zu.

»Verzeiht meine erneute Frage«, sagte er leise, »aber was wäre geschehen, wenn ich nein gesagt, Don Jaime de Pérez?«

»Ist der Graf Lurani Euch ein Freund?«, fragte der Beamte statt einer Antwort.

»Auf derlei Fragen weiß ich im Moment nichts zu sagen, aber … ich denke wohl, ja. Ja, ein Freund.«

»Gut, dann hört dies: Wenn ihr Euch wirklich geweigert hättet, würde Euch seine Excellenz, der Herzog von Navarra, vor ein Gericht bringen. Ihr könnt Euch denken, die besondere Form und die Schwere Eurer Tat würde man vor einem Gericht der Inquisition verhandeln. Nach dem, was geschehen ist, hätte man Euch und die Herzogin dem Feuer überantwortet. Aber ich denke, das habt Ihr immer gewußt, nicht wahr? Flucht vor alldem? Ein kühner Gedanke, den ich Euch allzeit zugetraut habe. Aber bei jedem Versuch hätte Euch Lurani getötet. Für den Dienst, den er der Krone durch seine behutsame Bewachung getan, erhielt der Venezianer einen stattlichen Betrag. Dieselbe Summe hätte er erhalten, wenn er Euch hätte töten müssen. Er hätte also nichts verloren.«

De Molinar schloss die Augen. Lurani – ein bezahlter Wächter?

»Hütet Euch von nun an vor jedem«, ermahnte ihn der Hofbeamte ruhig, »ab jetzt seid Ihr auf Euch allein gestellt, und Ihr habt nur noch einen Freund, dem Ihr immer trauen könnt. Gott selbst.«

De Molinar öffnete seinen Augen und sah den Hofbeamten an.

»Graf Lurani hätte mich also verraten?«

Der Mayordomo mayor nickte und richtete erneut seinen Degen, bevor er antwortete.

»Es erscheint uns seltsam, nicht wahr, aber der Verrat als Mittel für einen Zweck ist uns allzeit willkommen. Doch niemand liebt den Verräter. Lurani ist ein Diener der Krone genauso wie Ihr.«

Nach diesen Worten verließ der Mann den Raum.

III. Teil

»*Eyn schön hübsch lesen von etlichen inßlen
die do in kurtzen zyten funden synd
durch de künig von hispania.
und sagt vo großen wunderlichen dingen
die in desselbe inßlen synd.*«

Aus dem Kolumbusbrief,
Straßburger Ausgabe, 1497

*H*inter jeder sanften Biegung des Flusses erschienen neue Wunder und versetzten die Betrachter in ungläubiges Staunen. Bei all den Besonderheiten und Überraschungen, die dieses Land bereithielt, erfreute dies die Männer keineswegs, denn sie waren ohne Vertrauen. Alles war neu für sie: Das Land und das Wasser, das Grün und alles, was sich bewegte. Denn bei der scheinbaren Üppigkeit des endlosen Waldes, des mächtigen Wassers, überhaupt bei dem Überfluss ringsumher, erschien es den Entdeckern seltsam, dass sich kaum Wildbret sehen ließ, dass die prächtigsten Früchte nicht genießbar waren und dass nichts von alldem zu verspeisen sei. Die Männer sahen und zögerten, sie rochen und zweifelten, sie schmeckten, und es war zuerst Ekel, der sie zögern und zugleich zaudern ließ, und doch aßen und tranken sie. Denn sie hatten Hunger und noch mehr Durst, und solcher ließ das Gefühl von Ekel bald verschwinden. Denn einiges, was sich ihnen frei und natürlich offenbarte, schlug sich von einem Moment zum anderen unvermittelt um in Bosheiten, welche die Conquistadores als Prüfung erfuhren, denen sie wie eine Lebenserfahrung künftig misstrauisch begegneten.

Ein Beispiel sei jener Frosch in einem leuchtend hellen Rot, wie die Banner der Kastilier in der Schlacht von Granada. Dazu der Drang, dies kleine Wesen, kaum größer als ein Fingerglied, zu berühren, um von der Beschaffenheit der Haut und der intensiven Farbe etwas zu erfahren. Doch ein Betrachter tat's, und gleich darauf zuckte die neugierige Hand zurück, denn der Mann verspürte einen rasenden Schmerz, gefolgt von einem heftigen Fieber, das ihn beinahe tötete. Da waren auch Blätter an einem Gesträuch, deren Berührung nicht angenehmer oder unangenehmer ist als die Berührung eines grünen Blattes irgendeines anderen Gewächses. Aber diese Blätter verbrannten die Haut desjenigen, der sie berührte, und lähmten ihm die Hand für Stunden oder erzeugten einen Schmerz, dass man den Mann binden musste, damit er an sich selbst nicht Hand anlegte.

So blieb das Schiff die einzig sichere Zuflucht für die Entdecker. Manchmal warf der hölzerne Rumpf seinen Schatten nicht auf das grüne oder braune Wasser, sondern auf eine Sandbank mitten im breiten Strom. Dort fanden sich Falter in so großer Zahl, dass der Schwarm, wenn er in die Luft aufflog, wie eine einzige Wolke hauchdünnes Papier erschien. Es waren die Flügel der Falter, die da schillerten in herrlichem Blau. Ihr Schimmer erinnerte an zarte Schmuckgebilde aus feinem Metall, durch das ein Licht auf eine dünne Schicht Farbe schien. Manche dieser zarten Geschöpfe waren fast handtellergroß und dabei so leicht wie ein Windhauch. Dergleichen kunstvolle Flieger waren auch die winzigen Vögel, die es hier in allen Farben gab. Von der Größe wie ein Insekt, war ihre Art zu fliegen von nie gesehener Anmut, wenn sie scheinbar mühelos über einem Blütenkelch verweilten, mit nur winzigen Bewegungen auf der Stelle harrend, dabei emsig schwirrend, um aus der Blüte zu trinken. Der Flügelschlag war so schnell, dass kein Auge das Auf und Nieder der Schwingen erkennen konnte. Diese Vögel bewegten sich ohne einen Laut, so als hätte ein Goldschmied sie gerade aus Gold gefertigt, manchmal auch aus grüner und blaufarbener Lamee oder rot, und oft mit einem bronzenen Ton dabei, schimmernd und funkelnd in nie gesehener Pracht. Dies alles sahen die Spanier, wenn sie an Land gingen und versuchten, durch den Wald zu marschieren, und an Stellen verweilten, wo die mächtigen Bäume nicht ganz so hoch waren. Dort, wo der Wald ringsum Platz für kleine Lichtungen machte, die voll Grün waren und manchmal erkennen ließen, dass es noch mehr Farben gab. Immer wieder dachten die Männer bei diesem Anblick ringsumher, welch ein reiches Land dies sein musste, denn alles erschien den Männern im Überfluss und wirkte so üppig, als wäre genug von allem da, das diesen Wuchs an saftigem Grün erzeugte. Doch griff alles, was sich bewegte, nach ihnen und wollte sie kosten, saugen, Wunden schlagen, ja, auffressen, um selbst in dieser Hölle hier leben zu können.

Seit vier Tagen kreuzte die Aragón den breiten Fluss hinauf. Das Schiff nahm bisher höchstwahrscheinlich denselben Weg wie das Schwesterschiff, die Santa Luìsa, vor wenigstens zehn Monaten. So fanden die Spanier an einer Flussbiegung Spuren an einem mächtigen Baum. Niemand hegte Zweifel, dass es Scheuerstellen eines schweren Taus waren. Ein Schiff hatte hier wohl eine Zeit lang fest gelegen, zusätzlich gesichert, trotz des schweren Ankers am Bug. Vielleicht in der bangen Erwartung vor einem schweren Wetter? Spuren davon waren keine zu erkennen. Selbst wenn die Gewalt des Sturmwindes Bäume entwurzelt und sie und alles, was rings um diesen Baum wächst, mit sich reißt, wächst neues Grün in wenigen Wochen so dicht, dass es alle Spuren überwuchert. Die Gewitter, die hier oft in den Abendstunden entstehen, sind kurz, aber sehr heftig. Unter ohrenbetäubendem Donnerkrachen, dessen Getöse die Luft vibrieren lässt wie ein mächtiges Instrument, zieht das Sturmwetter schnell auf. Dann stürzen dichte Regenfluten vom Himmel, und das Wasser ist weich und sehr warm. Ist ein solcher Regenguss vorbei, dampft der ganze Wald, und es dauert, bis der Lärm in seinem Inneren wieder beginnt.

Die Aragón ankerte jeden Abend in ruhigem Wasser, immer ein gutes Stück weit vom Ufer entfernt. Der Conde befahl dies, nachdem ein stark beschädigter Einbaum, aus einem Baumstamm gebrannt, vor wenigen Tagen unweit des Bugs angeschwemmt worden war. Das Treibgut war ohne Zweifel von menschlicher Hand gebaut. Dies war für die Männer aufregend, aber keiner maß der Entdeckung solche Bedeutung bei wie der Conde. Er war ab diesem Tag wie verändert und fühlte sich bestätigt, dass der Wald doch voller Wilder stecke.

Er ließ wie jeden Abend »el Fraga« bei Tisch sprechen.

»Capitan Jago de Tovar, sagt uns, was wisst Ihr über diesen Fluss zu berichten?«

»Nun, Exzellenz, nur, dass es ihn gibt. Das wusste ich, denn ich hörte davon. Aber ich hörte auch, dass niemand seinen Anfang kennt. Die Quelle entspringt irgendwo tief in diesem Wald.«

Bei diesen Worten deutete der Capitan mit beiden Händen in verschiedene Richtungen. So war allen Zuhörern klar, dieses Land barg so viele Geheimnisse, dass es ihre wenigen Seelen wohl nicht ergründen konnten.

Der Conde beobachtete den Uferstreifen genau. Das gegenüberliegende Ufer war auf der Steuerbordseite mit dem bloßen Auge kaum zu erkennen. Aber die Spanier befanden sich noch immer auf dem Fluss, denn das Wasser behielt eine stetig kräftige Strömung in jene Richtung, aus der sie gerade gekommen waren.

»Nun«, sagte der Conde, »ich sagte es Euch schon einmal. Solange wir den Wind ausnützen können, soll mir diese Reise recht sein. Hier auf dem Wasser herrscht eine gesunde Brise, und ich fürchte hier weniger Unbill als an Land, wo das schwarze Fieber im Wald steckt.«

»Und Indios«, bemerkte de Tovar trocken.

»Ihr meint Wilde?«, fragte der Conde, »Ich wünschte, es ließe sich nur einer blicken, dann hätten wir einen Führer. Stattdessen muss ich warten, bis der Mönch den Mann zum Sprechen bringt.«

Diese Prozedur der Fragen des Conde und die vagen Antworten seines Offiziers, die sich jeden Abend und jeden

Morgen ergaben, wiederholten sich immer wieder. Der Graf wollte jede noch so kleine Veränderung des Gesundheitszustandes des Mannes wissen. Er tat dies nicht aus purer Sorge um den Mann, sondern weil er wissen wollte, was ihm Schreckliches widerfahren war.

*E*ndlich war ich eingeschlafen.
Doch ein lautes Getöse weckt mich. Es ist das Krachen des Donners, und nicht nur mich weckt der Lärm am Himmel, sondern auch die anderen Kameraden. Erst fluchen sie alle, doch die meisten sind froh, weiter schlafen zu können. Pedro und Manolito liegen neben mir. Ich höre es, sie beginnen leise zu beten. Ich weiß, diese beiden Kerle beten immer – wenn sie essen, wenn sie beieinander liegen, sogar, nachdem sie sich den Schwanz gegenseitig in den Arsch gesteckt haben, weil sie wissen, dass es Sünde ist, aber sie können nicht anders.
Der Regen fällt herab, als wäre der Himmel ein Sturzbach. Ein Gewitter haben wir zwar auf der Überfahrt mehr als einmal erlebt, aber dieses Wetter hier ist anders. Es geht kaum eine Brise, dagegen fällt der Regen so dicht, dass ich die Geschütze an Steuerbord nicht mehr sehen kann, wenn ich an der Reeling an Backbord stehe. Die Luft hier unter Deck dampft, und alles Garn klebt mir am Leib.
Ich erhebe mich von meinem Lager. Der Wind ist auf einmal frischer und stärker geworden als bei den Gewittern zuvor. Ich sehe ihm fahlen Licht der Laterne, wie die Hängematten der *compañeros* leise schaukeln, so dass es angenehm ist. Ich schlafe nicht so gerne in diesen Schaukeln. Man liegt nie ruhig und muss dieses Schwingen mögen. Das Grimmen in meinem Wanst ist nicht besser geworden, obwohl ich sogar reichlich zerriebene Holzasche zu meinem Stück Pökel-

fleisch gegessen habe. Ich muss zum Abtritt am Bug. Ich hätte auch irgendwo im Zwischendeck scheißen können, aber die *compañeros* dort hätten mich wohl fortgejagt. Lass es lieber sein, und so mache ich mich auf den langen Weg. Es regnet in dichten Schleiern, und nach kaum drei schnellen Schritten bin ich nass bis auf die Haut.

Heilige Mater Dolorosa von Kastilien, so ein Wetter habe ich noch nie erlebt!

Als ich mich niederhocke und hoffe, dass mit den faulen Winden aus meinem Darm alles Zwicken und Grimmen gleich hinterherfolgt, zuckt ein Blitz über den finsteren Nachthimmel so hell, als leuchteten gleichzeitig viele Feuer. Ich sehe, das Wasser ist eine schnell wirbelnde Brühe, und die Wellen haben helle Spitzen. Aber ich sehe noch etwas, was mich mit großem Schreck erfüllt!

Ein riesiger Baum treibt genau auf die Aragón zu. Ich höre mich schreien. Aber in dem Tosen und Brausen des Unwetters, dem ständigen Krachen des Donners ringsumher glaub ich nicht, dass mich eine Seele hört. Dann tut es einen gewaltigen Stoß, und ich falle fast die Gräting hinunter ins Wasser. Mit der Linken halte ich mich fest, und mit der Rechten umklammere ich mein Beinkleid. Aber ich muss es loslassen und mich mit beiden Händen festhalten, sonst fegt mich der Sturm doch noch ins Wasser. Der Regen rinnt mir wie ein Sturzbach über meinen bloßen Arsch und läuft mir samt der Scheiße an den Gamaschen wieder hinaus. Der Baumstamm hat uns getroffen, und ich bin mir sicher, dass er ein Loch in die Aragón gerammt hat.

Das Schiff ist oberhalb der Wasserlinie beschädigt. Als die Besatzung den Rumpf endlich von dem Treibgut befreit hat, ist der Schaden größer, als es zuerst den Anschein hatte. Die äußere Hülle des Schiffes ist in einer Länge von mehr als sechs Schritt eingedrückt, und an manchen Stellen ist das Holz bis zu den tragenden Spanten zersplittert. Allerdings liegen alle Schäden oberhalb der Wasserlinie. Dies ist einerseits ein eher glücklicher Umstand der Lage, andererseits behindert er das Fortkommen und die weitere Reise des Schiffes. Denn es ist nicht möglich, das Schiff weiterhin am Wind zu segeln oder gar auf dem mächtigen Fluss zu kreuzen so wie bisher. Sonst würde die Karavelle so weit krängen, dass das Wasser wie aus offenen Schleusen in das Schiffsinnere strömen könnte.

Es bereitet den Männern der Besatzung große Mühe, den mächtigen Baum vom Rumpf des Schiffes zu lösen. Es haben sich eine Unzahl an Ästen wie Keile im Schiff verhangen, und das Holz des havarierten Baumes ist von einer bisher nicht gekannten Härte. Der Conde lässt zwei Männer ständig die Äxte schärfen, und trotzdem gelingt es den Seeleuten nicht, hölzerne Späne aus dem Stamm zu schlagen, die größer sind als die, die zum Entzünden eines Kochfeuers verwendet werden. Eine Reparatur ist möglich, wird aber etliche Tage dauern, vorausgesetzt, das mächtige Wasser ringsum bleibt ruhig und die Aragón wird vor weiteren Gewittern verschont. Doch dies scheint im Moment nicht so sicher. Die Strömung ist stärker und das Wasser reißender geworden, die Luft schwer und feucht. Die Mannschaft nimmt jeden leisen Windhauch an und labt sich an der kurzen, erfrischenden Brise, die sich ihnen bietet.

In einem Seitenarm ist das Wasser ruhiger, und dort will der Conde auf Rat seiner Offiziere ankern lassen. So setzen die Männer die Beiboote aus und rudern. Sie schleppen die schwere Karavelle in eben jenen Flussarm, was lange dauert und die Männer so erschöpft, dass sie sich alle Stunde abwechseln müssen. Ein Teil der Männer beginnt mit den Ausbesserungsarbeiten am Rumpf des Schiffes. Trotzdem wird die Reparatur länger dauern, denn es mangelt an geeignetem Material, Werg und Teer zum Füllen und Ausbessern der äußeren Haut, sowie an geeigneten Holzplanken.

So lange es dauert, all dies zu beschaffen, befiehlt der Conde, einen Jagdtrupp zusammenzustellen, um die Mannschaft mit frischem Fleisch zu versorgen. Da keiner der Männer weiß, was es an essbarem Wildbret in diesem Teil der Welt gibt, geschweige denn dessen Äußeres beschreiben kann, so wie man im Königreich Spanien einen Hirsch oder einen Eber, einen Fasan oder Hasen beschreibt, befiehlt der Conde, alles, was lebt, zu schießen. Jeden Tag soll ein Trupp an Land gehen. Also rüsten sich die *tercios* zur Jagd.

*E*rst wollte uns der Conde nicht gehen lassen. Aber da Agustín und ich jene waren, die den »Mundlosen« gefunden haben, lässt er uns ziehen. Ich weiß selbst, ich bin kein großer Schütze, aber zum Aufbrechen und Abdecken der Beute braucht man auch Hände. Wir folgen dem Deutschen Götz Haunschildt, der bei dieser Jagd zu unserem Anführer ernannt wurde. Er sagt, wir müssen uns beeilen und Acht geben, dass uns die Dunkelheit nicht überrascht. Denn dies ist seltsam hier: Einem hellen, heißen Tag folgt hier die Nacht so schnell, wie ein paar gute Schlucke Wein dauern. Die Sonne verschwindet in wenigen Augenblicken. Dieses Land zeigt keinen der langen, milden Abende, die wir wie eine Erfrischung nach den heißen Sommertagen aus dem heimatlichen Spanien gewöhnt sind. Ein Beiboot bringt uns an Land. Die *compañeros* rudern uns. Sie lachen einfältig, als wir an Land gehen und sie auffordern, ein paar Schritte mit uns zu kommen. Die Kerle schütteln den Kopf, und keiner will uns folgen.

Also gehen Götz und Agustín, Pedro und ich los. Wir folgen eine Weile dem Uferlauf, bis wir auf einer Lichtung in den Wald eindringen. Wir bahnen uns einen schmalen Weg durch das dichte Grün. Geht man nur ein paar wenige Schritte, dampft einem der Leib gleich wie einem schwitzenden Pferd. Bald sind wir alle nass von unserem Schweiß. Es ist heiß und feucht wie im Sommer in Córdoba, kurz vor einem Gewitter, wenn ein jeder weiß, wenn der Regen kommt, wird er wie ein kurzer aber umso heftigerer Sturzbach vom Himmel fallen und alles ringsum durchtränken. Aber diese Regenfälle ganz besonderer Art habe ich hier zur Genüge kennen gelernt, will es gar nicht erleben. So marschieren wir los. Aber ich meine nicht, dass wir Schritt für Schritt setzen und dabei noch Muße haben, den Weg unserer Schritte zu lenken.

Dieser Marsch ist ein gar schweres Unterfangen!

Der Boden ist weich und schlammig, von einer fast roten Farbe. Wir stolpern durch eine seltsame Dämmerung. Der Wald erscheint fast finster, obwohl die Sonne noch hell am Himmel steht. Die Bäume sind mächtig und so hoch, dass wir keine Wipfel mehr sehen können. Dabei sind Blätter und alles, was an einem Baum oder Strauch sonst noch wächst, so dicht, dass kein Sonnenstrahl zu uns in die Tiefe des Waldes dringt. Nie zuvor sah ich so etwas. Aber dies alles ist nicht das, was uns in jenem Moment beunruhigt: Es ist still hier, so still wie in der Kathedrale zu Tarragona, wenn keine Messe ist. Kein Laut verrät unseren schweren Gang durch den Wald. Obwohl wir erst einige Dutzend Schritte gemacht haben, ist auch kein Laut mehr von der Aragón draußen auf dem Fluss zu hören. Derweil schwitzen wir immer mehr, und unsere Gesichter glänzen vom Schweiß. Mich plagt der Durst, und ich weiß nur um den einen Schlauch mit Wasser, das jedoch niemand gerne trinkt, denn es bringt ein arges

Magengrimmen, so dass keiner den Abtritt bald wieder verlässt. Der Deutsche bleibt stehen und sieht sich um.

»Beim schwarzen Arsch des Teufels«, sagt er, »in diesem verdammten Wald ist nichts, was man fressen könnte.«

Wir wissen, er hat recht. Agustín spuckt mit einem häßlichen Geräusch aus. Wir schweigen und hören endlich Lärm von irgendwoher. Es klingt wie Gezeter und Gekreische, ein Lärmen, wie es Vogelschwärme gern machen, wenn sie wie eine Wolke auf einem Gerstenfeld einfallen, um sich satt zu fressen. Aber wo, um alle Dämonen dieser Welt, sind diese Kreaturen? Pedro deutet hinauf, wo ein wenig Licht zwischen dem fahlen Dunst herunterleuchtet. Wir legen unsere Köpfe in den Nacken, dann erst sehe ich winzige Flecken in hellem Blau in dem dunklen Grün. Das muss der Himmel sein. Hier unten jedoch gibt es nichts, keinen Falter, keinen Vogel, kein wildes Kaninchen. Nichts, was die Verschwendung von Pulver und Blei erklären könnte. Dass der Herr im Himmel solch einen Wald schafft, muss eine Strafe sein für alle Sünder, die hier leben. Wenn denn welche hier leben! Wir marschieren eine Zeit lang durch das dichte Grün, und unser Gang ist weiterhin schwer. Bald macht jeder Schritt müde, und jeder weitere Schritt gerät mühsamer als alle Schritte zuvor. Es ist, als ob ich eine schwere Last mit mir trage, doch ich weiß, dies ist nicht so, denn ich trage nur eine Dagasse, mein Schwert und ein Netz für die Beute. Trotzdem schmerzt mich die Last, und ich keuche bei jedem Schritt in dieser dunstigen Luft. Einmal fährt eine Viper vor mir in die Höhe und erschreckt mich fast zu Tode. Sie ist meinem Bein so nahe, dass ich keinen weiteren Schritt mehr machen kann, ohne auf sie zu treten. Götz, der neben mir steht, holt mit seinem eisernen Gesellen aus, bevor ich schauen kann, und zerteilt das Gewürm mit einem Streich. Ich bin bereits zu sehr erschöpft, um über das Geschehene erschrocken zu sein.

»Pass auf, Dummkopf!«, fährt er mich an.

Erst als mein Herz gleich darauf besonders schnell schlägt, wird mir klar, wie nahe ich dem Tode war. Denn auch diese Kreatur war voller Gift und uns feindlich gesonnen, wie fast alles hier, was voll Leben ist und sich bewegt.

Wir finden nichts, was sich zu schießen lohnen würde, um es dann zu fressen. Götz meint, wir sollten es in einer anderen Richtung versuchen. So machen wir uns auf, zum Fluss zurückzumarschieren, wo uns das Schiff wieder aufnehmen wird. Der Marsch dorthin ist noch schlimmer, weil wir den mühseligen Weg abkürzen wollen und dazu ein Sumpfgebiet durchqueren müssen. Bei jedem Schritt steigen Schwärme von Ungeziefer empor und setzen sich auf uns wie eine dunkle Wolke. Ob wir nackte Haut oder die Reste unserer Kleidung tragen, diese dumpf summenden Wolken von Moskitos oder Schweißfliegen, welche aussehen wie Bienen, jedoch vom Schweiß und Blut alles Lebendigen leben, sind eine Plage. Sie kriechen in die Nasenlöcher und in die Ohren und hängen in kleinen Trauben in den Winkeln des Mundes, von wo sie selbst durch ein Schütteln mit dem Kopf nicht zu vertreiben sind. Widerliche Blutsauger, die uns stechen, beißen, uns mit vielerlei Unbill peinigen, dass ich gar nicht mehr zu denken vermag. Dazu kommt der Boden, der immer wieder tückisch nachgibt, und man mit einem Bein bis gleich übers Knie im Dreck versinkt. Jetzt ist es Pedro. Er steckt mit seinem Fuß fest, und je mehr er zieht und flucht, umso zäher ist der Brei, der ihn festhält. So ziehen wir ihn zu Zweien aus dem Schlamm, und er büßt dabei seinen Stiefel ein. Madonna, der Schmutz hält fest wie mit unsichtbarer Hand! Pedro flucht in schlimmsten Worten. Er will den Stiefel wiederhaben. Nicht nur, weil das Schuhzeug ohne Tadel ist, sondern auch, weil er das Paar beim Würfelspiel von Rodriguez gewonnen hat. Er will mit einem der

Jagdspieße, die wir mit uns führen, in dem zähen Schmutz-loch nach dem Langschäfter suchen. Aber Götz drängt zum Weitermarsch.

»Komm schon weiter, blöder Kerl!«, befiehlt er.

»Nicht ohne meinen Stiefel«, sagt Pedro, »will mir nicht wieder solche Blasen laufen wie zum Christfest vor einem Jahr.«

Ich sehe ihn, wie er in dem Loch herumstochert und dabei nichts findet.

»Wirst den Spieß auch noch verlieren«, sagt Agustín und spuckt aus, so wie er es immer tut, wenn er etwas gering schätzt.

Pedro hört nicht auf ihn oder den Deutschen, sondern versucht weiterhin mit seinem Spieß das Schuhwerk zu finden. Das Loch ist tief, und der Stiefel kommt nicht wieder zum Vorschein. Götz will nicht länger warten.

»Wir marschieren weiter«, sagt er, »und wenn du deinen Stinklappen gefunden hast, kannst uns ja folgen.«

Dann dreht er sich um und schlägt mit seinem Schwert erneut eine Gasse durch das hohe, scharfe Gras, das hier so dicht steht, dass es sich mit der Klinge wie eine dicke Lage Stoff teilen lässt. Wir folgen Götz, welcher der Erste, danach kommt Agustín, ich mache den Letzten, weil ich es jetzt bin, der die Arkebuse tragen muss. Wahrlich kein Vergnügen, das schwere Holz samt der Eisenstütze auf dem Rücken durch diese unfreundliche Gegend zu schleppen. Ich keuche wie die Maultiere bei den Märschen aus der Zeit im Feld. So stolpern wir durch diesen Wald, und wir gehen noch nicht lange, als wir Pedro hören.

Er ruft, nein, er schreit nach uns.

Madonna, welch ein Schreien! Nie zuvor hörte ich derlei. Es klingt voller Entsetzen, das mir eine seltsame, plötzliche Kälte einjagt und mich ohne Regung verharren lässt. Es ist

ein Schreien in höchster Not, wohl im Angesicht des Leibhaftigen. Wir lauschen dem Gebrüll einen Augenblick lang.
Götz ist der Erste, welcher ein Wort sagt.

»Höllenbrut, was geht dort vor?«

Kaum hat er dies gesagt, stürzt er an mir vorbei und bahnt
sich einen Weg dahin, woher wir gerade gekommen sind.
Agustín spuckt noch einmal aus und folgt ihm. Das Gebrüll von Pedro ist verstummt. Trotzdem ist so viel Aufregung in mir wie seit der Begegnung mit dem »Mundlosen«
nicht mehr. Ich spüre keine große Lust, den *compañeros*
zu folgen. Aber dann tue ich es doch. Wir eilen über den
tückischen Boden, und weil wir nicht so sehr auf unseren
Weg achten, stürzen wir immer wieder, raffen uns auf, um
weiterzuhasten. Bald sind wir alle drei mit Schlamm und
nassem Dreck bedeckt, die Hände und Knie aufgeschlagen.
Aber ein Verschnaufen gibt es für uns nicht, denn dann fällt
sogleich eine Wolke dieser stechenden und saugenden Biester auf uns herab. Nur wenn wir uns bewegen, sind diese
Geißeln einigermaßen zu ertragen. Endlich erreichen wir die
Stelle, wo Pedro in der sumpfigen Kuhle nach seinem Schuh
suchte.

Aber er ist nicht da.

Wir blicken uns um. Nichts ist von ihm zu sehen. Nur der
Spieß ragt ein Stück aus dem Sumpf heraus. Gleich daneben
ist das dichte Gras niedergetrampelt, meinen Augen nach in
einer Breite, die wohl ein Pferd braucht, um sich vor Behagen
wohlig auf der Erde zu wälzen.

»Auf, folgt mir!«, sagt Götz.

Wir tun es.

Er nimmt sein Schwert fest in beide Hände. Agustín tut es
ihm gleich und zieht seine Klinge. So folgen wir der Spur
durch das Gras. Um uns ist überall Wasser. Oft waten wir
knietief durch eine warme grünbraune Brühe. Ein Dämon

hat mit großer Kraft seine Beute durch das Dickicht geschleift. Götz folgt der Spur, doch ist er vorsichtig und geht langsamer denn je. Einmal kommen wir an einem Stück Erde vorbei, darauf ein Strauch, der wohl grün gewesen, jetzt aber fast aus dem Boden gerissen vor uns liegt. In seinem Geäst hat sich ein Fetzen von Pedros Hemd verfangen. Ich erkenne es wieder, auch wenn es dunkel ist von frischem Blut.

Agustín bleibt stehen, und sein Blick ist voll Furcht. Er atmet schwer und glotzt mit großen Augen auf das blutige Tuch. Ich selbst spüre einen sauren Geschmack in meinem Mund. Dann zittere ich plötzlich heftig und kann nichts tun, damit es aufhört. Götz steht nur da und betrachtet sich die Spur. Dann wendet er sich langsam zu uns um.

»Bei der Heiligen Jungfrau, irgendetwas hat ihn gepackt und dann fortgeschleppt. Nimm die Lunte zur Hand.«

Er richtet diese Worte an Agustín, aber er muss es noch einmal sagen, bevor der tut, was der Deutsche sagt. Agustín bleibt stehen und schlägt am Feuerstein einen Funken. Es dauert nur einen Augenblick, bis die Lunte glimmt, denn die Nässe ist überall.

»Ist dein auch Pulver trocken?«, fragt ihn der Deutsche, und Agustín nickt.

Ich hoffe, er weiß dies sicher zu sagen, denn nur dann kann er eine Bleikugel abfeuern. Der Deutsche nickt nur stumm, als Agustín die Arkebuse, die ich ihm reiche, fest in die Hand nimmt. Der Dummkopf hat sich wohl wieder in der Gewalt. Mit der Waffe fühlt er sich gleich sicher, und die Lunte glimmt nun hell genug. Götz deutet mit der Hand und schleicht dann durch das hohe Gras langsam weiter. Wir folgen ihm.

Das dichte Kraut teilt sich, und der Boden wird fester. Nur wenige Stellen sind jetzt noch von Wasser bedeckt.

Da sehen wir Pedro.

Er liegt auf dem Bauch und starrt ohne Regung zu uns herüber, wohl zwanzig Schritte von uns entfernt. Seine Augen, weit offen, fragen, wo wir all die Zeit geblieben sind. Dazu bewegt er sich immer wieder ein wenig, so als liege er nicht recht bequem auf dem Boden hier. Ich will lachen und etwas rufen, aber bevor ich ein Wort sagen kann, hält mich der Deutsche zurück.

»Ein Drachen … ein Drachen hat ihn gepackt«, sagt er leise. Ich verstehe nicht gleich, bis ich es sehe. Es ist eine der großen Echsen, die »el Fraga« Kaiman nennt. Ein solches Tier, riesengroß, hat Pedro bis hierher geschleift.

Und diese Kreatur frisst ihn gerade auf.

*I*n der Mittagshitze tummelt sich in der heißen Luft eine Wolke bunter Schmetterlinge. So wie wenn buntes Papier, in winzige Stücke gerissen und in einem warmen Wind schwebend, langsam zu Boden gleitet, um dort von einem kräftigen Windhauch wieder emporgewirbelt über den Boden zu tanzen, so segelten die zarten kleinen Schmetterlinge durch die Sonnenhitze und stoben in mächtigen Schwärmen von den Sandbänken auf, die den Fluss oft viele Meilen lang durchzogen.

Hier, in diesem Teil der Welt, beginnt das Sternbild des Krebses, in dessen Wendekreis jenes Land liegt, das der große Colón anfangs noch für Indien gehalten hatte und dem später der Italiener Amerigo Vespucci seinen eigenen Namen gab: Amerika.

Zu jener Zeit wussten die Menschen in der alten Welt wenig über diesen neuen Kontinent. Nur wenige Kundige ahnten seine Größe, aber niemand wusste von seinen Grenzen. Terra nova, das Neue Land, später dann »America Provincia« – das Land, in dem es Gold gab, Gold geben musste, denn schon Colón selbst brachte es von seiner ersten Fahrt mit, und es war dieses Gold, das sie alle trieb. Juan de Solis, Pinzón, Ponce de Léon, Hernández de Córdoba und viele mehr, die noch kommen sollten. Sie alle trugen keine großen Namen, als sie aufbrachen. Groß sollten ihre Namen und bei manchen ihre zutiefst bösen Taten erst später werden. Pizzaro und Cortés waren die Ersten, welche der Welt bis zum heutigen Tag am bekanntesten bleiben sollten. Denn wie alle Conquistadores eroberten sie jeweils ein mächtiges Reich. Aber niemand, selbst sie nicht, die sie mit ihren *tercios* alles Land schauten, vermochten seine Größe zu erkennen. Dann, als kluge Köpfe endlich die Ausmaße begriffen, war es zu spät, und Amerika wurde Opfer von jahrhundertelanger Kleinkrämerei und der Allmacht der Katholischen Kirche. Männer aus allen Teilen Spaniens, Söldner und Veteranen von den Schlachtfeldern des Abendlandes, trieb nur der Wunsch nach Ruhm und Reichtum in diese neue, unbekannte Welt. Das Gold musste in den unergründlichen, endlosen Wäldern zu finden sein. Seit Diaz war man sich dessen sicher, und es war nur noch eine Frage der Zeit, wann sie es entdecken sollten, und jeder wollte der Erste sein. Aber nur wenige wussten, was sie erwartete. Dort, wo der Fluss groß, das Land ringsum größer und die Furcht vor dem Unbekannten am größten war, stand ihnen der Urwald gegenüber. Der grüne Wald, so üppig und geheimnisvoll und undurchdringlich, von unvorstellbarer Reichhaltigkeit und doch von großem Geiz gegenüber den Menschen, die es wagten, ihn zu betreten. Da waren keine lichtdurchfluteten Haine, die große Hirschrudel durchstreiften wie in den Wäldern der alten Welt. Da gab es keine grünen, kühlen Laubdächer, die sich wilde Tauben und Käuze teilten, keine klaren Bäche voller Fische und Krebse. Hier war der Urwald, gewachsen auf dem, was zuvor vergangen war. Aber irgendwo weit in der Tiefe dieses Waldes musste er sich befinden, jener Ort, wo es so viel Gold gab, dass die Menschen dort das feine Metall nutzten, als wäre es billiger Tand. Daran glaubten die Männer so sehr, dass sie für diesen Glauben auch starben.

Siebter Eintrag der privaten Notizen des Conde Don Ricardo de Molinar, Conquistador und Capitan admiral, niedergeschrieben von ihm selbst.
Worin ich berichte, was sich wirklich und wahrhaftig zugetragen hat bei jener besonderen Mission, womit ich betraut von Seiner allergnädigsten Majestät Karl, König von Spanien.

Meine liebe Ines,
es ist der Monat Juni und damit Sommer wie in Spanien. Seit zwei Wochen sind wir auf dem breiten Wasser unterwegs. Noch immer ist kein Ufer zu sehen, und nur die stetig leise Strömung zeigt an, dass wir noch immer auf einem Fluss und nicht auf einem See fahren. Der Himmel meint es gut, wenn es auch heiß ist. Dazu kommt eine drückende Schwüle, die mir zu schaffen macht. Längst habe ich es mir zur Aufgabe gemacht, den Seelenfrieden meiner Besatzung zu beobachten, denn ich glaube, hier liegt der Schlüssel für die weitere Unternehmung. Die Männer sind noch erschöpfter, als sie es gemeinhin sonst sind. Doch spüre ich noch immer Neugier genug, damit sie mir weiterhin folgen.
So hoffen die Männer inständig, endlich eine Spur des Goldes zu finden, welches sie hier zu finden hoffen. Ich muss gestehen, von meiner eigentlichen Aufgabe sage ich keinem etwas, und außer mir und Gott weiß niemand in diesem Teil der Erde davon. Dies ist gut so. War es schon schwer genug, ausreichend Männer für diese Fahrt zu gewinnen, denn nach den Berichten des Colón, des de Balboa und weiterer Edel-

männer birgt dieses neue Land viele Gefahren. Und wo es keine Gefahr gibt, warten stattdessen mancherlei Mühsal und Entbehrung auf uns. Der Fluss gewährt uns ausreichend Nahrung. So müssen wir nicht hungern. Wir sehen große Fischschwärme, die dicht unterhalb dem Wasser schwimmen. Mit Netzen lassen sich viele davon fangen, und gebraten und gesotten stehen sie feinem Fisch aus Spanien in nichts nach. Die reichen Fischschwärme locken auch Scharen von Vögeln an. Anfangs haben die *tercios* mit der Armbrust nach ihnen geschossen, doch kaum war ein solcher Vogel getroffen und ins Wasser gestürzt, kochte an dieser Stelle der Fluss richtig auf, und nichts blieb von dem Wildbret übrig außer ein paar Federn. Es muss böse Wesen in diesem Wasser geben, die alles fressen, was im Wasser schwimmt. Gnade Gott jedem, der hier über Bord fällt. Sein Leben wäre verwirkt, ehe der Ausguck rufen könnte. Mein braver Capitan Armendariz glaubte lange, wir wären noch immer auf dem Meer. Sahen nicht nur er, sondern mehrere Männer an Bord sogar Haifische, die unserem Schiff folgten. Seit dem gestrigen Tag wird das Schiff nun gar von schneeweißen Delphinen begleitet. Erst glaubten die Männer, dies seien Nixen oder Wasserwesen, die sich ihrer bemächtigen, sie verleiten und locken wollten, in das Wasser hinunterzukommen. Doch diese Fische sind beschaffen, wie ich sie oft auf Fahrten zur See gesehen habe. Das Wasser ist süß, auch wenn es nicht zum Trinken taugt, da es einmal braun, ein andermal fast rot ist. Nie ist es klar.

Unser Schiff ist jetzt mehr denn je unsere Heimat. Wir alle denken so, denn wir wissen, dass wir unendlich weit von zu Hause entfernt sind. Wohl weiter, als je ein Christenmensch von seinem Zuhause fort war. Dieses Land ist ein sehr großes Land, und Gott hat Großes mit all denjenigen vor, die es erforschen und es bereisen und nach seinen Schätzen suchen. So sagte es der Mönch, und wir waren zufrieden. Aber ich weiß, diese Zufriedenheit ist nicht von langer Dauer.

Don Ricardo de Molinar
Conquistador und Capitan admiral
gezeichnet und gesiegelt von eigener Hand
am 24. Juni 1518.

*D*ie *compañeros* werden immer unzufriedener. Ich selbst bin es auch. Agustín, mein Gefährte, und alle anderen sind der Strapazen müde und der ganzen Reise überdrüssig, ebenso der Hitze und dem fauligen Gestank, der unter Deck des Schiffes liegt wie in den Kloaken von Jerez de la Frontera. Der Gestank kommt aus den Fässern mit dem Rest des gepökelten Fleischs, dessen Deckel sich alle wölben. Sogar die Taue dehnen sich und können das gärende Holz nicht mehr halten. Die Fässer samt ihrem Inhalt fortwerfen, das lässt der Conde nicht zu. Es stimmt schon, das Fleisch darin ist längst verdorben, aber das aus der Mitte kann man vielleicht noch essen. Wie dem auch sei, es hat keinen Sinn, darüber nachzudenken, denn wir haben keine andere Wahl.
Das ganze Schiff stinkt nach dem, was knapp drei Dutzend Männer in ihrem Magen und Darm nicht halten können. O ja, bei der seligen Jungfrau von Aragón, keiner von uns hält lange, was wir mit wenigen Bissen verschlingen, in seinem Wanst. Uns plagt alle dasselbe Leiden. Wir sehen aus

wie Galeerensklaven. Ohne ein Gran Fett auf den Rippen, und dazu fehlen jedem von uns schon etliche Zähne, die Haut ist verbrannt, an den Stellen, wo die Sonne sie beschien, fahl und weiß dort, wo Rüstung und schickliches Beinkleid den Leib schützen.

Es gibt zu wenig Luft hier unten, und alle wollen an Deck bleiben, um die Wunder ringsum zu bestaunen und ein wenig von der frischen Brise zu erhaschen. Heute Morgen ließ der Conde plötzlich eine Messe lesen, um Gott und sich zu gefallen und uns zu ermahnen, das Wort des Herrn und damit unsere Heilige Mission nie zu vergessen. Beim Gedenken an unser Spanien – wie könnten wir! Wissen wir doch alle von dem Gold des Iren, das er unter seiner Zunge durch diese Hölle trug. Aber bisher hat er noch nicht gesprochen. Er stöhnt nur, wenn Licht auf sein zerschundenes Gesicht fällt, und er wimmert aus Furcht wie ein kleines Kind, wenn der Conde, zusammen mit seinen Offizieren, die Kajüte betritt, um ihn zu befragen.

Als ihn der Mönch an Deck schaffen ließ, damit er frische Luft atme und rascher genese, heulte er beim Anblick des Waldes auf wie ein Tier und schrie in höchster Not. Er ließ sich nicht mehr beruhigen, obwohl der Wald an beiden Ufern links und rechts des Stromes weit entfernt und nur als schmales dunkles Band zu sehen ist.

»Madonna, welch ein Unglück ist dem Mann widerfahren?«, raunt Agustín.

Ich antworte nichts darauf, denn weder ich noch sonst jemand auf der Aragón wissen hierzu etwas zu sagen. So vergehen die Tage und die Nächte, und keiner von uns ist gesund. Wir wollen zurück an die Küste, was aber nur ein geheimer Wunsch der *compadres* ist und auch ein solcher bleibt. Denn niemand wagt es, dem Conde dies zu sagen, da jeder seinen grausamen Zorn fürchtet.

*D*er Mann räusperte sich höflich, galt es doch als ungebührlich, Herren von Rang, die sich in der Runde trafen, durch bloßes Sprechen zu stören. Der Conde Don Enrique Garcia Lopéz de Molinar selbst bemerkte ihn und winkte ihn näher.

»Was ist?«

»Exzellenz! Wir haben ihn wieder gefunden!«

»Den Mundlosen?«

»Ja, Exzellenz.«

»Wo ist er?«

Der Söldner schwieg nach diesen Worten und senkte den Blick. Die übrigen Offiziere unterbrachen ihr Würfelspiel und sahen auf den Mann, der im Schatten unweit des Oberdecks stand und die Meldung überbracht hatte.

Der Mundlose, wie er seit seiner seltsamen Entdeckung von allen genannt wurde, war in der Nacht zuvor verschwunden. Völlig unbemerkt hatte er sich an der Deckwache vorbeigeschlichen und war dann über die Reling geklettert. Sein Verschwinden war erst am Morgen von Bruder Bernabé bemerkt worden. Der Conde bekam daraufhin einmal mehr einen seiner berüchtigten Wutanfälle. Er tobte und schrie, ließ den Mann kommen, der in der Zeit Wache hatte, um ihn mit der bloßen Faust niederzuschlagen. Er tat dies, und er hätte ihn wohl mit bloßen Händen erschlagen, wäre Jago de Tovar nicht beschwichtigend dazwischengegangen. Daraufhin hatte sich der Conde beruhigt und befahl, den Mann zu finden und zurückzubringen.

Dies alles hatte unter den Conquistadores für Aufregung wie auch für Ungläubigkeit gesorgt, denn der Mundlose hatte all die Zeit den Wald gefürchtet. Genauso glaubte niemand daran, dass er sich über das Wasser hinweg fortgemacht hatte, denn er konnte wie die meisten Männer nicht schwimmen. Dass er sich freiwillig dorthin zurückbegab, woher er vor Wochen verletzt und schlimm gezeichnet gekommen war, erschien allen als unmögliches Unterfangen. Doch der Mann war fort. Er hatte keine Waffe und keinerlei Proviant mit sich genommen. Eine Flucht war nicht möglich, denn wohin sollte er fliehen, war doch die Aragón seine Heimat! Wollte er nicht alles erzählen, oder war seine Angst vor der möglichen brutalen Befragung durch den Conde größer als seine Angst vor dem Wald? Als sie ihm an Land folgen wollten, bemerkten sie, dass eines der Boote fehlte. Also war er wohl mit einem längsseits gelegenen Nachen an Land gelangt, denn ein solcher war fort.

Der Conde ließ sich zusammen mit einem Trupp *tercios* zu der Stelle führen, wo der Mann gefunden worden war. Der Ire lag am Strand, das Gesicht zur Hälfte im nassen Sand. Er war tot.

Es sah so aus, als habe er vor lauter Furcht sich selbst in dem Ufersand vergraben wollen. Niemand vermochte zu sagen, warum er das sichere Schiff, noch dazu mitten in der Nacht, verlassen hatte und dann dort am Strand, keine zweihundert Schritte entfernt, gestorben war. Der Mönch drängte auf ein christliches Begräbnis, und mit kaum unterdrückter Wut gestattete der Conde dies. Jeder sah, wie zornig er darüber war, dass dieser Mann nicht mehr lebte und nichts mehr berichten konnte.

»Er wusste, woher das Gold war. O Madonna, irgendwann muss dieser verdammte Wald ein Ende haben!«, schrie der Conde voller Zorn. »Madre mia, dieser Wald! Aber er wächst doch nicht ewig!«

Jago de Tovar fragte ihn.

»Mit Verlaub Exzellenz, was macht Euch so sicher, das dieser Wald endet?«

»Hier, das hier …«

Der Conde deutete auf den Beginn des Urwaldes.

»Da beginnt der Wald, also ist er irgendwo auch wieder zu Ende. Es muss so sein. Aber ich habe genug. Ich sage Euch, wir gehen an Land und durchqueren den Urwald.«

Einige Männer ringsum bekreuzigten sich, und ihre Gesichter verbargen nur mühsam das Unbehagen über die Entscheidung des Conde. Dieser sah Jago de Tovar an, und jeder konnte erkennen, dass er keinesfalls mit dem Mann aus Fraga darüber reden wollte, ob diese Entscheidung klug war.

»Welche Richtung, Exzellenz?«, fragte Capitan Tináz behutsam.

Der Conde sah wieder auf den Wald.

»Nach Westen! Ich bin sicher, der Wald endet im Westen.«

Niemand wagte dagegen ein Wort zu sprechen. Sie hüllten die Leiche des Mundlosen in einen Sack aus Leinwand und versenkten ihn nach einem kurzen Gebet, mit Ballaststeinen aus dem Kiel beschwert, in dem großen mächtigen Fluss.

Es war zu heiß und deshalb viel zu mühsam, ihn zu begraben.

Dieser Wald ist anders als alle Wälder, welche die Menschen bis dahin gekannt. Wohl waren neugierige Seelen bis nach Afrika gekommen, und Vasco da Gama hat ohne Zweifel den großen Kongofluss an seiner Mündung gesehen. Er und seine Besatzung haben den Urwald in diesem Teil Afrikas erlebt. Aber in der unbekannten Neuen Welt ist das dichte Grün nicht nur ein Wald. Es hat nichts von dem, wie sich ein Betrachter diesen Ort vorstellt, nichts von einem sanften Grün, das je nach Augenblick und je nach Jahreszeit ein anderes Bild aus vielerlei Farben zeigt, nichts von dem geheimnisvollen Dämmer, der nur schmalen Streifen von Licht erlaubt, bis an den Grund, den weichen Boden zu gelangen, nichts von der kühlen Ruhe, welche die Sinne streichelt und deren Düfte man gierig einsaugt, denn die Luft dort ist rein. Nichts von alledem hat dieser Wald hier.

Wer dieses Grün betritt, betritt eine neue Welt. Aber er tut es nur bei dem Schritt, der ihm gelingt, denn jeder Schritt macht Mühe. Wer einmal diesen Ort betreten, was nur mit Kraft geht und ein Werkzeug verlangt, welches das Geflecht aus Schlingpflanzen und Grün, die dichte Decke aus Halmen und Stengeln, Blättern und Flechten gerade so weit zur Seite schiebt, dass man eintreten kann, dem fällt es nicht leicht, seine Augen an das dämmrige Licht zu gewöhnen. Ringsum erwartet ihn ein Gewirr aus Farnen und Gräsern, frischem wie totem Holz, Schwämmen und Pilzen, Blüten in begehrenswerten Farben und dazu allerlei Grün. Es ist nicht richtig hell aber auch nicht dunkel, und deshalb sieht das Auge nichts in der wirklichen Farbe, weil das wenige Licht Farben und Formen nur erahnen lässt. Alles, was hier lebt, wächst dort, wo erst vor kurzer Zeit etwas verging, was jetzt dem Neuen als Nahrung dient. Hier erhält das, was schon tot ist, etwas anderes am Leben. Der Wald lebt, denn er atmet wie ein Wesen, und sein Atem ist der feuchte Dunst, der wie ein Nebel über all dem Grün liegt. Die Bäume hier stehen hoch, so hoch, dass man die Spitze ihrer Wipfel nur ahnt, wenn man darunter steht, selbst wenn ein Mensch den Kopf in den Nacken legt und hofft, den Wipfel zu sehen. Was in vielen anderen Teilen der Welt keine Schwierigkeit macht, ist hier im Urwald unmöglich. Das Menschenauge sieht den Beginn dieser Baumriesen, aber ihr Ende ahnt man nur. Die höchsten Wipfel hören irgendwo auf, und nur wenn man draußen auf einem Fluss ist, ahnt man etwas von der Gewaltigkeit des grünen Bandes, das sich schier endlos am Flussufer erstreckt, oftmals mit einem Uferstreifen, der kaum breiter als die Hand eines Menschen ist.

Dieser Wald ist so alt wie die Welt.

Achter Eintrag der privaten Notizen des Conde Don Ricardo de Molinar, Conquistador und Capitan admiral, niedergeschrieben von ihm selbst.
Worin ich berichte, was sich wirklich und wahrhaftig zugetragen hat bei jener besonderen Mission, womit ich betraut von Seiner allergnädigsten Majestät Karl, König von Spanien.

Ines, mein Leben,
ich denke an Euch all die Zeit, und es ist der Gedanke an Euch, der mir Mut gibt für das, was mir und meiner Mannschaft noch widerfahren soll.
Es ist kein Geheimnis, wenn ich Euch gestehe, dass mich die Sehnsucht nach Euch quält, mehr und mehr. Erst glaubte ich, es wäre eine Art Heimweh, die ein Reisender verspürt, wenn er sich aufmacht, das, was ihm lieb, zu verlassen, und dies für lange Zeit. Damals, als ich Euch zu lieben begann, wusste ich noch nicht um den Preis, den mich dies einmal kosten würde. Ich gestehe, es war erst die Wollust, aber auch die Eitelkeit, Euch als schöne Frau erobert zu haben, wenn auch nur für kurze Zeit. Meine Gier nach allem, was Wollust und Sünde genannt, ward mir zu Beginn bewusst, und auch, dass ich meinen Wunsch, Euch zu besitzen, bezahlen muss. Jedoch zu dieser Zeit war mir der Preis gleichgültig, und ich dachte immer, er könne kaum höher sein als die Summe, die ich gerne gab, um Euch den schwarzen Hengst als Geschenk zu vermachen.
Dass die beiden Kerle, als solche werd ich sie bezeichnen, dies vorbereitet und geführt, wurde mir erst viel später bewusst. Ich Tor! Aber hielt ich beide doch für

meine Freunde, und dies, weil sie Edelmänner waren! Weit gefehlt. Es sind nur niederträchtige Schufte, welche sich auf Kosten anderer in Amt und Würde intrigierten. Warum und für wen sie dies getan, ist mir nicht bekannt. Bei allem, was mir heilig und wertvoll ist, hätte ich dies früher erkannt, wäre mein Schwert nicht ruhig geblieben. Ich hätte meine Klinge mit dem Blut der beiden getauft.

Aber all diese hässlichen Erinnerungen sind mir nichts wert, denke ich daran, was aus einem kurzen Abenteuer in jener Nacht und später in der geheimen Kammer geworden. Als ich merkte, wie sehr mein Herz Euch vermisst, als ich merkte, wie sehr ich Euch zugetan, begannen die Qualen. Aber ich will keinesfalls klagen, dessen seid gewiss. Kein Preis der Sühne war mir zu hoch, so viel sei Euch versichert. Aber seitdem muss ich ständig an Euch denken.

Euer Gemahl, der Herzog Don Diego Ramón de Navarra, ist ein Ritter, ein spanischer Grande und damit ein Mann von großer Ehre. Sein Name stehe alle Zeit für das, was uns Menschen und Spaniern von Ehre wertvoll und heilig ist. Nun wundert Ihr Euch sicher, diese Worte aus dem Munde seines Rivalen um Gunst und mehr süße Dinge zu erfahren. Doch es wäre gefrevelt, darüber zu schweigen, zumal die Worte richtig sind und nur des Lobes bedürfen. Er wusste nichts von unserer Zweisamkeit, bis zu dem Zeitpunkt, als man uns bei unserem süßen Tun überraschte. O welch eine Schmach war diese Farce! Aber auch dies gehörte zu dem schändlichen Plan der beiden Schurken, es ihm nicht nur zu sagen, sondern es ihm auch zu zeigen. Wie lange habe ich gezögert und darüber nachgedacht, wie ich es Euch berichten soll. Aber diese Zeilen sollen einzig Zeuge sein dessen, was wir als Männer von Ehre besprachen.

Ja, Ihr sollt alles wissen.

Ich schlug Eurem Gemahl einen Zweikampf mit dem Schwerte vor. Dies durfte ich ihm nicht von Angesicht zu Angesicht sagen, sondern nur mit einem Schreiben, welches ich während meines Aufenthaltes in Sevilla an ihn richtete. Ich gestehe hier, zu dieser Zeit war mein Herz voll falschem Stolz, ja Hochmut, und ich glaubte nicht an eine Antwort. Denn ich gestehe auch, dass ich seit dem Augenblick, an dem ich Euch das erste Mal gesehen, voll Neid war. Euer Liebreiz, Eure Schönheit und dann dazu Euer Gemahl, der Euer Oheim sein könnte. Ich glaubte an ein Ränkespiel des Schicksals, denn niemals hätte der Himmel diese Verbindung zugelassen. Er war am Ende seiner Tage, und da tratet Ihr in sein Leben. Eure Mitgift war ein Geschenk des Himmels: Eure Jugend, Eure Schönheit, Euer Wesen voll Liebreiz und klugem Verstand. Euer Gemahl muss sich vor Glück nicht zu fassen gewusst haben. Ihr merkt schon, wie blind ich war in meiner Eitelkeit als Mann. Ich sah Euch und hatte nur Augen für Euren Leib, aber nicht für Euer Herz und Eure Seele. Dies kam aber bald, und dafür umso stärker. Ich bitte Euch inständig, mir dies zu glauben! Als mir die beiden schändlichen Schurken mit süßen Worten erklärten, wie sehr Ihr nach den starken Armen eines Mannes, eines jungen Mannes hofftet, und dass ich jener Chevalier sein sollte, glaubte ich es, blind wie ich war. Oh, ich Dummkopf! Heute sehe ich dies voller Scham.

Ein Duell lehnte Euer Gemahl in diesem Schreiben an mich ab. Statt rüder Worte blieb er in seiner Antwort voll Ehre, dabei so vornehm, dass er mir ein wenig

Angst machte und mich zugleich verwunderte. Und wieder glaubte ich einen Moment, er wäre ein feiger, alter Mann ohne jenen Stolz, wie er einem Spanier zusteht und ihm eigen ist. Erst als ich folgende Worte von ihm genauer und mit Muße las, wusste ich um die Verfassung seiner gemarterten Seele:

Ricardo de Molinar,
Ihr wollt Euch mit mir messen? Warum?
Ein Duell mit Euch würde an dem Leid meines Herzens und meiner Seele nichts ändern. Wenn Ihr mich nur bestohlen hättet, hätte ich Euch dies einmal verzeihen können. ·
Wenn Ihr mich nur belogen hättet, so denke ich ebenso. Aber Ihr habt mich belogen und mir dabei etwas gestohlen, das mir mehr wert gewesen ist als aller irdischer Tand. Die Liebe und ihren stolzen Begleiter, das Vertrauen in diese Liebe. Eine Verbindung, die nicht zu fassen und zu greifen ist und die doch alle Welt sich wünscht. Nur weiß es niemand in seiner Gier nach blankem Leben.
Erfährt ein solcher eine so wahre Liebe erst so spät wie ich, dann fürchtet er nichts mehr in der Welt.
Ich liebe meine Frau Ines mehr, als ihr Euch je vorstellen könnt.
Selbst der Tod verliert für mich seinen Schrecken. Ihr seht, ein Duell mit Euch verschafft mir nicht den Seelenfrieden, den ich brauche, um weiterleben zu können.
So schrieb er.

Ihr könnt mir glauben, geliebte Freundin, wie sehr ich bei diesen Worten schauderte – jenes Zittern am ganzen Körper verspürte, wenn urplötzlich Kühle sich des Leibes bemächtigt, der eben noch warm war –, vor der Kraft Eures Mannes, zumal er mir, seinem Rivalen, gestand, wie groß die Liebe zu Euch ist. Dieser Mann liebt Euch! Er hat Euch begehrt und bekommen, weil er mit Hilfe seines Reichtums alles bekommen konnte. Als er Euch freite, glaubte wohl jeder, er freie die Schönheit, weil er sein Alter mit Leichtigkeit hinter einem Berg spanischen Goldes verbergen konnte. Heute weiß ich, dass er Euch zugetan, nur ist seine Art der Liebe anders als die meine. Dies weiß ich erst jetzt, und es tut mir im Herzen weh, ihm dies nicht mehr sagen zu können. Ich glaube nicht, dass er mir verziehen hätte, aber er hätte mich wohl verstanden. Denn er war ein kluger Mann.

So bleibt mir nur großer Respekt vor Eurem Gemahl, der aufrichtig ist, dies beschwöre ich. Jedoch, es wäre eine Lüge, vor der mich die Mächte des Himmels bewahren möchten, würde ich behaupten, eine Geste, das gutzuheißen, was ich für Spanien tue, hätte mich nicht gefreut. Nein, wie sehr wünschte ich mir dies. Eine Geste nur, und sei sie noch so gering.

Ich weiß, er selbst sollte entscheiden, ob meine Mission ausreicht, das Geschehene vergessen zu machen. So sagte es der Mayordomo mayor Don Jaime de Pérez, Vertrauter Seiner Majestät und einflussreiche Persönlichkeit bei Hofe. Nein, geliebte Freundin, aber in jenem Brief spürte ich ihn nicht lächeln und erst recht nicht verzeihen. Aber diese Traurigkeit in seinen Zeilen verfolgt mich, denn er glaubte an Eure Liebe mehr als an meine Mission. Als wir auslaufen wollten, kam Don de Pérez an Bord. Ich glaubte, er wolle mir doch Glück und Erfolg wünschen, stattdessen brachte er mir die Nachricht, die mich so sehr bestürzte.

Euer Gemahl war gestorben. Euch hatte man gesagt,

es sei sein Herz gewesen, das, schwach und seit langem krank, seine Dienste plötzlich versagte. So sagte man es Euch und so wollte man Euch zu der Trauer all das Leid und den Gram ersparen. Aber de Pérez gestand mir die Wahrheit: Euer Gemahl, Don de Navarra, wählte sein Ende von eigener Hand. Es geschah am Vorabend unserer Reise, und ein Bote ritt die ganze Nacht bis nach Sevilla, um Don Jaime das Unfassbare zu berichten. Er hat sich im Garten, Eurem Garten, in sein eigenes Schwert gestürzt. Welch ein Unglück für uns alle! Als mir Seine Exzellenz dies gesagt, vertraut und nur meinem Ohr bestimmt, war ich wie gelähmt, und das Auslaufen der Flottille übertrug ich meinem Capitan de Tovar. Ich erinnere mich genau, wie ich in tiefer Trauer in meine Kajüte zurückging und weinte. Jawohl, ich schäme mich nicht, dies an dieser Stelle zu schreiben. Dann las ich noch einmal den Brief, den er mir geschrieben.

Ich liebe meine Frau mehr, als Ihr Euch je vorstellen könnt. Geliebte, erst jetzt verstand ich ihn und schwor mir, sein Andenken zu bewahren, indem ich nur zurückkehre, wenn meine Mission ein Erfolg war.

Jetzt, während ich dies schreibe, ist es tiefe Nacht. Es ist sehr heiß und von einer mir unbekannten Schwüle. Der Dunst will in meiner Kajüte selbst dann nicht weniger werden, wenn ich die Fenster am Heck, und derer habe ich gleich vier an der Zahl, öffne, um die frische Luft über dem Wasser hereinzulassen. Ständig ist alles erfüllt mit jener Feuchte, die bleibt und kein Sück in meinem Besitz verschont. Alles, was mein ist, beginnt sich mit grünem Schimmel zu verzehren, und selbst die Waffen, und seien sie noch so sehr in Fett getaucht, zeigen Rost wie eine Schwäre.

So sitze ich hier in Gedanken an die Heimat versunken, jenen Tag vor Augen, als mich Seine Exzellenz de Pérez zu sich befahl. Ich weiß, dass er ein besonderer Günstling unseres Königs ist, ja, man spricht wohl von einer Freundschaft zwischen Seiner Hoheit und Seiner Exzellenz. Aber, o Wunder, glaubt ich doch zu jener Zeit, mein Glück vollends verspielt zu haben, denn Seiner Exzellenz war die verbotene Liebe zwischen Euch und mir bekannt.

Aber statt mich dem Henker zu übereignen, streckte man mir die Hand hin in Freundschaft und in einer Ritterlichkeit, derer sich Euer seliger Gemahl und Seine Exzellenz bis hin zu Seiner Majestät immer rühmen können.

Ich spüre, wie mich die Müdigkeit ergreift und mir die Feder aus der Hand zwingt. Das Öl in meiner Lampe ist fast zu Ende, aber ich will heute kein neues mehr verlangen. So schreibe ich diese Worte ein wenig schneller. Glaubt mir, meine letzten Gedanken an diesem Abend auf der Santa Luìsa werden bei Euch sein, so wie an dem Abend zuvor. Wie an jedem Abend, den ich in diesem neuen Land erleben werde.

Don Ricardo de Molinar
Conquistador und Capitan admiral
gezeichnet und gesiegelt von eigener Hand
am 3. Juli 1518.

Wir sind bereits viele Stunden unterwegs.
    Der Conde treibt uns immer wieder an, aber wir gehen nicht, sondern wir stolpern durch den Wald, als hätten wir alle die ganze Nacht lang getrunken. Er lässt immer wie-

der die Richtung bestimmen, und dann bleibt uns Zeit, ein wenig auszuruhen und nach den Wasserschläuchen zu greifen. Der Durst ist groß, was seltsam ist angesichts des feucht dampfenden Grüns ringsum. Wir trinken gierig und wissen, dass wir nie lange genug rasten, um unsere schmerzenden Glieder ein wenig zu strecken oder nach unseren Wunden zu sehen. Niemand weiß, wohin der Conde will, und niemand getraut sich, ihn zu fragen.

Erneut stehen wir vor einem Sumpf. Dies ist an dem Brausen und Summen in der Luft zu merken, ein ganz besonderer Lärm, den unzählige Fliegen und Moskitos machen, die wie dunkle Wolken über dem Wasser hängen. Dazu kommt ein übler, fauliger Geruch. Der Conde will dieses Mal versuchen, das tückische Feld zu durchqueren, anstatt wie bisher auszuweichen. So waten wir durch die Brühe, knietief, der Grund weich, aber zäh wie Melasse. Immer tiefer sinken wir ein, und bald stecken wir bis zum Bauch in dem Sumpf. Es ist mühsam, und die Brühe ist warm wie Pisse und allerlei schwimmt herum, was keiner von uns so deutlich sehen will, denn es ist lebendig. Manchmal flucht einer der *compañeros,* und dann sticht er mit dem Schwert oder einem Messer nach irgendeinem Getier, das wie alles hier nach uns sucht und uns Übles will. Einer der *tercios* geht voran, ihm folgen zwei weitere Männer, die etliche Lasten mit sich tragen.

Seit einer Weile wird der Sumpf immer seichter. Es erscheint uns diesmal so, als hätten wir diesen elenden Ort schneller durchquert als alle Orte, die in ihrer Beschaffenheit ähnlich waren. Da stolpert einer der Männer. Ich kann nicht gleich sehen, wer es ist. Er findet zwar wieder Halt, aber sein Leib sinkt plötzlich schnell ein. Er windet sich, tritt um sich und flucht dabei böse. An seinen Worten erkenne ich ihn. Es ist Vasco, ein *tercio*, dem ein Bein auf der Überfahrt gebrochen ward, als er bei dem großen Sturm von der Rahe stürzte. Obwohl längst verheilt, schmerzt ihn der Knochen in dieser Hitze sehr. Aber der Conde befahl ihm, wie allen *compañeros*, einen Teil der Ausrüstung zu tragen oder im Wald zurückzubleiben. Seine Last, ein fester Ballen, eingewickelt in ein Hirschfell, behindert ihn gar sehr. Er tritt heftig um sich und sucht noch immer einen festen Stand, doch er findet keinen sicheren Boden unter sich. Es ist arg, aber er versinkt immer tiefer! Zuerst nur bis zu den Knien, ist kurz danach sein Leib fast bis zu den Hüften im Morast versunken. Ein paar *compañeros* versuchen, ihm zu Hilfe zu eilen, doch niemand ist schnell genug, zumal der Boden ringsum tückisch ist. So kommt keiner von uns an den Unglücklichen heran. Ich sehe sein Schwert nicht mehr. Nun gaffen wir alle nur, als wären wir besoffen wie im Rausch. Da beginnt er zu schreien.

»Madre mio, zu Hilfe! Helft mir!«

Er schlägt immer wilder um sich und versinkt dabei.

»So helft mir doch!«

Sein Hintermann tritt zu ihm und hält ihm den Arm hin, aber auch er beginnt zu straucheln, weil er merkt, dass er keinen sicheren Stand hat. Der Boden hier ist weich wie Brei, aber zäh. Der Mann lässt gleich wieder los. Vasco ist inzwischen bis zum Bauch versunken, und er schreit in höchster Not. Es ist die Angst, von der schwarzroten Brühe verschluckt zu werden.

»Das Pulver!«, ruft der Conde plötzlich.

Er steht im Wasser und ruft noch einmal.

»Das Pulver! Lasst es nicht nass werden!«

Keiner der Umstehenden will etwas tun.

Da schreit der Conde auf einmal.

»Ihr blöden Hosenscheißer, Affenärsche, die ihr seid! Nehmt ihm den Pulversack, oder ich lass euch rädern!«

Ein Mann lässt seinen langen hölzernen Stab fahren, den er nutzt, um in dem tückischen Wasser nach sicherem Boden zu tasten. Er greift nach dem Ballen, den Vasco noch immer an einem Riemen um die Stirn trägt. Mit einer Hand hält er das Bündel, und mit der anderen Hand rudert er, wohl weil er sicher stehen will. Aber der Boden ist tückisch, und er fällt um.

»Das Pulver!«, schreit der Conde, und der Mann versteht.

Er stürzt nicht so, dass er gleich im Wasser versinkt. Er streckt die Arme aus, so dass er den Ballen trocken über seinem Kopf halten kann. Auch er beginnt in dem unheimlichen Boden zu versinken, aber nur ganz langsam. Der zweite Mann an der Spitze hilft ihm, und das Pulver ist gerettet.

Vasco aber ist derweil bis zum Hals in der Brühe versunken. Keiner von uns kann ihm helfen, und Vasco kann nicht mehr schreien, weil sein Maul voller Wasser und Schlamm ist. Er wehrt sich nicht mehr, sieht nur nach dem Conde, der ihn kalt, ohne die geringste Regung, anstarrt. Madre mio! Dieser Mann könnte mit seinem Blick den Leibhaftigen beschämen. Einen Augenblick später ist Vasco gänzlich versunken, und nur ein Schwall schmutziges Wasser bewegt sich an der Stelle, wo er soeben verschwunden ist. Wir starren dorthin, als hofften wir, er käme wieder zurück.

»Was glotzt ihr wie das Vieh? Vamos!«, befiehlt der Conde plötzlich.

Wir gehorchen, wie wir es immer tun, wenn er uns befiehlt. Wir tasten uns an der Stelle vorbei, die jetzt Vascos nasses Grab ist. Meine Knie und meine Hände zittern.

Wir marschieren noch einige Zeit weiter.

Stunden später liegt der tückische Sumpf hinter uns. Dafür kommen wir nun erneut durch dichten Urwald, aber das Gehen hier ist im Vergleich zu den Sümpfen angenehm. Die *tercios* an der Spitze unseres Zuges schlagen mit ihren Schwertern das Kraut zur Seite, und wir folgen den Männern. Der Boden ist weich, beschaffen wie Moos, aber von Blättern und allerlei Unrat bedeckt. Aber auch dies ist nicht so wie in der Heimat. Wenn dort im Herbst das Laub liegt, ist es trocken und dürr, und der erste Wind bläst es davon. Hier gibt es keinen Wind, und die Blätter liegen oft wie ein weicher Morast knietief auf der Erde. Dieser Dreck stinkt manchmal gar höllisch. Dazu kommen all die seltsamen Laute aus dem dichten Wald. Einige Geräusche sind uns längst vertraut, und doch erschreckt uns der plötzlich einsetzende Lärm jedes Mal aufs Neue. Einmal sind dies Frösche, groß wie Kröten und in bunten Farben anzusehen. Dieses Viehzeug lärmt ohne Unterlass und macht dabei einen Laut wie ein Hammer, der auf ein hohles Blech schlägt. Auf einmal verstummt jenes Geräusch, das uns schon seit Nächten nicht schlafen ließ und an dessen Klang sich Ohr und Gemüt erst gewöhnen müssen. Nur einen Moment später verstummt auch das Schreien und Kreischen von überallher, von Kreaturen, die keiner von uns sieht, das Rascheln und Knistern, alles, was sich bewegt und dabei lärmt, all dies ist mit einem Mal still. Es ist unheimlich, so sehr, dass ich es nicht mit Worten erzählen kann, denn nie zuvor erlebte ich so etwas.

Wir sehen einander an, und ich bemerke die erschrockenen Gesichter der Männer. All dies dauert nur wenige Atemzüge, und wäre nicht diese Stille, es wäre nicht wert, darüber zu berichten. Ich fühle, dass da etwas ist, was uns Arges will. Gebe Gott in seiner unendlichen Güte, dass unser Kampfesmut und unsere Waffen ausreichen, um uns zu gegebener Zeit zu verteidigen. Aber kaum habe ich dies gedacht, ertönt wieder das schon vertraute Geräusch des Waldes. Als ob nichts geschehen wäre, turnen Affen durch das Geäst, schreien jene bunt gefiederten Vögel, die de Tovar Papagei nennt, und ist das Scharren von allerlei Ungeziefer auf dem Erdboden ringsum zu hören wie ehedem.

Keiner sagt etwas, und nur seine Exzellenz berät sich flüsternd mit den Offizieren. Dann geht der Capitan Ramón ein paar Schritte zurück, wo die letzten Männer des Zuges stehen, und befiehlt ihnen, nahe genug bei den anderen zu bleiben. Die Männer nicken, und unser Marsch geht weiter.

Agustín ist neugierig. Er fragt den Deutschen, den er sonst meidet, da jener ihn beim Würfelspiel betrügt, so glaubt es wenigstens dieser Dummkopf.

»Wir sind nicht mehr allein … irgendjemand folgt uns«, sagt Haunschildt, und seine Miene ist dabei so unbeweglich wie immer.

Aber ich sehe, dass er plötzlich mehr schwitzt als sonst und dass er sein Schwert gelockert hat, so wie er es nur tut, wenn ein Händel zu befürchten ist.

D̲ie Affen lachen. Sie sitzen in den Bäumen, um mit Muße die Menschen zu betrachten, wie sie dort unten marschieren. Aber was sind dies für seltsame Gestalten! In zerschlissenem Hemd, das bunte Tuch in Fetzen, ihre helle Haut voller Schwären und ohne Miene in ihren schmutzigen Gesichtern: Barbaren.

Die Affen lachen.

Dies ist kein Wunder, denn für einen Weg, den sie in wenigen Augenblicken geschmeidig zurücklegen, braucht diese Karawane aus Menschen dort unten viele Stunden.

Deshalb lachen die Affen.

Es ist ihr Wald. Hierher gehört kein Mensch, niemals. Was sollte er hier? Es gibt hier keinen Platz für Menschen. Sie sind zu nichts nütze: Es gibt nichts, was sie lieben und begehren könnten. Nichts, was sie mit staunendem Worten erzählen lässt, denn ihre Lippen sind stumm. Nichts, was sie mit glühenden Augen schauen möchten, denn ihre Augen sind stumpf. Die wenigen, die hier leben können, leben nur, weil sie demütig und Teil dieses Waldes sind. Sie nennen den Wald ehrfürchtig »große Mutter«. Jeder Mensch, der dies vergisst, verwirkt sein Leben. Denn da lebte noch kein Mensch auf Erden, da gab es schon diesen mächtigen Wald. All das wissen die Affen oben im Geäst der unendlich hoch scheinenden Bäume bereits lange. Denn sie erzählen es in ihrer Sprache weiter, jede Sippe der nachfolgenden, so dass es keiner von ihnen je vergisst. Doch diese Menschen dort sind dumm und wissen dies nicht.

Und deshalb lachen die Affen.

Der Trupp der Conquistadores quälte sich weiter durch den Wald. Der Weg, den die Spanier zurücklegten, ließ sich beinahe in Schritten angeben. Für jede noch so kurze Strecke brauchten die erschöpften, hungrigen Männer Stunden. Jenes Erlebnis der plötzlichen Stille war wie ein Moment, in dem der Wald seinen Atem anhält, um zu sehen, was diese Wesen dort tun und wie lange sie es noch tun wollen. Der mühevoll schweißtreibende Marsch, gestürzte Baumriesen umgehend, weil ein Überklettern Stunden dauern könnte, all die Umwege, wenn endlose Sümpfe mit ihrem tückischen Boden dies verlangten, den dicht gewebten Vorhängen aus alles umschlingenden Pflanzen beständig ausweichend, schwächte die Spanier langsam aber stetig. Selbst wenn das Grün abgeschlagen auf der Erde liegt, möchten sie glauben, es lebt noch immer und sei bereit, sich um Arm und Bein desjenigen zu schlingen, der es soeben mit einem Hieb zerteilte. Längst ist die stumme Wut über die allgegenwärtige Fülle des Grüns ringsum und sein Behindern des Fortkommens einer stillen Verzweiflung gewichen. Eine Verzweiflung, wie sie einen Schwimmer befällt, der weitab vom Land im Meer schwimmt, müde und voller geheimer Furcht, es nicht mehr zurück an den festen, sicheren Strand zu schaffen. Der Wald hat die Männer längst umschlungen, auch

wenn keiner dies spürt. Alles, was die Spanier riechen, hören, fühlen, schmecken, alles, was sie sehen, worüber sie
nachdenken, ist der grüne, saftige, modrige, verwesende,
dampfende, alle Augenblicke sterbende und dabei voller
Leben pulsierende Wald.

Neunter Eintrag der privaten Notizen des Conde Don Ricardo de Molinar, Conquistador und Capitan admiral, niedergeschrieben von ihm selbst.
Worin ich berichte, was sich wirklich und wahrhaftig zugetragen hat bei jener besonderen Mission, womit ich betraut von Seiner allergnädigsten Majestät Karl, König von Spanien.

Geliebte Ines,
die Santa Luìsa ist nicht mehr länger unsere Heimat. Die Schäden, verursacht durch Würmer, die im Wasser leben und sich durch das Holz bohren, sind groß, wären aber zu reparieren gewesen. Doch ich wollte keine Zeit verschwenden und sagte den Männern, was sie erwarten würde, aber natürlich sprach ich zu ihnen nicht über meine eigentliche Mission. Noch immer denken die Männer, ich führe sie in das Goldland, wo sich jeder von dem feinen Metall nehmen kann, so viel er will. Sollen sie das nur weiter glauben! Erst wollte ich Armendariz und eine Hand voll Seeleute auf dem Schiff zurücklassen. Sie sollten das Schiff ausbessern und gleichzeitig auf unsere Rückkehr warten. Aber unsere Expedition wird so nur immer kleiner, und für die große Aufgabe brauche ich wohl jeden Mann. So dachte ich, und so hieß ich alle mitkommen. Wir rüsteten uns mit dem Notwendigsten aus und verluden die Lederbeutel mit den Bleikugeln, die Pulverhörner, das Werkzeug zum Schanzen und den restlichen Teil des Dörrfleisches auf die wenigen Maultiere, die uns seit unserer Ankunft hier noch verblieben sind.
So sind wir seit zehn Tagen unterwegs. Es ist mühsam

genug, mit den Tieren in den Wald zu gehen, denn sie weigern sich störrisch und sind schwer zu bewegen. Der Urwald lässt uns nur langsam vorankommen. Immer wieder glauben wir, es muss ein Ende haben mit all dem Grün ringsum, aber dem ist nie so. Hier gibt es nichts, was auf unser Ziel hinweist. Mehr als einmal musste ich den Männern befehlen, weiterzumarschieren. Immer wieder fragen sie, wohin unser Weg führt, und sind misstrauisch, ob es noch der richtige Weg sei. Dann sage ich nur, welche Schätze auf uns warten. Ich gestehe, ich belüge sie. Ja, und ich gestehe auch, dass ich noch immer meinen Capitanos und den *tercios* nicht gesagt habe, was wirklich unsere Mission ist. Eine leise Furcht plagt mich bei dieser Lüge. Nicht so sehr, dass mir Gott diese falschen Worte nicht verzeihen könnte. Hier hoffe ich auf Buße, und seid versichert, ich bete oft zu ihm. Nein, die Männer könnten meutern und sich weigern, dem vorgesehenen Weg zu folgen, denn die Anstrengungen sind groß und verlangen mehr, als ein Mann vorher leisten musste. Aber ich bin mir immer weniger sicher, in allem, was ich tue. Mehr noch, oftmals überfällt mich eine große Furcht, die mein Herz heftig schlagen lässt und mir den Mund austrocknet, trotz der Feuchte ringsum. Denn nichts weist auf den Wunsch seiner Majestät hin, und nichts gibt mir auch nur allerkleinsten Hinweis darauf, dass hier ein verborgener Platz von großer Reinheit, erfüllt von tiefem Glauben und Ehrfurcht zu Gott und seiner Fügung zu finden ist. Vielen Männern geht es schlecht, und keiner von uns ist ohne Wunden, geschlagen vom Wald. Einige plagt das tertiäre Fieber, aber noch ist keiner daran gestorben, obwohl wir dies alle fürchten. Doch das Allerschlimmste ist der Hunger. Unsere Vorräte sind längst zu Ende. Nicht nur ich glaubte fest daran, allerlei Wildbret jagen zu können. Aber hier lässt sich nichts jagen. Nichts, was man verzehren könnte. Wir haben jetzt nur noch ein Maultier. Eines war so schwach, dass ich es töten ließ, um wenigstens das Fleisch zu haben. Aber was wir nicht aufessen, verdirbt in der feuchten warmen Luft in wenigen Stunden. Zwei Maultiere sind in den Wald gelaufen, und aus Furcht, sich zu verirren, ist keiner der Männer den Tieren gefolgt. Ein weiteres Tier ward uns vor einer Nacht von einem unbekannten Dämon gerissen. Dies müssen wir alle glauben, denn der Kadaver sah entsetzlich aus. Ob es in diesem Wald Löwen oder dergleichen Getier gibt?

Heute Morgen kamen wir an einen kleinen Bachlauf und konnten endlich wieder frisches Wasser trinken. Es war zwar nicht sonderlich kühl, aber von einer Reinheit, wie ich es seit der Ankunft in diesem Land noch nie gesehen und getrunken habe. Ich war bereit, zu glauben, dies sei ein erstes Zeichen, auf dem richtigen Weg zu sein. Aber ich war mir nicht sicher, und ich bin es auch jetzt nicht, nein, keinesfalls. Aber dann geschah ein erneutes Unglück. Das eine Maultier schrie plötzlich in Todesangst. Ein Tier mit großer Kraft war ihm auf den Rücken gesprungen. Es war eine Katze in der Art wie ein Löwe, nur von kleinerem Wuchs und mit gefleckter Zeichnung und schlanker Gestalt. Das Maultier warf das Tier ab. Die Katze war an einem Vorderlauf verletzt und deshalb schwach. Peral, einer der *tercios,* tötete das Tier mit seiner Armbrust aus allernächster Nähe. Wir lobten ihn für seine Kaltblütigkeit und seinen Mut. Aber dies war nur ein kurzer Moment, und der Hunger meldete sich bei jedem Einzelnen von uns erneut. Wir aßen den Kadaver. Das Fleisch war stinkend und tranig, aber wir waren so hungrig, dass wir alles gegessen hätten. Seit Tagen peinigt uns der Hunger so sehr, dass wir bereits die Hirschfelle, in welche wir unsere Ausrüstung verstaut hatten, in heißem Wasser kochten und gierig verzehrten.

Gebe der Allmächtige mir endlich ein Zeichen, oder führe Er uns zum Ende dieses Urwaldes. Oder schicke Er uns wenigstens etwas zu essen.

Don Ricardo de Molinar
Conquistador und Capitan admiral
gezeichnet und gesiegelt von eigener Hand
am 14. Juli 1518.

*S*ie stehen mit einem Mal vor uns.
Zwei Männer und eine Frau, wie große Kinder, jedoch von kräftiger Statur. Die Männer haben breite Schultern, die Arme und Beine muskulös, die Frau ein wenig kleiner, aber von zartem Wuchs.
Indios!
Die beiden Männer tragen Bogen, länger als ihre Körper, dazu jeder ein Holz, das so stark ist, dass die bloße Faust es noch umspannt. Dabei ist das Holz so lang wie ein Mann und beschaffen wie ein Rohr. Das Weib trägt nur einen Korb auf dem Rücken, dessen geflochtene Riemen sie über der Stirn trägt. Die drei Waldmenschen sind völlig nackt. Wir drängen alle näher. Jeder will die drei Wilden sehen, denn außer »el Fraga« hat keiner von uns je welche gesehen. Wir sind überrascht, hier in dieser Umgebung auf solche zu treffen. Wohl

sind es keine Menschen, denke ich für mich. So hat es schon Bruder Bernabé gesagt. Eher Heiden oder doch bloß Tiere, denn welch ein Mensch lebt in solch einem Wald, in dieser Hölle hier?

Sie aber stehen da und lachen.

Dann lehnen sie die Bogen in den Arm und heben ihre Hände in die Höhe. Madonna, wie ihre Leiber aussehen! Ich ahne Kraft, große Kraft und denke mir, einen von ihnen zu bezwingen, müsste mir große Mühe machen.

Der Conde läßt Capitan de Tovar sprechen. Ist er doch der Einzige von uns, der ein paar Brocken ihrer seltsamen Sprache versteht und sie auch ein wenig sprechen kann. Er geht hin und greift mit der Hand zum Schwert, zieht das Eisen ein wenig und lässt die Hand dann rasch sinken, schüttelt den Kopf und hebt stattdessen die andere Hand wie zum Schwur und legt sie dann auf die Brustseite, wo sein Herz zu finden ist. Dann verbeugt er sich ein wenig. Die Wilden nicken nur und lachen, aber sie antworten nichts.

»Sind ohne Sprache«, sagt der Mönch leise, »nur fähig, wie Tiere zu lärmen.«

Capitan de Tovar dreht sich ein wenig um und beginnt auf uns zu zeigen, sagt zu dem ersten Wilden, wer wir sind und dass uns Seine allergnädigste Majestät hierher geschickt hat. Der Capitan will auch wissen, ob weitere Indios hier im Wald leben, aber der Mann versteht den Capitan nicht. Er lacht nur, und wir sehen, dass seine Zähne vorn im Mund alle spitz sind wie von einem Wolf. Dann sagt er etwas in seiner eigenartigen Sprache. Es klingt, als grunze und schmatze er wie bei einem feinen Stück Fleisch, das er mit Wohlbehagen verspeist.

»Sind Gefährten Satans, alle drei!«, zischt der Mönch, und er macht hastig ein Kreuzzeichen.

Agustín beugt sich ein wenig vor. Ich seh die Gier in seinen

Augen, als er das Weib anstarrt und sein Gemächt dabei reibt vor lauter Gier.

»Sieht allerliebst aus, die Kleine, fast noch ein Kind gar, aber alles hübsch gewachsen, worauf ich spitz«, raunt er mir zu.

Ich weiß nichts darauf zu sagen. Aber er hat Recht. Sie hat ein zartes Gesicht, und ihre Brüste sind von feinem Maß. Ich muss zugeben, sie ist von besondrer Schönheit, obwohl sie eine Wilde ist.

»Was redet der Heide da?«, will der Conde wissen.

Jago, der Capitan, antwortet ihm.

»Ich kann nicht alles verstehen, Exzellenz, aber ich denke, dies ist eine Sippe auf der Wanderschaft. Der Mann sagt, wir wären in seiner Welt willkommen. Wohl meint er den Wald.«

»Gebt ihm die Heilige Schrift. Davor hat noch jeder Respekt bekundet. Vielleicht kennt er sie sogar. Los, Bruder Bernabé, gebt ihm Euer Buch«, sagt der Conde.

»Exzellenz, meint Ihr sicher, er ist der Heiligen Schrift kundig?«

Der Bruder fragt es ungläubig, und auch ich glaube nicht daran.

»Gebt ihm das Buch, und wir werden es sehen!«, befiehlt der Conde erneut.

Der fromme Mann tut es. Wir alle können sehen, wie schwer ihm dies fällt, denn dieses kleine Buch ist sein einziger Besitz. Er rafft seine Kutte ein wenig und tritt vor den Wilden. Der hört augenblicklich auf zu lachen, und seine Miene wird ernst. Der Bruder hält ihm das Buch entgegen. Der Indio nimmt es und … Madonna!

Wie groß auf einmal seine Augen werden! Er dreht und wendet es nach allen Seiten. Dabei grunzt er wie in höchstem Staunen. Wir alle sehen, das Wort Gottes ist ein Schlüssel, den jeder auf Erden erkennt und der Pforten öffnet, ob einer Heide oder nicht. Wir lachen alle, und der Wilde lacht jetzt auch. Das blutjunge Weib und sein Gefährte drängen nun näher und glotzen auf das Buch. Der Wilde hat entdeckt, wie es zu öffnen ist, und sein Staunen und das seiner Begleiter wird noch größer. Jetzt sind sie wie Kinder. Sie lachen erneut, und wir lachen auch.

Auf einmal schnuppert der Wilde an dem Papier, leckt dann mit seiner Zunge über die Seite, tut's noch einmal und spuckt dann darauf. Den Geifer verreibt er auf dem Papier, und dann leckt er erneut über die Heiligen Worte. Jetzt lacht von uns keiner mehr. Bruder Bernabé spricht zuerst.

»Er schändet Gottes Wort, besudelt es …«

Der Wilde verzieht sein Gesicht, und man merkt ihm an, dies ist ihm zuwider. Er spuckt auf den Boden und schüttelt das Buch. Dann klappt er es zu und drückt es dem Bruder in die Hand. Wieder schüttelt er den Kopf, und sein Gesicht zeigt Ekel.

»Hundesohn …«, sagt der Conde.

Der Capitan geht dazwischen.

»Herr, er weiß nicht, was er tut. Wir sollten ihm dies nachsehen. Er ist nur ein Heide, ohne Glauben …«

»Schweigt!«, fährt ihn der Conde an.

Ein jeder von uns kann sehen, wie zornig er ist.

»Niemand besudelt das Wort Gottes. Ergreift ihn!«

»Jawohl, ergreift ihn!«, schreit jetzt auch Bruder Bernabé.

Wir stürmen vor.

Der erste Wilde lässt seinen Bogen fallen und packt Agustín und schleudert ihn zur Seite, als wäre er nichts, und greift sich Férnando. Das Weib schreit, als wir es packen und festhalten. Sie beißt und tritt nach uns, aber der dritte Wilde entkommt uns mit einem gewaltigen Sprung in den Wald, so schnell, dass keiner von uns ihn halten kann. Fünf Männer braucht es, um den ersten Heiden auf den Boden zu zwingen, denn er ist von einer eignen Kraft.

Wir rasten kaum noch und marschieren den ganzen Tag über weiter. Die beiden Wilden führen wir mit uns. Der Conde hat Eigenes mit dem Mann vor. Wir alle wissen dies. Der Wilde wird reden müssen. Auch wenn er unsere Sprache nicht spricht und so tut, als verstehe er sie nicht, wird die besondere Art der Befragung, welche auf ihn wartet, ihn in jeder Sprache reden lassen, die wir wünschen.

Capitan Ramón führt die Frau. Er hat ihr einen Strick um den schlanken Hals gebunden. Daran zieht er sie hinter sich her, als wäre sie sein Hund. Er ist noch immer wütend darüber, keines der Halseisen dabeizuhaben, die wir mitgenommen haben, um widerspenstige Indios zu Sklaven zu machen. Aber das Dutzend war so schwer, dass wir es bald fortgeworfen haben. Wann immer ich kann, muss ich nach dem Weib sehen. Bei ihrem Anblick fühle ich mich seltsam und finde keine Worte, warum. Sie geht durch den Wald, als gäbe es hier nichts, was sie bei ihrem Gang hindern könnte. Während jeder von uns stolpert und sich einen Weg suchen muss, geht Sie aufrecht, den Kopf stolz, und sie ist barfüßig. Ihre Nacktheit sah Bruder Bernabé als anstößig, so wand er ihr einen Fetzen Tuch um ihren Leib, den sie immer wieder abstreifte und fortwarf. Erst als ihr Ramón die Hände auf den Rücken bindet, kann sie dies nicht mehr tun.

Götz, der Deutsche, ist einsilbig. Ohne ein Wort schleppt er sein Bündel und die große Armbrust mit sich. Aber ich kenne ihn. Er ist nicht einverstanden mit dem Befehl des Conde, den Wilden und dessen Gefährtin mitzunehmen. Einmal sagt er, dass der Wald nun gegen uns ist. Alvarez muss lachen. Der Wald ist noch nie für uns gewesen, und es ist recht, was er sagt. Die Hitze und die ständige Feuchte ringsum, die Mückenschwärme des Tages und in der Nacht, Spinnen, manche so groß wie eine Ratte, die giftigen Vipern, die sich vor uns bewegen, oftmals bedrohlich und nach Bein und Wams schnappend oder von tief hängenden Ästen so schnell herabfallend, dass wir nicht mehr ausweichen können, die Krokodile von derselben Art wie das, welches Pedro gefressen, die vielen Pflanzen, voll heimtückischem Gift, die endlosen Sümpfe, die Vasco verschlungen haben, all dies muss die Hölle auf Erden sein. Aber jetzt kommen wir auf unserem Weg gut voran. Unsere Schwerter hauen eine Gasse durch den Wald, die wir einigermaßen bequem begehen können. Nur die feuchte und schwere Luft macht uns weiterhin zu schaffen. Alles Eisen rostet hier, und die Lunten der Schützen brennen nur mühsam. Das Leder fault, Stiefel genauso wie die Wämser und Westen. Ich habe riesige Blasen an den Füßen, und wenn ich meine Zehenspitzen drücke, kommen unter den schwarzen Nägeln kleine, weiße Maden hervor und manchmal Blut, das wohl von meinen Fleisch stammt. Es schmerzt sehr. Aber sonst kann ich nicht klagen, denn keiner der Kameraden ist ohne Verletzung. Keiner ist ohne einen Kratzer, einen Riss, einen Schnitt, geschlagen und getroffen von Pflanzen ringsum, die uns Angst machen. Nach jeder Rast fällt es uns schwerer, uns wieder aufzuraffen und den Marsch durch den Wald fortzusetzen.

»Der Wald wird uns töten. Jeden Einzelnen von uns. Ganz brav der Reihe nach. Der Allmächtige allein weiß, wer der Nächste sein wird«, sagt Götz.

Niemand widerspricht ihm, denn längst ist jeder von uns müde und möchte nur noch ausruhen. Ich bete dafür, dass es nicht so kommt, wie er sagt.

D ie Dunkelheit im Urwald war von einer Schwärze, die Angst einflößte. Wer bisher die Nacht kannte, wie sie immer etwas Licht übrig ließ, damit das bloße Auge gerade noch sah, wo Form und Umriss waren, den überraschte die tiefe Finsternis. Aber wenn diese so ist wie hier im Wald, dann ist es etwas Besonderes, denn der Wald ist nicht still. Aus der tiefen Dunkelheit tönen unzählige Laute und Geräusche, die zu schnell wieder vorbei sind, um sie zu erkennen. Sie schwellen an und sind fort, verstummt, wenn man glaubt, durch bloßes Lauschen ihre Herkunft bestimmen zu können, und machen dabei nur Platz für andere, neue, noch nie gehörte Stimmen aus der Finsternis. Nachts schläft der Wald, aber seine Bewohner sind wach. Sie kämpfen kleine Gefechte, manche eher Schlachten, jeder für sich. Am Leben bleiben in dieser Nacht und in jeder weiteren Nacht. Dies allein treibt sie zu jeder neuen Stunde. Aber sie wissen es nicht. Würde der Verstand einem dieser zahllosen Frösche und Lurche, Insekten und Schlangen zu verstehen geben, was ihm geschähe, oder bliebe einmal der Kampf um das Weiterleben aus, dann würde keiner mehr leben wollen. Tiefste Verzweiflung käme über sie. Also ist es gut so, dass keiner weiß, was sein wird, und dass keiner wissen will, was sein könnte.

Solange die Männer dem Lauf des Flusses folgen, fallen immer wieder Miriaden von Mücken und anderem Stechgetier über sie her. Zudem sind Teile des Ufers immer wieder vom Wasser überflutet, die flachen Uferzonen mit Mangroven bewachsen. Diese festen, niedrigen Bäume sind wie auf Stelzen festgemacht und breiten sich zu beiden Seiten des Flusses viele Meilen aus. Scheinbar endlos erstrecken sich diese seltsamen Wälder, bis sie allmählich von festem Boden abgelöst werden. Doch dieser Boden ist nicht immer so fest, dass ein Mann sicher darauf stehen kann. Häufiger sind es Sümpfe, die mit wildem Schlingwerk verwachsen sind. Sie erstrecken sich viele unbekannte Meilen neben dem Fluss. Erneut versuchen die Entdecker mehrere Male, den tückischen Sumpf zu durchqueren, aber es ist zu gefährlich. Der Boden ist oftmals so zäh, dass ein Mann, der in den dunklen, roten Lehm gerät, so sehr festgehalten wird, dass ihn zwei starke Männer kaum befreien können. Dazu wimmelt es hier besonders von giftigen Schlangen, sehr großen Krokodilen und Mücken, deren dichte Schwärme sich wie eine dunkle Decke auf die Conquistadores senken, um sie bis aufs Blut zu malträtieren.

Seit dem schrecklichen Ende von Vasco in dem Sumpfloch befiehlt der Conde Enrique de Molinar, die Mangroven und die angrenzenden Sümpfe zu umgehen. Dies kostet sehr viel Kraft und noch mehr Wegstrecke. So brauchen die Spanier für wenige Meilen oft einen ganzen Tag. Immer wieder halten Flüsse ihren Marsch auf. Sie sind zu tief, um einfach durchzuwaten, und oftmals auch zu reißend. Der Conde befiehlt, einen Steg zu bauen. Einige Male versuchen die Spanier, Bäume zu fällen. Doch gerade hier wachsen fast nur Riesen mit ungemein harten rötlichen Stämmen. Auf ihren glatten, ebenmäßigen Rinden können keine anderen Pflanzen leben. Die Äxte werden schnell stumpf, und in der feuchten Schwüle müssen die erschöpften Männer häufig abgelöst werden. An einem Tag ist ein Baum, den drei Männer mit ausgestreckten Armen umfassen können, nicht zu fällen, und so geben die Männer es bald wieder auf. Sie gehen viele Meilen am Ufer entlang, bis sie doch eine Furt entdecken, wo sie heil hinüberkönnen.

Die Conquistadores haben angehalten. Seit die Sonne das wenige Tageslicht bis weit hinunter in die Dämmerung des Urwaldbodens gesandt hatte, sind sie ununterbrochen unterwegs gewesen. Sie folgten dem gefangenen Indio, der von de Tovar immer wieder nach dem Weg befragt wurde. Der Mann sprach nicht viel, sondern er deutete mit ein paar Lauten immer wieder in eine Richtung. De Tovar erklärte, dass der Indio behauptete, dort, in jener Richtung, würde der Wald enden und ein Land ganz ohne Bäume, aber grünem Boden, mit Wasser und reichlich Wild beginnen. Er betonte immer wieder: eine Erde ohne Bäume, ein schmaler Boden, wo nichts wächst. Jago de Tovar glaubte, der Indio meinte damit Straßen. Aber immer wieder bestätigte der Indio, dass sie alle ein Land erreichten, wo es Steine gab, denn solche gab es hier nicht. Nicht der kleinste Kiesel war irgendwo zu finden. Der Conde lässt dem Wilden sagen, wenn er die Coquistadores in diese Gegend führt, lässt er ihn und das Weib laufen.

Und so marschieren sie weiter, Stunde um Stunde, Tag für Tag. Erbärmlich ihr Aufzug, zerlumpt, müde, schmutzig und abgerissen. Sähe man diese Männer irgendwo in Spanien auf einer Straße, wären wohl bald Büttel und Stadtknechte alarmiert, um der seltsamen Gruppe Einhalt zu gebieten. So aber ähnelten sie Menschen, die noch nicht tot waren, denen es aber auch nichts mehr auszumachen schien, wenn es so weit kommen sollte.

Zwei der Männer binden den Indio an einen Baum, damit er nicht weglaufen kann. Er ist der Einzige, dem der Marsch durch den dunstig-feuchtheißen Wald nichts auszumachen scheint. Dabei wirkt er kein bisschen müde. Er schwitzt nicht, und sein Blick ist aufmerksam. Hastig machen die Spanier sich derweil über ihre Wasserschläuche her, und nicht einer will warten, bis der andere getrunken hat. Jeder reißt vor lauter Durst und Gier den Schlauch an sich, um selbst als Erster zu trinken.

Der Capitan Jago de Tovar steht abseits bei den Offizieren, die alle nach ihren Ziegensäcken greifen, in denen sie das Wasser tragen, ängstlich darauf bedacht, es trotz des ständigen Durstes nicht zu verschwenden. Jago sieht zu dem Gefangenen. Er tinkt als Einziger nicht. Da greift er nach einem der Wasserschläuche und tritt zu ihm und hält ihm den Schlauch an den Mund, damit er von dem sauberen Wasser trinken kann. Aber da ist Capitan Tináz neben ihm und reißt ihm den Schlauch aus der Hand.

»Seid Ihr toll geworden? Gebt dem Heiden von unserem Wasser, wo wir selbst kaum genug davon haben?«

»Er muss trinken wie wir alle. Es nützt uns nichts, wenn der Mann dürstet. Wenn er gar stirbt, wer sollte uns dann führen?«, fragt de Tovar ruhig.

»Führen? Wohin? Wohin führt uns dieser Bastard denn, he?«, fragt Tináz böse.

»Er zeigt uns den Weg in ein Land, wo es keinen Wald mehr gibt, dafür aber Gold und frisches Wasser«, antwortet Jago.

Tináz tritt noch näher an ihn heran.

»Und das hat er Euch gesagt?«

»Ja«.

Tináz atmet schwer in der feuchten Luft, bevor er antwortet.

»Er belügt uns. Dieser Heide führt uns doch nur in die Irre. 'Treibt ein Spiel mit uns. Der Conde muss blind sein, wenn er dies nicht sieht! Wenn ihr mich fragt, dieser nackte Bastard soll verrecken.«

»Sagt dem Conde dies doch selbst«, antwortet Jago kühl.

Tináz schnauft nur und greift nach dem Griff seines Schwertes.

»Emporkömmling, der Ihr seid, de Tovar, Mann aus einem Nest, das sich Fraga nennt! Der Tag wird kommen, da werde ich Genugtuung verlangen für all die Unverschämtheiten, die ich mir von Euch hab bieten lassen.«

Jago lächelt nur, und das bringt den jähzornigen Capitan Tináz erst recht in Wut.

»Ich bin ein spanischer Grande, vergesst dies nicht! Ihr

schuldet mir Respekt, hört Ihr? Respekt … «, bellt er plötzlich los.

Ein paar der Männer heben müde den Kopf. Ein Streit zwischen den Offizieren ist nichts Besonderes mehr, doch ein Streit zwischen Jago und Tináz ist ein Streit zwischen Wölfen. Der eine gierig und böse, der andere schlau und gefährlich.

Don de Molinar tritt zu den beiden.

»Was soll der Aufruhr bedeuten, Caballeros?«

Jago hebt statt einer Antwort den Schlauch hoch, öffnet ihn und reicht ihn dem Indio, der sogleich zu trinken beginnt. Dann wendet er sich um und sagt:

»Exzellenz, Capitan Tináz würde den Gefangenen gerne krepieren lassen. Denkt nur, darum geb ich ihm zu trinken. Dafür hat er mir gedroht …«

Tináz will schnell etwas sagen, aber de Molinar zischt nur ein »Genug!«.

Er wendet sich an Jago.

»Ich pflege meine Entscheidungen nicht mit meinen Offizieren zu diskutieren.«

Jago de Tovar strafft seine Schultern und hält dem Blick des Conde stand.

»Ich bleibe dabei, Exzellenz, es war nicht recht, die Indios zu fangen und jetzt mit uns zu führen.«

Der Capitan sagt es, und er lässt dabei kein Auge von dem Conde. Aber bevor der ihm antworten kann, drängt sich Tináz dazwischen, und die alte Rivalität zwischen den beiden Männern bricht erneut hervor.

»Ihr wagt es, Don Enrique Garcia de Molinar zu tadeln? Ich sollte Euch …«, eifert er sich.

»Gemach, Tináz, gemach! Beruhigt Euch«, knurrt der Conde. »Ist doch nur ein Wort, das mir unser treuer Jago sagt, nicht wahr?«

Bei dieser Frage sieht der Conde jedoch nur auf Tináz, der ein dummes Gesicht macht und nicht weiß, was er von dieser Frage halten soll. Denn der Graf hat sein Schwert gezogen, und die Klingenspitze zielt genau auf die Kehle des Tináz. Fast unmerklich folgt der Stahl den immer heftiger werdenden Bewegungen des Adamsapfels. Tináz beginnt, schnell zu schnaufen, so als schnappe er in der schweren, feuchten Schwüle nach Luft.

»Wie ist es mit Eurem Respekt, Eurer Treue bestellt, Capitan Tináz?«

Der Angesprochene antwortet nicht, sondern schluckt mühsam. Die Männer ringsum beobachten schweigend.

»Antwortet mir!«, befiehlt Enrique de Molinar sanft.

Tináz schwitzt. Jeder kann sehen, wie ihm der Schweiß herabrinnt und dunkle Streifen auf der Rückseite seines Hemdes zeichnet, dort, wo der Stoff noch trocken war.

»Ich bin Euch treu ergeben, Exzellenz«, stößt Tináz mühsam hervor.

»Treu? Wie treu?«, fragt de Molinar und senkt die Spitze seiner Waffe keinen Augenblick vom Hals des Capitan.

Bevor Tináz antworten kann, spricht der Conde weiter.

»Mein Hund war mir auch treu. Und, wo ist er nun? Tot ist er … die Ameisen haben ihn gefressen und nur seine Knochen übrig gelassen. Also, *wie* treu seid *Ihr*?«

»Ich bin Euch ergeben, Exzellenz. So sehr, wie ein Grande einem Mann, seinem Herrn, ergeben sein kann«, beeilt sich Tináz zu antworten.

Nach dieser Antwort atmet er schwer. Die Schwertspitze von de Molinars Waffe hat sich keinen Moment von Tináz Hals fortbewegt.

»Bei Eurer Ehre als Spanier, würdet Ihr für mich sterben, Tináz? So wie mein Hund?«, fragt der Conde plötzlich, und seine Stimme ist ganz sanft.

Tináz antwortet nicht gleich.

»O Herr, … Exzellenz. Wenn … wenn Ihr dies verlangt, so … o Herr, Exzellenz.«

Er stöhnt auf und schließt seine Augen. Sein Brustkasten hebt und senkt sich so schnell wie der Blasebalg in einer Schmiede.

»Ihr habt mir nicht geantwortet«, sagt de Molinar mit ruhiger Stimme.

Die Männer beobachten ihn, und als Tináz dann endlich antwortet, ist seine Stimme so hoch und schrill, dass sie gar nicht zu dem gedrungenen Mann passen will.

»Ja … Exzellenz, ich … wenn es Euer Befehl ist, so würde ich's wohl tun … o Madonna.«

»Nicht Befehl, Wunsch!«

»Auch dann … auch dann, Exzellenz«, presst Tináz mühsam hervor, und seine Stimme ist immer noch schrill.

Er schließt erneut die Augen, und alle Männer ringsum müssen glauben, der Conde wird dem Tináz sein Schwert mit einem Stoß durch die Kehle jagen.

»Wie denken meine Herren Offiziere darüber? Wie ist es mit Ihrer Ehre bestellt?«

Enrique de Molinar sieht grimmig in die Runde. Jedem Einzelnen der Offiziere sieht er dabei ins Gesicht, und jeder nickt ergeben mit dem Kopf und macht eine Verbeugung.

Dann wendet er sich wieder Tináz zu, nimmt langsam die Klingenspitze von dessen Kehle und wendet sich sodann an Jago de Tovar.

»Wie ist es mit Euch, Capitan de Tovar?«

Der Mann sieht dem Conde ins Gesicht. Und keinen Moment zeigt er, dass er sich vor seinem Anführer fürchtet. Selbst das blanke Schwert scheint ihn nicht zu schrecken.

*M*ir aber schlägt das Herz längst bis zum Hals.
Aber nicht nur, weil mich diese Luft hier so schwer atmen lässt, sondern angesichts dessen, was ich, wir alle, dort sehen. Der Conde hat Tináz über seine Ehre befragt. Alle haben wir gehört, was dieser Leuteschinder daraufhin gesprochen hat, und alle haben wir gehört, wie er es getan hat. So spricht ein Feigling! Quiekt wie ein Schwein, das weiß, dass ihm der Schlachter gleich beikommt. Der Kerl stinkt vor Angst. Dabei ist er doch ein Capitan. Jetzt stellt der Conde seine Frage erneut und tut das Gleiche bei »el Fraga«. Aber der rührt sich nicht. Sein Blick ist fest und voller Stolz. Von Furcht keine Spur.

»Bemüht Euch nicht, Don de Molinar. Der Anblick eines blanken Schwertes schreckt mich nicht.«

Er sagt dies und hält dem Blick des Conde stand.

»Würdet Ihr für mich sterben, Jago de Tovar?«, fragt de Molinar, und ich sehe, wie er böse lächelt.

»Ich diene Euch, und ich schwor Euch die Treue bei dieser Mission. Nur Ihr selbst könnt mich von diesem Schwur entbinden«, sagt Jago, so als wär's nichts weiter.

Genau so hören wir den Mann, und nie zuvor habe ich mir mehr gewünscht, Jago de Tovar, der Conquistador aus Fraga, wäre unser Anführer. Ich wollte, ich könnt ihm dies sagen.

»Sollte es das Schicksal verlangen, werde ich für Euch sterben. So viel zu meiner Ehre«, antwortet de Tovar ruhig.

»Ich hab von Euch keine anderen Worte erwartet«, sagt der Conde und senkt das Schwert.

Er sieht sich um und sagt dann laut.

»*Compáneros*! Wir sind Spanier, Conquistadores und aufrechte Katholiken. Wir sind Männer von Ehre, und kein Unbill dieser Welt darf uns dies jemals vergessen lassen, hört

Ihr? Denn jeder, der dies vergisst, verliert seine Ehre und büsst sein Leben.«

Er wendet sich an de Tovar.

»Aber Señor Tináz will Euch ans Leder, Jago. Ihr versteht, dass seiner Ehre Genüge getan werden muss. Zeigt mir Eure Loyalität. Alle beide, Señores. Ich meine, hier ist wohl schon lange ein Capitan zu viel.«

Er deutet mit der blanken Klinge und schreit auf einmal laut.

»Tragt Euren verfluchten Händel endlich aus, hier in diesem verfluchten Wald, in diesem gottverfluchten Land!«

Wir weichen zurück, denn kaum hat de Molinar diese Worte geschrien, ist es Tináz, der als Erster sein Schwert zieht. Gleichzeitig greift er mit der anderen, freien Hand hinter sich auf den Rücken und zieht ein Stilett. Eine sehr prächtige Waffe, auf die er besonders stolz ist. Augenblicklich zieht auch Jago de Tovar blank, nur dass er in seiner linken Hand eine lange Pistolese trägt.

Tináz' Augen sind voller Hass. Wie ein toller Hund greift er sofort an. Dabei macht er einen blitzschnellen Ausfall, täuscht mit dem Stilett einen Angriff vor und stößt mit seinem Schwert in eine andere Richtung nach. Eine feine Finte, die ich gut kenne, auch wenn ich sie selbst nicht beherrsche. Ein Mann muss ein guter Fechter sein, um diesen Angriff so zu führen, dass er wie eine Bewegung aussieht.

Aber de Tovar wehrt erst das Stilett und dann auch den Stoß ab. Er selbst braucht dazu nur sein Schwert. Er weicht zurück und pariert auch den nächsten Angriff. Tináz ist ein guter Kämpfer, aber er ist voller Wut, und dies lässt so manchen Hieb ins Leere gehen. Wir feuern die Kämpfer mit rauen Worten an. Einzig nur der Conde ist ohne Regung und steht da, die Arme vor der Brust verschränkt, während sich seine zwei Capitanes schlagen.

Tináz macht erneut einen Ausfall und springt dabei vor. »El

Fraga« kann diesen Angriff nicht richtig abwehren, und ich denke mir, dass dies wohl sein Ende sei. Aber der Mann ist ein zu guter Fechter und wehrt den Angriff mit seiner Pistolese ab. Doch der Stoß war nicht fest genug, und die Klinge von Tináz Schwert trifft ihn oberhalb seiner Hand. Der Schmerz ist wohl heftig, denn Jago lässt die Pistolese fallen. Tináz macht einen weiteren Schritt nach vorn und stellt sich mit einem Fuß auf die Waffe.

Jetzt hat de Tovar nur noch sein Schwert.

Eine Weile ruhen die Waffen der beiden kämpfenden Männer. Sie haben jeder ihre Klingen ein wenig gesenkt und keuchen beide von der Anstrengung. Doch gehen sie kleine Schritte, immer im Kreis und sich dabei belauernd und keinen Moment aus den Augen lassend. Die Luft ringsum ist unerträglich schwer und feucht, aber keiner von uns kann seinen Blick von diesem Kampf abwenden. Von den beiden Fechtern macht keiner Anstalten zu einem Ausfall. Nicht nur ich weiß, dass beide ihre Kräfte sparen, denn sie brauchen Luft zum Atmen. Ein Fechtkampf kann lange dauern, und diese beiden Männer verstehen ihr Handwerk.

Tináz greift erneut als Erster an.

Ich denke, ich weiß, warum er dies tut. Er will eine Entscheidung, denn er wird in dieser Luft hier müde. Er schwitzt, und ich sehe seine Arme und Hände, seinen Hals und sein Gesicht; seine nackte Haut glänzt vor Schweiß. Mit kurzen, heftigen Finten treibt er den Capitan vor sich her. Wir machen den Fechtern Platz und beobachten jetzt still, wie Jago de Tovar jeden Schlag pariert, selbst aber nicht angreift.

Tináz dagegen gerät immer mehr in Wut. Er setzt alles ein, was er als guter Fechter an Kniffen kann, und das ist nicht wenig. Er schlägt und stößt nach dem Gegner, einmal mit dem Stilett, einmal mit dem Schwert, oft aber mit beiden Waffen zugleich. Immer wieder sticht Tináz nach der Brust seines Gegners, und das lange Stilett kommt gefährlich nahe an die Arme des Mannes aus Fraga.

Aber Jago de Tovar wehrt weiterhin jede Attacke ab. Der Kampf geht so noch eine ganze Weile, und gebannt starrt jeder von uns auf die beiden Männer. Einige Male gelingt es de Tovar, zum Angriff überzugehen, aber Tináz ist trotz seiner Wut ein viel zu guter Fechter, und sein Hass auf diesen Mann aus Fraga macht ihn noch stärker. So kann er alle Attacken abwehren und selbst immer wieder angreifen.

Da holt Tináz urplötzlich aus und stößt blitzschnell nach den Füßen des de Tovar. Der kann auch diesen Angriff scheinbar mühelos abwehren und springt mit beiden Beinen in die Höhe. Die Klinge fährt ins Leere.

Aber Tináz ist ein Teufel!

Er zieht nach diesem Hieb nicht zurück, sondern stößt, mit seinem Stilett in der linken Hand, nach. Der Capitan weicht zurück, rutscht aus und strauchelt und fällt dann zu Boden.

Irgendwo aus den Reihen der wartenden Männer ertönt ein rauher Ruf. »El Fraga« ist auf dem Rücken zu liegen gekommen. Tináz stürzt ihm nach und stößt mit einem blitzschnellen Stoß auf den am Boden liegenden Capitan.

Aber diesmal kommt Jago ihm zuvor.

Er dreht seinen Körper schnell zur Seite, und Tináz' Schwertklinge fährt tief in den Waldboden.

Und noch immer hat Jago de Tovar seine Klinge frei. Wir alle sehen, wie er sein Schwert dem Capitan Tináz in den Wanst stößt, genau zwischen die Beine. Dort fährt ihm die Klinge von unten in den Leib, ganz ohne Halt, und de Tovar hält den Griff jetzt mit beiden Händen fest und stößt noch einmal mit kurzem Ruck nach. Tináz bleibt stehen, staunend und ohne jeden Laut. Dann, ganz langsam, fällt ihm zuerst sein Schwert aus der Hand, dann sein Stilett. Er reißt noch einmal sein Maul auf, und schwarzes Blut rinnt heraus. Dann verdreht er schrecklich die Augen und fällt zur Seite. Jago ist aufgesprungen, setzt einen Fuß auf das Bein des Capitan und zieht seine Klinge aus dem Leib des Tináz. Der stöhnt ein letztes Mal, und dabei zucken seine Beine noch einmal. Schwer atmend, triefend vor Schweiß, bleibt de Tovar stehen und schaut lange auf den Toten.

Keiner von uns spricht ein Wort, und niemand wagt einen Laut. Erst jetzt höre ich wieder die vielen Geräusche des Waldes. Es ist der Conde, der zuerst spricht.

»Santiago, Jago de Tovar! Santiago! Tinaz' Ehre bleibt ihm nun auf ewig. Nehmt sein Schwert und ab sofort seinen Rang ein, Capitan general Jago de Tovar …«

Jago schiebt sein Schwert zurück in die Scheide.

»Ich erwarte von Euch denselben Einsatz, wie ihn mir Tináz einst schwor. Denkt an all die Schätze, die in diesem Land auf uns warten. Wir werden sie finden, so wie wir meinen Vetter finden werden!«

De Tovar nickt wie in Gedanken. Die Spannung der Männer legt sich. Schweigend machen wir uns bereit, weiterzumarschieren, und keiner macht Anstalten, Tináz zu beerdigen. Warum auch? Es macht zu viel Mühe, und alles, was hier so auf der Erde kreucht, wird ihn in weniger als einem Tag aufgefressen haben.

So marschieren wir weiter.

Nur »el Fraga« bleibt stehen, bis der letzte Mann an ihm vorbei ist. Ich habe ein paar Schritte zurück gemacht und finde die Pistolese am Boden. Die geb ich dem Capitan, und er steckt seine Waffe in seinen Gürtel zurück, ohne mich anzusehen. Dann nimmt er das Schwert von Tináz, schiebt es in seinen Gürtel. Jetzt erst wischt er seine eigene Klinge an einem Baumstamm, welcher voll grünem Moos, sauber.

Und dann folgt er den Männern.

Ich bleibe stehen und sehe mit einem seltsamen Gefühl zurück auf den Leichnam von Tináz. Ich glaube, noch immer seine Stimme zu hören, die vor Wut laut und weithin zu hören war. Seltsam wohl, aber jetzt weiß ich, ein wenig werde ich es vermissen, nie mehr sein ewig gerötetes, immer grimmiges Gesicht zu sehen. Bei allem Zorn und allem Hass auf den Leuteschinder, er war ein Stück Erinnerung und damit ein wenig Erinnerung an die Heimat. Ich muss die ganze Zeit an das Stilett denken, das Tináz immer trug. Ich wende mich um und laufe zurück. Aber so sehr ich auch den Boden absuche, ich kann es nirgends finden.

Wir sind seit dem Kampf der beiden Offiziere endlos lange marschiert, und den ganzen Tag über haben wir noch nichts gegessen. Schon so lange hat keiner von uns seinen Wanst mehr mit etwas gefüllt, das mundet oder gar satt macht. Längst bücken wir uns nach allem, was Nahrung sein könnte: Wurzeln, Flechten, Blätter, allerlei Kraut, ja sogar die Rinde von manchen Bäumen. Wir würden auch Ratten oder Mäuse fangen und verschlingen, wenn es nur welche gäbe. Aber hier ist nichts, was sich bewegt. Manchmal erschlagen die *compañeros* eine Schlange, und dann stürzen sich dreißig Männer mit hungrigem Bauch auf das Gewürm. Wir warten oft nicht, bis das Fleisch auf einem kleinen Feuer gar ist, sondern reißen halbrohe Stücke herunter. Trotzdem sind wir so müde und hungrig, dass ich nicht einmal etwas über den Geschmack dieser Kreaturen zu sagen weiß. Ich weiß nur, sie füllen den Magen und töten den bösen Schmerz in den Eingeweiden ein wenig, und solch eine halbrohe Schlange bereitet uns längst keinen Ekel mehr. Wir hätten sogar unsere Waffen gefressen, wenn dies möglich wäre. Einige *tercios* haben längst angefangen, lederne Stücke von ihren Gürteln oder Riemen abzuschneiden und zu fressen, so groß ist ihr Hunger. Nur die beiden gefangenen Indios scheinen ohne Nahrung auszukommen. Wahrscheinlich sind sie doch keine Menschen.

Nun erreichen wir eine kleine Lichtung. Ich nenne deshalb jene Stelle im Wald so, weil vielleicht ein Sturm oder gar ein Blitz vor langer Zeit hier große Bäume niedergerissen hat. Jetzt wachsen hier wohl wieder Bäume, aber sie sind viel kleiner als die Riesen ringsum. Der Conde gibt den Befehl, hier zu halten. Alle *compañeros* fallen dort, wo sie stehen, zu Boden und bleiben müde liegen. Jeder will schlafen, aber dazu sind wir zu erschöpft. So atmen wir nur schwer und hoffen, dass jenes heftige Herzklopfen ein wenig ruhiger wird und der Schmerz in den Eingeweiden uns nicht zu sehr quält.

Agustín steht an einen Baum gelehnt und starrt auf das grüne Meer vor sich. Er, der den Wald nicht mag. Es könnte mir gleichgültig sein, aber es verwundert mich doch. Ich erhebe mich und gehe zu ihm, obwohl ich lieber weiterhin auf der Erde liegen bleiben möchte, um die Augen zu schließen und an nichts mehr zu denken.

»Was siehst du da?«, frage ich ihn.

Er wendet sich nicht um, aber ich sehe, wie er zittert und sich an seinem Spieß festhält, obwohl doch sein Leib an dem Baum lehnt.

»Bin müde, Luis, so müde.«

»Sind wir doch alle.«

»Hab solchen Hunger.«

»Weiß ich wohl. Meine Faust ist größer als mein Wanst.«

Ich sage nichts mehr, sondern atme nur schwer. Wenn er mich an den Hunger erinnert, kommt das nagende Gefühl in meinen Eingeweiden sogleich zurück, und dann wird mir übel. Wo ich doch längst hoffte, vergessen zu haben, wie Hunger schmerzt.

»Ich träume von Essen und Trinken«, sag ich auf einmal.

»Ich auch«, sagt er.

»Bei jedem Schritt«, sage ich.

»Ich auch«, sagt er, »aber …«

Er greift mit seinen schmutzigen Fingern in seinen Mund und hält mir einen schwarzen Zahn hin, den er sich ganz ohne Mühe aus dem Mund gepflückt hat. Als ich sein offenes Maul sehe, kann ich keine weiteren Zähne mehr darin entdecken.

»Ich verlier mit jedem Tag einen. Kann sie rausnehmen aus dem Fleisch, ganz ohne Pein.«

Mich schaudert. Ich weiß von dem Leiden, das alle Seefahrer befällt. Hab Männer gesehen, die bei lebendigem Leib verfaulten. Auch ich hab schon zwei Zähne eingebüßt, aber noch hab ich ein paar. Diese Krankheit vergeht wieder, wenn man an Land ist und isst und trinkt. Aber hier ist nichts zu essen und zu trinken. Ich stehe neben ihm und sehe ihn nicht mehr an. Stattdessen starre ich, wie er, in den Wald.

»Umkehren, zurück zur Küste«, sage ich so leise, das nur er es hören kann.

»Halt dein Maul, der Conde will dies nicht hören.«

»Weiß ich, aber das ist mir gleich. Dies ist die Hölle.«

»Der Conde glaubt, die Santa Luìsa zu finden.«

»Soll er dies glauben, aber ich sage dir, selbst wenn wir sie finden, wird's uns nicht besser gehen.«

»Woher willst du dies wissen?«

»Wenn wir schon hungern, haben die *compañeros* auf der Santa Luìsa nicht mehr als wir«, sage ich.

Daraufhin sagt er nichts mehr. Wohl weiß er, wie Recht ich habe. Das Schiff war mit Verpflegung aus der Heimat beladen, aber das ist so lange her, dass davon längst nichts mehr übrig sein kann. Er wendet sich zu mir. Nun erschrecke ich doch ein wenig bei seinem Anblick. Seine Augen liegen ganz tief in ihren Höhlen, und er stiert mich an, den Blick leer und müde. Er sieht so alt aus wie ein Greis. Dazu starrt er wie wir alle hier vor Schmutz. Ich geb ihm ein Stück Rinde, die süßlich schmeckt und dabei ein Brennen auf der Zunge tut, als wär's von frischem roten Pfeffer. Aber er will dies nicht.

»Ich will noch einmal in meinem Leben richtig fressen. Hörst du, Luis? Und dies, bevor ich den letzten Zahn einbüße, den letzten, Luis.«

Mir will kein rechtes Wort darauf einfallen, aber was er sagt, denken wohl alle *compañeros*, auch die Offiziere. Nur der Conde nicht. Niemand sieht ihn etwas beißen, und doch wirkt er auf uns alle frisch und gesund.

*E*s ist eine Stimme, die mich mitten in der Nacht weckt. Bin sehr ungehalten darüber. Ist schwer genug, in all dem Lärm und der ständigen Nässe ringsum ein wenig zu schlafen. Und ist es dann endlich geschehen, dann weckt dich der Regen oder irgendwelches Gewürm, welches unter Wanst und Beinkleid kriecht und das man in der Finsternis nur spürt, aber nicht sieht. Aber diesmal weckt mich einer von den *compañeros*.

»Madre mio, was ist?«, frage ich.

»Auf!«

Jetzt erkenne ich die Stimme. Es ist Götz, der Deutsche.

»Was ist los?«

Sogleich beginnt der dumpfe Schmerz in meinem Wanst, und der Hunger erinnert mich an unser Schicksal.

»Agustín …«, sagt Götz.

Ich setze mich auf. Wie alle habe ich mich trotz der Hitze in ein Stück Tuch eingewickelt, als Schutz vor dem, was auf Erden herumkreucht und böse ist wie die Sünde.

»Was ist mit ihm?«, frage ich leise.

Es ist stockfinster, und ich kann Götz nicht sehen, aber ich rieche ihn, denn er stinkt wie wir alle. Jago de Tovar hat ein Licht entzünden lassen. Agustín hätte Wache gehabt, aber er ist nicht auf seinem Platz. Ich stolpere zu ihm. Er liegt auf dem Rücken, dort, wo er Wache halten sollte. Sein Atem geht leise und schwach. Die *compañeros* sind alle wach. Sie stehen oder knien herum, und alle starren mich in dem fahlen Licht der kleinen Fackel an. Wir sehen alle aus wie böse Gespenster, mit langem, verdrecktem Haar, die Bärte verfilzt und lang bis über die Krägen, müde und schmutzig, alle so schmutzig.

»Agustín?«

Ich knie neben ihm nieder.

»Luis …?«

»Ja … bin hier«, sage ich.

»Luis …«

Er sucht nach meiner Hand, und als er sie gefunden, hält er sie fest. Ich bin darüber ein wenig verwundert, denn solcherlei Vertrautheit passt nicht zu ihm.

»Luis …«

Er flüstert, und ich kann ihn kaum hören. Jetzt zieht er an mir, und ich beuge mich über ihn. Seine Stimme ist schwach.

»Luis … mein … Freund.«

»Ja … sprich. Was ist dir?«

»Muss sterben, Luis.«

Er drückt meine Hand, aber dies ohne Kraft. Mir wird Angst. Er spricht langsam weiter.

»Dort im Wald … der Tod.«

»Agustín …«

»Hab ihn gesehen …«

»Agustín!«

»Es … ist der Mundlose!«

»Das ist der Hunger, Agustín. Du hast nur Hunger«, sage ich, und darauf schweigt er still.

»Will dich bitten um einen Dienst«, sagt er nach einer Weile.

»Ja«, sage ich, »sprich.«

»Wenn ich sterbe, lass mich nicht hier liegen, hörst du? Sonst frisst mich all dieses Gewürm auf. Versprich mir, mich zu begraben.«

»Ja … ich versprech's …«

»Dann bete für mich, Luis. Ich bitte dich darum.«

Seine Stimme wird immer leiser, und sein Atem immer schwächer. Der Druck seiner Hand lässt nach. Ich fahre hoch und schaue um mich.

»Essen, er muss etwas essen, *compadres*.«

Niemand antwortet mir. Nur der Deutsche schüttelt den Kopf. Als ich mich wieder zu Agustín niederbeuge, atmet er nicht mehr. Ganz langsam und vorsichtig lasse ich seine Hand los und seh ihn an. Da bekreuzigen sich die *compañeros* stumm und rücken von ihm weg. Niemand will neben einem toten Mann schlafen.

Und so begrabe ich seinen Leichnam, leg ihm sein Schwert und seinen eisernen Panzer dazu. Der Mönch murmelt ein Gebet. Ich bete mit ihm für Agustín, den katalanischen *tercio,* der nur fluchen und nicht richtig pissen konnte und der ausspie wie ein kranker Esel.

Seit dem Tod von Agustín sind Furcht und seltsames Grauen zu spüren. Die *compañeros* schleppen sich weiter durch den Wald. Wie im Fieber murmeln manche Gebete vor sich hin, andere sprechen gar nichts oder brechen plötzlich in ein seltsames lautes Lachen aus, das mich erschreckt, weil es nicht zu alldem passen will, was uns so quält. Der Conde ist einsilbig und spricht wenig. Immer wenn wir auf eine Stelle im Wald treffen, die etwas lichter ist, lassen sich die Männer dort zu Boden fallen, wo sie gerade stehen. Die Capitanos geben keine Befehle mehr. Wer noch stehen kann, sucht mit gierigen Händen ihn dem Grün ringsum, ob sich etwas davon essen lässt. Längst haben die Männer einen Blick für den Boden. Dort, wo unbekannte Tiere die Erde aufgegraben haben, graben sie auch. Manchmal finden sie lange Wurzeln, die innen weiß und saftig sind. Sie schmecken nach gar nichts, füllen aber den Magen. Aber oft ist es gerade so viel, das jeder Mann zwei drei Bissen erhält. Aber sie haben gelernt. In den langen Lianen befindet sich frisches Wasser. Sie zu erreichen, ist die größte Schwierigkeit. Aber einmal aufgeschlagen, enthält so ein Strang viel Wasser. Es ist sauber und klar.

*E*rneut ist die Dämmerung hereingebrochen. Wir merken es, weil das Licht im Wald von der heißen Helligkeit verliert und dunstig wird. Die Stunde der Waldgeister, hat »el Fraga« einmal gesagt. Nicht laut, aber laut genug, um von den Umstehenden verstanden zu werden. Der Mönch sagte, dies sei Sünde, solcherlei zu behaupten, und verlangte Worte der Sühne. Aber Jago de Tovar macht sich nichts aus den Vorhaltungen des Mönches, so wie sich der Capitan um keine Drohung etwas schert. Denn er ist sein eigener Herr, und er macht derlei Unbill mit unserem Schöpfer selbst aus. Das weiß von uns jeder. Ich war den ganzen Tag in Gedanken. Musste an Agustín denken und an unseren Marsch hier durch diese Hölle. Immer wenn ich an den *compañero* zurückdenke, wird mir seltsam zu Mute. Fast glaube ich, weinen zu müssen. Aber ein *tercio* ist doch ein *tercio*!
»Waldgeister!«
Jago lacht dabei so laut, dass der Mönch sich eilig bekreuzigt.
»Die Indios nennen diese Zeit des Tages so. Es ist der Moment der Geister!«

Jago deutet mit der Hand in den Dunst. Ich muss gestehen, man sieht allerlei, wenn man die Augen anstrengt und dazu so müde ist und so hungrig wie ein jeder von uns. Meint er dies? Aber auch de Tovar ist müde, so wie wir alle. Ich sehe, wie die Männer zu Boden sinken, jeder da, wo er gerade steht. Das ist gefährlich, denn allerlei Getier, das uns nur Arges will, kreucht auf der Erde herum. Aber längst schert sich keiner der *compañeros* mehr darum. Uns hat alle eine seltsame Art der Müdigkeit befallen, die uns unachtsam und träge werden lässt. Der Dunst in dem feuchtheißen Wald wird immer dichter und schwerer. Ich weiß, es wird nicht mehr lange dauern, dann wird es wieder finster. Der Capitan befiehlt zwei *compañeros*, ein Feuer zu machen. Das ist in der Feuchtigkeit schwierig, aber nur so ist es hell genug, dass wir einander sehen können. Wenn die Nacht kommt und kein Feuer brennt, sind wir in eine abgrundtiefe Dunkelheit getaucht und die fürchtet jeder.

Zwei Männer halten Wache.

Als das Feuer endlich brennt, befiehlt der Conde plötzlich, den Indio aufrecht an einen Baum zu binden. Das Weib lässt er nicht binden, sondern er befiehlt zwei *compañeros*, sie auf den Boden zu legen und sie dort festzuhalten. Die Männer tun dies. Sie lachen dabei, wissen sie doch gleich, was nun geschieht. Der Conde wendet sich an uns.

»Für einen Mann darf ein klein wenig Zerstreuung keine Sünde sein.«

Die übrigen Männer murmeln zustimmend.

»Ay, *tercios*, ich bin mir sicher, bald am Ziel zu sein. Dazu muss dieser Heide aber reden. Seit Tagen will er uns weismachen, unser Ziel, jenes Land, stehe kurz bevor. Jene Erde, aus der man allerlei Schätze holt. Sagte ich nicht, dass er reden wird? Passt auf, wie er dies gleich tun wird und gar nicht mehr aufhören will …«

Er sieht zuerst uns und dann dem Indio ins Gesicht. Dann nimmt er sein Schwert ab und lehnt es an einen Baum. Er beginnt an seinem Beinkleid zu schaffen, so als wolle er in die Dunkelheit hineinpissen. Aber ich weiß, was er vorhat. Die Männer wissen es auch. Sie beginnen zu lachen und leise Scherze zu machen. Keine Zoten wider den Conde, denn dies duldet er nicht. Nur Jago de Tovar bleibt still. Der Mönch aber hebt beide Arme in die Höhe und spricht.

»Exzellenz, was immer Ihr vorhabt, ich bitte Euch, haltet ein.«

»Was glaubt Ihr, was ich vorhabe?«, fragt der Conde und lacht dabei.

»Herr, versündigt Euch nicht an einem Heidenkind«, sagt der Mönch.

»Ihr Pfaffen! Immer habt Ihr Angst um das Seelenheil der Menschen. Aber es hindert Euch nicht, es genauso zu tun.«

»Aber … Exzellenz …«, sagt der Priester, und er murmelt leise vor sich hin, ohne weiterzusprechen.

Die Männer lachen.

»Glaubt Ihr, nur weil Ihr einen Rock tragt, seid Ihr ohne dem, was wir Wollust und geil nennen?«, fragt der Conde und greift sich mit der Hand in sein Beinkleid. »Ihr seid genauso hungrig nach warmem Fleisch wie ein richtiger Kerl. Nur ist es euch Pfaffen gleich, *welches* Fleisch dies sei …«

Da gröhlen die Männer und lachen bei diesen Worten des Conde. Der Mönch atmet schwer, und ein jeder sieht, wie er nach Worten sucht und ihm keine mehr einfallen wollen.

»Hört zu! Werd diese Katze da erst besteigen, und dann könnt Ihr sie ja taufen. Denn für diese Pflicht seid Ihr hier, Bruder!«, lacht der Conde und tritt näher an das Weib heran.

Die junge Indiofrau wehrt sich. Sie strampelt mit den bloßen Beinen. Mit aller Kraft versucht sie, sich aus dem Griff der Männer zu befreien. Auch der Indio dort am Baum zerrt an seinen Fesseln. Dazu stößt er Laute aus wie ein toller Hund, der gleich angreift und seine Zähne in Arm und Bein schlagen will. Ein weiterer *compañero* tritt hinzu, kniet bei der Frau nieder und hält ihre braunen Schenkel fest. Der Conde steht nahe vor dem jungen Weib.

»Erst nehme ich mir meinen Teil. Dann darf es mir jeder von euch gleichtun.«

Die Männer antworten mit heiseren Stimmen. Noch immer hat er seine Hand in der breiten Spalte seines Beinkleids.

»Aber Ihr, Bruder Bernabé, segnet jeden Mann, der sich nimmt, was eines Conquistadors würdig!«, befiehlt er.

Als er dies gesagt, schreien und johlen die Männer durcheinander und umdrängen das Weib, das da am Boden liegt und zu schreien begonnen hat. Die Müdigkeit ringsum scheint wie weggeblasen. Ich fühle mein Herz pochen, aber nicht, weil sich mein Schwanz jetzt voll Freude regt, mittun zu dürfen bei dem, was der Conde uns allen soeben erlaubt, sondern weil ich dies nicht will. Ich will gar nicht, das einer der Frau so beikommt und sie so beschläft. Ich will nicht, dass ihr einer der stinkenden, schmutzbedeckten und geilen Kerle zu nahe kommt. Niemand darf das. Nicht einmal der Conde! Nein, nicht einmal er …

»Vade retro, Satanas!«, donnert der Mönch plötzlich laut, »Denn es ist Satanas, der Euren Geist verwirrt.«

Seine Stimme ist so laut, dass die Männer plötzlich einhalten und schweigen. Der Mönch hat seine Bibel hochgehoben und hält sie dem Conde und dann uns allen entgegen. Wird der Conde sich derlei Worte von einem Mann des Heils sagen lassen? Ich sehe, wie sein Mund zuckt, so als beherrsche er einen großen Zorn. Ich weiß, was nun kommen wird. Er wird toben vor Wut. Immer wenn der Conde dies getan, musste ein Mann dafür büßen. Aber jetzt sagt er nichts, sondern blickt nur lange auf den frommen Bruder.

»Pfaffe! Ihr folgtet uns in dieses Land, und Ihr folgtet einer Order. Dies muss ich Euch nicht erklären. Alles andere überlasst mir, denn dies ist eine Mission, jetzt die meine, und die Männer folgen mir. Mir allein! Jeder, der die Hand oder das Wort gegen mich erhebt, ist ein Meuterer, und ich werde mit Meuterern nicht sprechen, sondern sie sterben durch meine Hand. Habt Ihr mich verstanden, Pfaffe?«

Der Bruder bleibt die Antwort schuldig, denn da beginnt die Frau am Boden dort auf einmal zu weinen. Sie weint wie ein Kind noch, das nicht mittun will bei dem, was ihm getan werden soll. Ich schüttle mich, als wär mir kalt geworden. Dieses Weinen dort dauert mich zutiefst. Ich weiß nicht, warum, und weiß kein Wort dafür. Das Pochen in meiner Brust ist immer schneller geworden, und ich höre ein Brausen in meinem Schädel, dass ich meine, er wird mir jeden Moment zerspringen. Der Conde wendet sich um, stößt einen der Männer am Boden grob zur Seite und kniet nieder, direkt vor den gespreizten Beinen des Mädchens. Jetzt zieht er sein Geschlecht hervor, das mir in seiner schmutzigen Hand böse und drohend erscheint.

Neben mir steht Gaitan. Er trägt zwei Faustrohre, und ich kann mit einem solchen Faustrohr schießen. Weiß, wie es ist. Der Schuss schallt laut, sehr laut. Noch auf eine Entfernung von fünf Schritt tötet er ein Pferd. Der Stoß, den das eiserne Rohr bei solch einem Schuss macht, wird mir das Eisen beinahe aus der Hand schlagen. All dies weiß ich, und es ist mir einerlei. Ich weiß, eines der Eisen ist mit grobem Schrot geladen. Das nehme ich, und ich weiß nicht, wie, aber auf einmal habe ich auch eine glimmende Lunte zur Hand.

»Gemach, Exzellenz, gemach. Lasst das Weib, ich bitt Euch sehr … «

Mich wundert, wie fest meine Stimme ist. Nur mit den Worten will es nicht recht gut sein. Es fallen mir zu viele davon ein.

Böse Worte, Worte voller Hass auf den Conde und all dies hier. Aber ich sage sie nicht, denn jedes Wort will zugleich heraus aus meinem Mund, und keines macht den Anfang.

Er aber hält inne und hebt leicht den Kopf. Ich sehe im Feuerschein, wie sehr er schwitzt. Aber er dreht sich nicht nach mir um.

»Wer wagt es …?«, fragt er.

Seine Stimme klingt drohend. Alle sehen auf mich, und ich hebe das Faustrohr. Werde den Arm nicht lange ruhig halten können, um sicher zu zielen. So beginnt er mir zu zittern und bald auch die Hand. Nicht aus Angst, keineswegs! Es ist nur das schwere Eisen, nichts weiter! Nur das schwere Eisen! Aber einerlei, auf diese Entfernung werde ich sicher treffen. Die *compañeros* weichen zurück, einige mit Entsetzen in ihren schmutzigen Gesichtern. Meine linke Hand hält die Lunte, nah, ganz nah an das schwarze Pulver. Auch sie zittert. Jetzt dreht er den Kopf und sieht mich an.

Madre mio, welch ein Blick!

Wenn er mich jetzt allein mit diesem Blick tötet, will mich dies nicht wundern. Trotz des schwachen Lichts ringsum seh ich in sein Antlitz. Es ist weiß vor Wut.

»Du hebst die Hand gegen einen aus dem Geschlecht der Molinar?«

»Ich bitt Euch nur, lasst das Weib«, sage ich.

»Ich bin dein Capitan admiral«, sagt er.

»Bitt Euch, Herr. Ich bitt Euch sehr, lasst sie …«

»Meuterei, das ist Meuterei.«

Der Conde sagt dies leise, er flüstert fast, und doch kann es jeder hören.

»Meuterei … Nenn mir deinen Namen!«, befiehlt er mir.

Mich wundert dies erst, kennt er mich doch genau. Trotzdem antworte ich ihm.

»Luis Vargas, Exzellenz«, sage ich und bin stolz dabei.

Er steht langsam auf. Während er mich ansieht, stopft er sich sein Gemächt in sein Beinkleid, ohne mich aus den Augen zu lassen. Dann zuckt sein Mund, und ich denke, jetzt schreit und tobt er los, so wie immer vorher in all der Zeit. Aber er schweigt. Einmal meine ich, etwas zu sehen, was ein böses Lächeln sein kann, aber ich bin mir nicht sicher. Bin mir noch nicht einmal sicher, dass ich es bin, der hier steht und dem Conde Enrique de Molinar ein Faustrohr entgegenhält, gefüllt mit gehacktem Blei.

»Lasst sie los!«, befiehlt er.

Die Männer tun es. Das Weib schluchzt und verkriecht sich mit einem leisen Laut in dem feuchten Grün. Dann ist es still ringsum. Nur das Knacken des nassen Holzes dort vom Feuer ist zu hören.

»Luis Vargas, du zielst also mit einem Faustrohr nach mir, dem Conde Enrique Garcia de Molinar, stellvertretender Capitan admiral meines Vetters, Ricardo de Molinar, in dieser Mission Seiner Majestät des Königs von Spanien? Tust du das wirklich? Dann höre, was ich dir sage, Luis Vargas: Dafür wirst du bezahlen. Aber nicht jetzt, sondern wenn Zeit und Ort dafür gekommen sind. Dann wirst du alle Heiligen des Himmels um Gnade anflehen bei dem, was dir dann blüht.«

Mich schaudert bei diesen Worten, und für einen Moment denke ich: Was habe ich getan? Der Conde sieht sich um und ruft.

»Ihr alle werdet Zeuge sein, wenn ich mit ihm abrechne! Damit Ihr seht, wie es jedem Spanier ergeht, der seinen Conde und seinen König verrät!«

Er geht an mir vorbei, so als wäre ich gar nicht da. Der Mönch tritt zu mir und macht ein Kreuzzeichen, mehr nicht. Die übrigen *compañeros* wenden sich ab. Sie senken ihre Köpfe, und keiner sieht mich an. Nur Jago de Tovar tritt an mich heran und raunt mir zu.

»Du weißt, du bist des Todes. Trotzdem, ich werde ihm vorschlagen, dich auf Ehre zu fordern. Mehr kann ich für dich nicht mehr tun, Luis, du Teufelskerl.«

Er geht an mir vorbei, und es ist mir ein klein wenig wohl, dass er dies gesagt. Auf Ehre, hat Jago gesagt. Ich muss fast lachen bei solcher Farce. Der Conde ist ein Meister mit dem Schwert! Er liebte es, sich während unseres langen Wartens an der Küste mit uns *tercios* zu schlagen. Ich habe es nie gewagt, weil mir beim ersten Kampf, den ich sah, klar war, das ich keine zwei Augenblicke bestehen kann. Der Conde kann gegen zwei Männer gleichzeitig kämpfen, und dies ohne Tadel. Er braucht dazu nur ein Schwert und eine Dagasse oder ein Stilett. Pietro hat er mit seinem Degen einen Stoß in den Arm versetzt, so tief, dass er steif blieb. Ich weiß, bei diesem Kampf werde ich nicht lange am Leben bleiben. Aber, so hoffe ich, wohl lange genug, dass jeder meiner *compañeros* sieht, Luis Vargas behielt bis zuletzt seine Ehre. Ich hoffe, dass mir so viel Zeit bleibt. Ich senke das schwere Faustrohr und will die Lunte löschen. Ich halte sie vors Gesicht, um den glühenden Hanf anzuspucken, da meine ich, zwei Augen in dem Gesträuch zu sehen. Es ist das wilde Indiomädchen, und sie beobachtet mich. Ich starre noch einmal in ihre Richtung, und als ich ihre Augen sehe, versuche ich, ein klein wenig zu lächeln. Da meine ich, sie tut dasselbe. Das Brausen in meinem Kopf ist vorüber, und ich sinke langsam in die Knie und lass dabei das Faustrohr neben mich fallen, und mit der Faust umschließe ich die immer noch glühende Lunte. Es ist nur ein kleiner Schmerz, und er ist gleich wieder vorbei. Als ich noch einmal aufblicke, ist das Gebüsch vor mir dunkel. Die Augen des Mädchens sind verschwunden. Ich weiß, ich werde durch die Hand des Conde sterben, das ist gewiss.

Madonna, und alles wegen dieses Weibes.

Wann das Unglück mit Bruder Bernabé geschah, weiß ich nicht mehr zu sagen. Ich weiß nur, dass wir aus dem Wald heraus plötzlich mit Pfeilen beschossen wurden. »El Fraga« rief uns, wir sollten uns Schutz und Deckung suchen, denn diese Pfeile sind in ein Gift getaucht, das einen Mann schneller tötet, als ein Dutzend Atemzüge dauern und was ist dies für ein schrecklicher Tod! Es sind Wilde, Indios, wohl die Gefährten desjenigen, den wir mit uns führen. Sie greifen uns aus dem dichten Wald heraus an, und sie treffen gut. Nur weil alle von uns einen Panzer tragen, kann keinem von uns solch ein Pfeilschuss etwas anhaben. Wer keinen Brustpanzer oder eisernen Harnisch vor der Brust trägt, schützt sich den Leib in mannigfaltiger Weise. Die Offiziere haben schon vorzeiten ihre feinen Röcke in Salzwasser gelegt und dann in der Sonne trocknen lassen. Das haben sie so viele Male gemacht, bis das Salz den Stoff hart gemacht hat. Kein Pfeil der Indios vermag ein solcherlei behandeltes Wams zu durchdringen, was wohl eine Kugel leicht vermag. Auch mein Wams ist längst so beschaffen.

So ward Pater Bernabé von einem Giftpfeil verletzt. Der Pfeil ging ihm durch die Hand, an der Stelle, wo die Schergen einst unseren allerliebsten Herrn Jesu Christi ans Kreuz genagelt. Wir haben mit den Arkebusen zwei Schuss in den Wald hineingeschossen. Da flohen die Indios aus lauter Angst vor dem Lärm, den solch eine Büchse macht. Aber aus dem Wald, der ihnen Schutz bietet, greifen sie uns immer wieder an. Den Gefangenen haben sie befreit. Bald verschwinden sie wieder im Wald, und es ist still.

Die Wunde an der Hand des Mönches haben wir mit einem glühenden Messer ausgebrannt. Dann wurde menschliches Fett von einem toten Ketzer darauf geschmiert. Aber vergeblich, Bruder Bernabé starb nach der zehnten Stunde an dem Pfeilgift, weil es sein Blut gerinnen ließ. Ich weiß nicht recht, ob dies stimmt, aber ich habe gesehen, wie der Mönch starb, und bei Gott dem Allmächtigen, es war ein sehr schwerer Tod. Friede seiner Seele! Dies sage ich in der Hoffnung, nicht der Nächste zu sein und niemals so zu enden wie der fromme Bruder.

Als wir den Mönch unter einem Gesträuch rasch verscharrt haben, folgen wir einem Pfad, der wohl von den Indios bei ihrem Rückzug benutzt wurde. Jago de Tovar glaubt, die Heiden müssten hier in der Nähe leben. Götz und Capitan Ramón denken dies wohl auch.

Vielleicht hausen die Wilden in einem Dorf? Wir hoffen, dies zu finden, und sollte es der Fall sein, würde der Conde einen Angriff befehlen. Die Indios fürchten unsere Feuerwaffen und unsere Schwerter. Auch wenn sie uns an Zahl überlegen, können wir sie angreifen, den der Herr ist mit uns, und diese Wilden sind nur Heiden. So hat es der Conde gesagt. Obwohl ich ihn fürchte und ihn hasse, muss ich ihm dies glauben, denn wenn uns dieses Gefecht nicht gelingt, sind wir alle verloren. Finden wir auch die Behausungen dieser Wilden nicht, sind wir gleichfalls des Todes. Denn dann werden wir alle verhungern. So raffen wir uns noch einmal auf. Der Conde befiehlt jedem von uns, alles Wasser zu trinken und alles zurückzulassen, was uns bei einem raschen Marsch behindern könnte. Wir tun dies, denn wir wissen alle, dass, was immer nun geschieht, es um unser Leben geht.

Der Angriff beginnt wie ein plötzlicher Regenguss.

Aber nicht wir eröffnen den Kampf, sondern die Wilden! Madonna, ich sehe nur Pfeile und lange dünne Speere! Sie treffen die *compañeros* überall. Immer wenn das Geräusch der prasselnden Hölzer etwas nachlässt, liegt wieder ein Kamerad mit seltsam verrenkten Gliedmaßen umher. Capitan

Ramón fällt als einer der Ersten. Mindestens ein Dutzend langer Pfeile stecken ihm in seinem Bauch, dort, wo er kein Eisen mehr trägt. Als ich mich hinter einem Baum verschanze, höre ich Jago de Tovar schreien. Ein Pfeil, zweimal so lang wie mein Arm, ist ihm dort ins Bein gefahren, wo sich sein Knie befindet. Die Spitze ist durch sein hageres Fleisch gedrungen und schaut auf der anderen Seite wieder heraus. An der Stelle ist sein Beinkleid aufgeschlitzt und alles, Haut und Stoff, alles ist rot vor Blut. Aber ein Mann wie Jago de Tovar, ein Capitan general wie er, stürzt nicht, niemals.

»In der Hölle sollt ihr schmoren, ihr Hurensöhne!«, höre ich ihn schreien.

Er hat sich an einen Baum gelehnt und versucht, eine Armbrust zu heben. Ich kauere hinter einem Baumstamm nicht weit von ihm, welcher umgestürzt liegt und mir und Götz, der plötzlich neben mir ist, Deckung verschafft.

Bei allen Heiligen, welch ein Geschrei!

Der Wald scheint voller Indios zu sein. Unsere Arkebusen nutzen uns nichts mehr, denn wir haben längst zu wenig Kugeln. Dazu ist das Pulver nass und zündet nicht mehr. Die Indios stürzen aus dem Grün ringsumher wie Fabelwesen und lärmen dabei auf kleinen Pfeifen, die aus Knochen gemacht. Der Lärm ist grauenvoll. Ich schlottere auf einmal vor Angst, und dafür schäme ich mich nicht. Götz ist neben mir in die Knie gegangen. Er hebt seine Armbrust und will schießen, aber diese Teufel sind kein leichtes Ziel. Sie springen aus dem Urwald, als gäbe es keine Dornen mit scharfen Haken daran, kein Gestrüpp mit Stacheln so lang wie ein Finger, keinen einzigen dieser verfluchten Grashalme, die wie scharfe Klingen Stoff, und auch Leder aufschlitzen können. Dies sind alles Dämonen in Menschengestalt, und sie bewegen sich so schnell, dass kein Schütze sie trifft.

»Kommt her, stellt Euch!«

Es ist Jago, der solche Worte brüllt.

Ein zweiter Pfeil geht ihm durch seine linke Hand. Da schreit er auf, vor Wut und vor Schmerz und lässt die Armbrust fallen. Ein wahrer Hagel an Pfeilen deckt uns alle ein. Unsere Gebete wurden nicht erhört. Gott ist nicht länger mit uns. Ich sehe zwei *tercios* fallen, von unzähligen Pfeilen getroffen, und sofort sind die Wilden über ihnen. Aber ich sehe nicht, was mit ihnen weiter geschieht, denn es geht alles zu schnell. Doch viele *compañeros* haben Treffer in Armen und Beinen erhalten.

Der Conde brüllt laut, und seine Stimme ist schrill vor Wut.

»So wehrt Euch doch! Erschlagt diese Hunde! Erschlagt sie alle!«

Wir sind ihnen an Zahl weit unterlegen, und hier im Wald ist der Ort, wo sie zu kämpfen gewöhnt sind. Unsere Spieße und Hellebarden und unsere wenigen Armbrüste nutzen uns hier nichts. Spanier sind wir, wohl *tercios*, die besten Fußsoldaten der Welt, gefürchtet auf allen Schlachtfeldern in der Heimat, aber hier sind wir schwach und müde vor Hunger und Entbehrung. Hier sind wir nichts, und so zittere ich am ganzen Leib. Götz wirft mir seine Armbrust vor die Füße.

»Spann, Hasenfuß, spann an!«

Da sehe ich, dass auch ihm ein Pfeil durch den Arm gefahren ist. Dabei trägt Götz noch seinen Eisenpanzer. Trotzdem hat ihm ein Wilder das Holz genau zwischen Arm und Schulter geschossen, wo nichts seinen Leib schützt. Woher weiß der Schütze das? Einerlei, diese Hurensöhne schießen, als wären sie auf einem Turnier. Ich greife die Armbrust und trete in den Spann. Mit der Kurbel drehe ich die Sehne, bis sie gespannt ist. Götz wirft mir mit seiner noch gesunden Hand einige Bolzen vor die Füße, und ich lege einen davon auf. Muss mich zwingen, meine Hände ruhig zu halten. Jetzt kauere ich neben ihm und will ihm die Waffe reichen. Aber er schüttelt den Kopf.

»Schieß du«, sagt er und stöhnt.

Ein zweiter Pfeil hat ihn in sein Knie getroffen. Er kann das Bein nicht mehr bewegen, denn die Spitze hat sich durch den Knochen gebohrt. Götz versucht, mit beiden Händen das Holz herauszuziehen. Es gelingt ihm aber nicht, und er knirscht laut mit den Zähnen vor Schmerz.

»Schieß, schieß … halt sie uns vom Leib!«

Ich raffe mich auf und lege die Armbrust an. Die Wilden aber kämpfen noch immer.

»Schieß, in Christi Namen, schieß!«

Ich weiß nicht, wohin ich zielen soll.

»So schieß doch … schieß!«, höre ich Götz brüllen, und in seiner Stimme ist jene große Furcht wie damals bei Pedro, als ihn der große Kaiman gepackt hat.

Ohne Geräusch verschwindet der Pfeil in einem Knäuel von nackten braunen Leibern. Ich habe niemanden getroffen.

Da sehe ich Jago de Tovar.

Sehe ihn aus vielen Wunden heftig bluten, aber noch immer auf beiden Beinen, mit dem Rücken an den Stamm eines Baumes gelehnt. Er hat sein Schwert gezogen. Wie einen Dreschflegel bei der Ernte, so schwingt er die schmale Klinge über seinem Kopf. Doch er kann sich nicht bewegen, und kein Wilder wagt sich nah genug an ihn heran. Stattdessen schicken sie weiter Pfeil für Pfeil nach ihm. Sie treffen ihn an beiden Armen, an den Beinen und an den Schultern. Aber keiner der Pfeile tötet ihn. Er erinnert mich für einen Augenblick an das Abbild des Heiligen Andrea in der Kirche von Zarra. Aus allen Wunden blutend, ist er in die Knie gesunken und stöhnt vor Schmerz. Ein Wilder schreit laut, und die Übrigen stimmen ein gellendes Geheul an. Sie lassen ihre Bogen sinken, und der Wilde wirft seinen Bogen weg, greift eine Keule, springt neben Jago und hält ihm die Schwerthand fest, ganz ohne Müh. Dann schlägt er ihm mit einem Hieb die Keule auf den Schädel, der auseinander platzt wie ein Kürbis. Als ich dies sehe, spüre ich so viel Wut in mir, dass ich losstürme und dabei schreie.

»Santiago!«

Die Wilden heben ihre Bogen an, aber keiner von ihnen schießt auf mich einen Pfeil ab.

»Ihn nicht!«, höre ich eine Stimme.

»Fangt ihn!«

Sie spricht so klar meine Muttersprache, dass ich ein wenig erstaunt bin. Doch da stößt mir ein Wilder seinen Bogen zwischen die Beine. Ich strauchle, und ein zweiter Indio reißt mich nieder und ist über mir, bevor ich schauen kann. Ich verliere meine Klinge und sehe nackte Beine um mich her, braun, mit dicken schwieligen Sohlen, voll mit dem Blut der *compañeros*. Ich will nach meinem Dolch greifen, aber viele Hände halten mich, drücken meine Arme, Beine und alles, was ich noch bewegen kann, auf den Boden.

»Bindet ihn!«, befiehlt dieselbe Stimme, und die Wilden scheinen auch dies zu verstehen.

Sie verschnüren mich. Hände zerren mich hoch, und man wirft mich wie einen Sack Bohnen auf die Erde. Ich wende mich um, hebe den Kopf und sehe viele Kameraden am Boden liegen, tot, mit Pfeilen gespickt wie Sauscheiben bei einem Turnier. Gaitan und Manolito sind noch am Leben. Sie sind beide verwundet und flehen und heulen um Gnade. Aber die Indios machen beide mit ihren Keulen nieder. Nur Götz kniet noch auf seinen Bidhänder gestützt neben dem mächtigen Baum. Er atmet schwer, und ich sehe den Brustkasten des Deutschen sich heben und senken.

»Götz!«

Er hört mich nicht. Er betet laut, und in der plötzlichen Stille ringsum sind seine Worte ganz deutlich zu verstehen.
»Oh, allmächtiger Herr des Himmels und der Erde!
Heilige Maria, Mutter Gottes, Mutter unseres Herrn!«
Es fällt mir schwer, zu glauben, was ich da höre und was ich sehe. Götz, der schlechteste aller Katholiken, betet zu unserem Gott! Ja doch, er betet! Er muss Gevatter Tod sehen, seinen kalten Hauch spüren, so nah, dass er mit unserem Schöpfer sprechen will. Er spricht auf einmal Latein! Bin sicher, diese Sprache von ihm zu hören, denn oft hörte ich Bruder Bernabés Gebete so klingen. Hab nicht gewusst, dass der Deutsche diese Sprache kann, hab es nicht gewusst, woher auch? Da muss ich auf einmal weinen und an Pedro und Agustín denken, an Bruder Bernabé und all die Kameraden hier. Nein, weiß Gott, der Herr allein, dieses Land hat uns kein Glück gebracht. Ich flenne still wie ein Kind und höre dabei Götz' Stimme, die immer schwächer wird. Er kniet in einer Lache voll Blut, und es ist sein eigenes. Da geht ein Wilder hin, packt ihn bei seinem Haar und schneidet ihm den Hals durch. Macht's mit einem Streich. Ich schließe die Augen und erwarte dasselbe Schicksal.
»Heilige Maria, Mutter Gottes, Mutter unseres Herrn, Schutzheilige und gute Frau von Kastilien, Aragon und Hispanien, bitt für mich! O bitt für mich!«
Das ist meine Stimme, die da spricht!
Es ist mein Mund, der betet. Ich höre mich, und meine Stimme erscheint mir nicht zu leise. Mich erstaunt, wie leicht ich das Gebet spreche und wie es mir Freude macht, die frommen Worte zu sagen, die mir süß klingen und die nur ich hören kann. In jenem Moment hab ich nur eine Sorge, und dieser Gedanke quält mich: Da ich alles so ganz genau höre, jeden Schritt der Wilden ringsumher, das letzte Röcheln und Stöhnen der sterbenden Kameraden und dazu den

Wind, der ein Lied singt, dessen Melodie mir gar nicht gefällt, die Affen hoch oben in den Ästen der Bäume – ja, mir ist, als höre ich jedes Rascheln, jede Bewegung im Wald ringsumher. Das ist wohl auch der Grund für meine Furcht. Weil ich alles ganz genau höre, die Laute fast spüre, werde ich dann auch spüren, wie mir die Wilden den Hals durchschneiden? Wie die scharfe Klinge, noch nass vom Blut des Deutschen, all das, womit ich spreche und atme, das, was meinen Schädel trägt und ihn aufrecht hält, zerschneidet und mir den Atem raubt für ewig? Was ist dann? Ist dann die große Stille um mich? Was werde ich noch schauen? Seltsam, welche Gedanken mich überkommen angesichts meiner letzten Stunde. Aber mit einem Mal fürchte ich mich nicht mehr. Eher bin ich voller Neugier, was jetzt geschehen wird an diesem Ort hier, in diesem Wald, so weit fort von zu Hause.

»Heilige Maria, Mutter Gottes, Mutter unseres Herrn, Schutzheilige und gute Frau von Kastilien, Aragon und Hispanien, hilf mir! Bitt für mich! Hilf mir!«

Ich weiß nicht mehr, ob ich diese Worte laut spreche, und ich weiß nicht, ob sonst jemand meine Worte hören und verstehen kann. Ich glaube, dass ich sie spreche, aber ich bin mir keinesfalls sicher. Die Indios stehen wie eine Mauer um mich herum und starren mich an.

»Nehmt ihn mit!«, höre ich wieder jene Stimme.

Es sind spanische Worte, und ich verstehe: Man lässt mir mein Leben, und ich bin darüber froh. Aber meine Kameraden sind alle tot. Mit seltsam verrenkten Leibern liegen sie umher. Da binden mir die Indios eine Schnur um den Hals und führen mich fort wie einen Hund.

Da führen sie mich an einem Baum vorbei. Dort steht der Conde, mit dem Rücken an den Stamm gelehnt. Seine Augen sind weit geöffnet, und er starrt mich an, in genau der seltsamen Wut wie damals in jener Nacht, als er mir mit der Hölle drohte. In seiner Kehle steckt ein prächtiges Stilett, und ich erkenne es augenblicklich wieder. Es gehörte einst Capitan Tináz.

Als ich erwache, liege ich noch immer gebunden auf dem Boden. An meinem Leib ist alles wie taub, und wenn ich mich ein wenig bewege, schneiden mir die Schnüre tief ins Fleisch. Die Augen sind mir schwer, aber ich zwinge mich, sie zu öffnen. Es ist dunkel um mich her, und ich kann nichts sehen. Dies kommt daher, weil mir eine Matte aus Schilf oder Bast über den Leib gelegt ward. Um mich herum ist ein übler Gestank nach totem Fleisch, wie ich ihn von den Schlachtfeldern in der Heimat kenne.

Ich habe Durst, großen Durst. Hin und wieder höre ich Laute, ein wenig fern, aber deutlich genug. Es sind die Füße von vielen Menschen und Lachen und Geschrei von Weibern und Kindern. Jemand reißt die Umhüllung von mir fort und löst meine Fesseln an meinen Beinen. Ich will mich strecken, als mich dieselbe Hand in die Höhe zerrt, ganz ohne Mühe. Jetzt sehen meine Augen, und was ich sehe, lässt mich zittern vor lauter Abscheu. Rings um mich her liegen Beine, Arme, Hände, Teile von den Leibern vieler Menschen. Es sind die Überreste der *compañeros*. Zu erkennen ist niemand mehr, denn keiner von ihnen trägt noch seinen Kopf auf seinen Schultern. Ich weiß nicht, wessen Arm und wessen Bein dies ist, denn Wilde, hier am Boden kauernd, zerteilen mit langen scharfen Klingen aus Stein die Reste der Kadaver. Als sie mich sehen, zeigen sie mit blutigen Händen auf mich und lachen dabei.

Zwei der Heiden packen mich. Meine Beine wollen mir nicht recht gehorchen, und so schleifen sie mich aus der Behausung. Roh zerrt man mich über den Boden, dabei folgt mir eine Horde schreiender und johlender Kinder. Auch junge Frauen sind dabei. Sie alle sind ganz und gar nackt und ohne jegliche Scham, und sie machen sich einen Spaß daraus, nach mir zu schlagen und mich mit Stöcken und mit Prügeln zu malträtieren. Sie ergötzen sich dabei bei meinem Versuch, mich zu wehren. Erfolglos, und so schreie ich unflätige Worte voller Zorn gegen diese nackte, viehische Heidenbrut. Das bringt sie umso mehr zum Lachen, und immer mehr Heiden folgen den beiden Wilden, die mich mit sich schleifen wie einen Ballen nasses Tuch. Sie schleppen mich zu einem sanft fließenden Wasser, gehen eine paar Schritte hinein und lassen mich dort dann einfach fallen. Sogleich gehe ich unter. Aber Madonna, Wasser! Das Nass ist angenehm kühl. Ich trinke mit tiefem Zug, hebe den Kopf aus dem Wasser, um Luft zu holen, und trinke erneut. Als ich wieder den Kopf hebe und nach Luft schnappe, sehe ich einen Knaben. Ich schätze schwer sein Alter. Splitternackt, wie er ist, watet er schnell durch das knietiefe Wasser zu mir und drückt meinen Kopf mit seinen Händen nieder, bis er untertaucht. Ich wende den Kopf nach allen Seiten, aber der kleine Bursche hat Kraft. Es fällt mir schwer, mich aus seinem Griff zu befreien. Ich wende mich mit aller Kraft nach allen Seiten und versuche, mich trotz der gebundenen Hände aufzurichten. Es gelingt mir erst mit Nachdruck. Aber ich habe mich verschluckt und huste, als würde ich mir gleich alles Innere herauskotzen. Die Umstehenden johlen und lachen laut. Sie klatschen in die Hände und rufen sich allerlei in ihrer seltsamen kehligen Sprache zu. Der Junge tritt erneut heran und will wieder nach mir greifen. Aber warte nur, denk ich mir und rolle in dem trüben Wasser zur Seite. Der Junge sieht das Ganze als ein lustiges Spiel und will mich erneut packen. Aber auf einmal hüpft er von einem Bein aufs andere und verlässt laut lachend das Wasser. Die anderen Wilden lachen auch und schreien vor Vergnügen noch viel lauter. Nur die beiden, die mich in das Wasser gezerrt haben, waten schnell an meine Seite, packen mich an den Resten meines Wamses und schleifen mich an Land.

Jetzt spüre ich es auch.

Ein juckender Schmerz, überall unter den Resten meines Wamses, an den Beinen und an den Waden und sogar im Gesicht. Blutegel! Dieses Gewürm kenne ich von unserem Marsch hierher. Solch Viehzeug gibt es auch zu Hause in Spanien. Aber dort sind sie klein, und ihr Biss ist kaum spürbar. Diese Kreaturen hier sind so groß wie der Daumen eines Mannes und von glänzend schwarzbrauner Farbe. Ihr Biss schmerzt, wie wenn man mich mit einem heißen Eisen brennt. Ich schreie und rolle mich auf dem Sand hin und her, dabei stoße ich mit den Füßen und versuche, so viele der Blutsauger abzustreifen wie nur irgendwie möglich. Die beiden Wilden knien nun auf mir und halten mich fest. Sie pflücken die reifen Egel von mir herunter und werfen sie hinter sich zurück ins Wasser. Ein paar Weiber treten näher und helfen ihnen bei der Prozedur. Dabei betasten sie mich, und zu anderem Ort und zu anderer Zeit wäre mir solcherlei Liebkosung gar nicht unrecht gewesen.

Dann scheinen sie all die ekelhaften Sauger gefunden zu haben. Die Heiden lassen unter lautem Lachen von mir ab und zerren mich in die Höhe. Auf demselben Weg schleifen sie mich quer durch ihre Ansammlung von Hütten zurück und stoßen mich in eine der runden, dämmrigen Behausungen. Ich sehe gerade so viel, dass ich an den Armen und Beinen heftig blute. Wohl von den Egeln. Durst verspüre ich keinen mehr, habe ich doch soeben viel von dieser braunen Brühe geschluckt, dass ich genug habe. Ich versuche mich aufzurichten, und schließlich gelingt es mir. Ich atme heftig und rolle mich noch einmal herum. Diese Hütte wird von einem armdicken Stamm gestützt, und daran richte ich mich nun auf. Es ist heiß und drückend hier. Als ich aufschaue, traue ich meinen Augen nicht, aber der Mann, der mir dort gegenübersitzt, ist mir vertraut. Ich erkenne ihn trotz all dem Schmutz. Es ist der schöne Don Ricardo de Molinar, unser Capitan admiral und Anführer der Expedition.

Zehnter Eintrag der privaten Notizen des Conde Don Ricardo de Molinar, Conquistador und Capitan admiral, niedergeschrieben von ihm selbst.
Worin ich berichte, was sich wirklich und wahrhaftig zugetragen hat bei jener besonderen Mission, womit ich betraut von Seiner allergnädigsten Majestät Karl, König von Spanien.

Meine Königin, Geliebte und Vertraute,
meine liebe Ines,
lange habe ich keine Worte dessen mehr niedergeschrieben, was ich erlebt und was mir und den Gefährten widerfahren ist. Stellt Euch vor, einer der *tercios* hat vor lauter Durst heimlich die Tinte ausgetrunken, in die ich meine Feder tauchte. Einerseits wäre dies wohl zum Lachen, wäre unser Dasein nicht so ernst. Aber nun habe ich wieder etwas, was genauso gut schreibt.
Aber lasst Euch berichten.
Ich hatte gehofft, die Indios ließen Jago de Tovar am Leben. Wenigstens ihn, meinen braven Piloten und Capitan bei dieser Expedition. Es ist mir kein Trost, wenn die Indios mir berichteten, das er tapfer gekämpft hat. Ich bin Soldat, und der Tod ist mir nicht fremd, aber dies ist ein großes Unglück! Ihm allein hätte ich in dieser Stunde gerne all das anvertraut, was mein Herz so sehr quält. Die übrigen *tercios* waren Strolche, und ich nehme meinen Vetter davon längst nicht mehr aus. Aber auch er musste bezahlen für seinen Frevel. Nun bin ich allein in diesem Land. Meine eigenen Männer starben der Reihe nach an den

Bissen uns unbekannter giftiger Kreaturen in den Sümpfen und am tertiären Fieber genauso wie an Herzeleid oder am Skorbut. Capitan Armendariz war der Letzte, und seine sterblichen Überreste begrub ich selbst unter einem riesigen umgestürzten Baum, da niemand mehr zugegen, um mir zur Hand zu gehen. Ich selbst war zum Schluss so erschöpft, dass ich mich neben das frische Grab legte und nur noch sterben wollte. Da fanden mich die Indios. Sie brachten mich in ihr Dorf, pflegten mich und gaben mir zu essen. Stellt Euch nur vor, sie dachten wohl, ich wäre ein göttliches Wesen. Wir sprachen mit den Händen, und als ich erfuhr, dass mir mein Vetter durch den Wald folgte, waren die Indios sich ihrer Sache nicht mehr so sicher. Sie versprachen mir, mich zu führen und mir bei meiner Mission zu helfen. Dafür sollte ich ihnen sagen, ob die fremden Männer, welche durch den Wald kommen und einen der ihren samt seiner Schwester gefangen hatten, wirklich Götter oder nur Sterbliche sind. Ich sagte ihnen, solche wären keine Menschen mehr, aber sie wären auch keine Götter oder keine heiligen Wesen. Sehr wohl seien alle von ihnen sterblich.

Und nun ist die Furcht, welche ich verspüre, die Ungewissheit, die meine innersten Gedanken zernagt und mich nicht mehr schlafen lässt, beinahe unerträglich geworden. Diese Ungewissheit und immerzu die Frage: Werde ich jener *Aufgabe* nachkommen oder nicht?

Findet den Garten Eden, jenes Land, das ohne jegliches Böse und das der Schlüssel ist für den einzigen wahren Glauben und seine Zeit.

Das Land ohne das Böse.

Nicht nur ich hatte gehofft, es hier in der neuen Welt zu finden. Beim Anblick des dichten üppigen Waldes, der riesigen Wasser und des endlosen Himmels darüber habe ich dies zu Anfang dieser Reise gern geglaubt. Bei der Ankunft in diesem neuen Land war ich noch von Herzen froh. Dachte ich immer in meinen Gedanken, bald zu Euch zurückzukehren. Spanien wiederzusehen, ruhmbeladen und an Schätzen nicht zu wenig, und bei alledem den größten Schatz meinem König zu Füßen zu legen, das Paradies, den Garten unserer Ahnen. Welch ein Triumph, so dachte ich immerzu.

O ja, recht bald war ich mir sicher, hier dieses Land hinter jeder Biegung des mächtigen Stromes, hinter jeder neuen Landzunge gefunden zu haben. Ich weiß nicht, wie es aussehen sollte, jenes Land, aber ich war mir sicher, es sogleich zu erkennen.

Doch je tiefer wir in all der Zeit ins Innere des Waldes vorstießen, umso mehr war ich verwirrt und mir meiner Sache unsicher. Immer wieder suchte ich Hilfe in der heiligen Schrift. Ich will nicht sagen, vergeblich, geliebte Frau, denn Trost war in den Worten Gottes immer zu finden. Stunden vergingen darüber, und doch las ich immer wieder genau, um zu verstehen, ob ich nicht ein wichtiges Wort missdeutet oder mit zu wenig Achtung hab bedacht und den Weg falsch gewählt habe. Aber glaubt mir, ich fand nichts, was mir den Weg gewiesen, so dass ich zuletzt nur noch Zuflucht im Gebet suchen konnte. Mich jemanden anvertrauen? Nein, dies hätte ich nicht gewagt. Denn die Männer trieb nur eines, und dies war der Wunsch nach reichen Ländereien. Damit hatte ich sie ja überzeugt, mir zu folgen. Sollte ich ihnen jetzt von der wahren Mission berichten? Glaubt mir, mehr als einmal wollte ich dies tun. Aber bald entdeckte ich eine Gier, die ich so noch nie zuvor erlebt hatte. Aber selbst dafür hatte ich noch Verständnis, denn viele der *caballeros* waren bei mir, welche ihr Lebtag nicht mehr besessen haben als ihren Namen und ein Schwert. Aber selbst mein Vetter, der nie Mangel hatte, verlor sich schier in jener Gier. Dies war einer der Gründe, warum ich ihn nicht weiter mit mir nahm und ihn mit keinem Wort vom wirklichen Auftrag jener Expedition unterrichtete. Nein, keiner der Männer sollte etwas erfahren, bevor nicht letzte Zweifel sich als unnütze Gedanken herausstellen sollten. Ich hielt mich damit an meine Vereinbarung, die ich mit Don Jaime de Pérez gemacht und von dessen Lauterkeit ich mich überzeugen konnte. War er es doch, der als Sprecher seiner Majestät all meine Interessen wahrte und mich erwählte. Ich weiß, mir sollte mit dieser Mission auch die Gelegenheit gegeben werden, meine Schuld Eurem Gemahl gegenüber zu begleichen.

Aber, geliebte Ines, ich fragte mich und tue es auch in diesem Moment, wenn ich dies niederschreibe: Welche Schuld?

Muss ich Sühne dafür bringen, Euch zu lieben, Euch zu begehren, Euch zu verehren? Sei es über eine Entfernung hinweg, die weiter ist, als bisher je ein Mensch gewagt, unser heiliges Spanien zu verlassen. Nur um sich aufzumachen, in ferne Länder zu gehen, weit genug von der Heimat, aber nah genug in allen Gedanken voll Neugier und Lust am Abenteuer.

Wenn dies Sünde ist und Sühne verlangt, dann erlaubt mir an dieser Stelle, Euch erneut meine tiefe Liebe zu gestehen, die aufrichtig und groß ist in jeder Frage, wie sie uns Menschen nur beschäftigen kann. In dieser Sache bin ich mir treu geblieben. Wenn es die eine Liebe eines ganzen Lebens gibt, dann seid Ihr es! Ihr allein!

Die Indios haben einen Mann am Leben gelassen. Es war mein Wunsch. Dass sie die Leute meines Vetters angegriffen und massakriert haben wie Vieh, diese Erlaubnis musste ich ihnen geben. Es war ein Handel, und er schmerzt mich sehr. Aber der Wunsch, mich weiter und weiter zu führen hinein in den Wald, den sie die »Große Mutter« nennen, war der Preis dafür. Diese Bezeichnung, eben jener Namen, den die Waldmenschen diesem Land geben, machte mich zuversichtlich, doch auf dem richtigen Weg zu sein. Sie sagen, der Wald sei ihre Mutter, die sie nährt und die ihnen Heim und Zuflucht gibt. Bedenkt, eine Welt, in der ein Christenmensch bei lebendigem Leib zu verfaulen droht, ist Heimat dieser Heiden und Waldmenschen! Welch Hohn, welch grotesker Gedanke! Ich bin mir noch immer nicht ganz sicher, dass jene Wilde Menschen sind. Wohl nennen sie sich selbst so, aber nach allem, was ich und meine unglücklichen Männer erlebt haben, kann dies nicht sein. Kein Mensch kann in dieser Hölle hier leben, er verfault bei jedem mühsamen Atemzug.

Aber so war es ein Handel. Sie wollten mich dafür in das »Land ohne Wald« führen. Dort, wo die große Mutter wenig Haare hat, wie sie es nennen. Ich denke, sie meinen ein Land, in dem der Wald zu Ende ist und wo dafür Wiesen und Felder, bestelltes Land zu finden sind. Dort müsste es sein, das Land, in dem Milch und Honig fließen. Das Paradies, der Garten Eden!

So bin ich wieder voller neuer Hoffnung.

Don Ricardo de Molinar
Conquistador und Capitan admiral
gezeichnet und gesiegelt von eigener Hand
am 12. Februar 1519.

*E*s ist wahrhaftig der Conde!
Ich muss weinen, als ich ihn sehe. Kann gar nicht anders.
»Wie nennt man dich?«, will er wissen.
Ich sage ihm meinen Namen und meine Aufgabe bei der
Truppe des Capitan admiral, seinem Vetter. Als ich geendet,
nickt er nur. Dann fragt er weiter.
»Warum seid Ihr uns gefolgt?«
Auch dies erzähle ich ihm, soweit ich davon weiß. Wieder
nickt er nur bei meinen Worten. Als ich alles gesagt, blickt er
lange aus der Behausung der Wilden hinaus und fragt mich
dann plötzlich:
»Du zitterst, Spanier. Hast du Angst?«
Ohne zu zögern nicke ich und spreche:
»Ja, Exzellenz, ich habe Angst.«
»Bist ein *tercio*, Spanier. Als solcher hast du Angst?«, fragt er
mich.
Es ist kein Spott, eher Neugier in seiner Stimme, und so ant-
worte ich ihm auf seine Worte ohne Lüge.
»Wohl, Exzellenz. Dieses Land, diese Heiden ... hier hausen
Dämonen, der Leibhaftige ist unter uns!«
Er sieht mich an und lacht plötzlich. Dann schüttelt er den
Kopf und sagt:
»Nein, keine Dämonen und auch nicht die Mächte der Fins-
ternis. Wir fürchteten dieses Land, weil es uns feindlich er-
schien. Wir haben uns zu wenig Zeit genommen, es zu er-

kunden und von dieser Welt zu lernen. Wir wollten nur neh-men. Wir denken, dass wir Auserwählte sind, Spanier und treue Katholiken. Unser Pfand sei das Kreuz. Dabei … hier sind wir nichts. Und weil dies so ist, versetzt es uns in Angst. *Wir* sind die Dämonen.«

»Exzellenz, lasst mich Euer Diener sein«, sage ich.

Wieder lacht er nur und schüttelt den Kopf, erhebt sich und sieht über den Platz, welcher voll ist mit den Indios dieses Dorfes, die neugierig zu uns herüberblicken. Als er sich umwendet, habe ich ein wenig Zeit, ihn zu betrachten. Er trägt einen dichten Bart, und sein einstmals feines Tuch ist nur noch in Fetzen. Er ist ohne Stiefel, geht barfüßig, und seine Zehen sind alle schwarz, als wären sie in einem Feuer verbrannt. Dort, wo nackte Haut zu sehen ist, ist diese braun und voll kleiner Wunden und Schwären. Er hat nicht mehr alle Zähne im Mund, und über seinem linken Auge ist eine hässliche Wunde, geschlagen wohl vor langer Zeit, aber nur schlecht verheilt. Wenn er lacht, zuckt die Haut dort, und kleine Fäden von Wasser laufen aus der Wunde und zeichnen feine Linien in sein schmutzig braunes Ge-sicht. Nur seine Waffen glänzen und sehen aus wie die eines Mannes, der sie zu jeder müßigen Stunde fettet und pflegt. Er tritt an mich heran und löst mir die Fesseln, und ich kann meine tauben Gelenke reiben. Allmählich kehrt das Blut zurück. Ich hinke ein wenig und merke, dass mich ein übler Hieb an der Hüfte getroffen hat. Die Stelle ist angeschwol-len, und die Haut schillert in allen Farben und schmerzt mich. So kann ich dem Conde nicht so schnell folgen, als er aus seiner Behausung in das Licht tritt. Die Wilden lassen uns gewähren. Sie sehen uns nur schweigend zu, wie wir über den freien Platz schreiten.

»Sie sind wie Kinder, aber von großer Tapferkeit«, sagt er. Ich nicke nur und sehe mich um. Das sind jene Heiden, die uns im Wald überfallen haben und die Männer der Aragón töteten. Sie mustern mich, aber ich sehe eher Neugier als Feindschaft in ihren Gesichtern.

»Woher wussten die Indios, wo unsere schwachen Stellen sind?«, will ich wissen.

Er bleibt stehen, dreht sich zu mir und meint: »Ich selbst sagte es ihnen.«

Ich fühle, wie mich in diesem Moment friert, und je länger ich in sein Gesicht sehe und seine Augen betrachte, umso mehr friere ich. Diese Augen sind nicht die Augen des Conde de Molinar, es sind Augen eines Toten.

»Exzellenz«, sage ich, und mir will nichts mehr weiter darauf einfallen.

»Die ihr im Wald gefangen habt, waren aus dieser Sippe«, sagt er. »Ich machte mit diesen Indios einen Handel. Dazu gehört, dass ich Ihnen helfe, euch zu besiegen. Dafür ließen sie mich am Leben, mehr noch, sie haben mir keinesfalls den Respekt versagt. Ihr Anführer sieht mich gar als einen der Ihren. Komm jetzt, *tercio*!«

Er tritt vor eine größere Hütte. Sie ist nicht offen, so wie es die anderen Behausungen alle sind. Er lässt mich am Boden vor dem Eingang niedersitzen und warten.

»Wage nicht, zu fliehen, Bursche. Kämst keine drei Schritte weit. Sie würden dich mit kleinen Pfeilen töten, die, in ein Gift getaucht, dir das Leben nehmen, ehe du den Namen unseres Herrn dreimal ausgesprochen.«

So redet er zu mir. Ich will ihm nicht sagen, dass ich von jenem Gift weiß, sehe ich doch Pater Bernabé und sein elendes Sterben dort draußen im Wald vor mir. Ich will erneut meine Dankbarkeit beweisen und biete dem Conde de Molinar an, sein Diener zu sein. Doch er winkt nur ab.

»Lass gut sein, Spanier. Wohin ich gehe, geh ich allein.«

Ich spüre, wie mich ein Schwindel und ein neues Magengrimmen überkommt. Sei es der Hunger, vielleicht auch eine Schwäche, denn seit zwei Tagen habe ich nichts mehr gegessen, außer einmal eine Hand voll länglicher gelbgrüner Früchte.

»Heute Abend werden die Indios ein Fest ausrichten. Wir werden mit ihnen essen. Ich rate dir, nimm dir so viel wie nur möglich. Es ist ein Zeichen der Freude und der Wertschätzung. Sie werden ein Tier braten, das sie Tapar nennen. Sie räuchern dessen Fleisch, und davon wirst du wenigstens zehn ganze Pfund erhalten. Das wird alles sein, was du mitbekommst, denn du kehrst eines Tages zur Küste zurück.«

»Allein, Exzellenz?«, frage ich, kann ich doch nicht glauben, was er da sagt.

Er nickt nur.

»Betrachte es als Gefälligkeit dafür, dass ich dir beistand und die Indios dich am Leben ließen.«

Ich nicke, denn ich habe keine andere Wahl. Wieder sehe ich den Tod meiner Kameraden dort im grünen Wald, und ich sehe die Reste ihrer Körper, wie sie von den Kannibalen dieses Waldes zerteilt werden. Ich bringe es fertig und frage ihn nach dem Grund dieses Gemetzels. Aber der Conde antwortet mir nicht. Er zieht einen geflochtenen Schild, ganz aus Gras und Werg, zur Seite und tritt in die niedrige Behausung. Er winkt mir, ihm zu folgen. Ich tue es. Drinnen ist es dunkel und stickig, dazu stinkt es auch hier wie in einem Schlachthaus.

»Sieh her, worauf die *caballeros* all die Zeit so scharf waren!«, lacht er, und in seiner Stimme ist wieder jener Ton, der mich so frösteln läßt.

Durch eine Öffnung in der Wand lässt er Licht in das Innere der Hütte. Da gehen mit die Augen über!

Ich sehe Gold, überall Gold!

Schwere Halsketten und ebensolche Stücke, wie man sie um

den Hals an solch einer Kette trägt, dazu Armbänder und viele Figuren ganz aus feinem Gold gefertigt, dünne Bleche aus gehämmertem Gold und Silber, feine Anhänger aus demselben Metall und Gehänge, schwer aus Silber und so prächtig, wie man sie nur bei edlen und reichen Herren und deren Frauen vermuten möchte und nicht hier in diesem Teil der Welt. Da liegen feine Ohrringe und Spangen, schillernde Edelsteine, in prächtigem Grün und Gelb, aber auch andere Steine, deren Namen mir nicht bekannt, aber einer kostbarer als der andere. Alles um mich herum ist von Wert, wie ich es nie zuvor gesehen habe. Es liegt in Beuteln und Säcken, die allesamt aus Resten von Kleidern gemacht sind. Ich erkenne manchmal, dies sei ein Wams gewesen und dort eine Decke oder ein Beinkleid. An manchem Tuch klebt dick das trockene Blut.

»Gefällt dir das? Dann nimm dir! Nimm ruhig, so viel du tragen kannst. Denn das ist es doch, was du willst, was ihr alle wolltet, nicht wahr?«

Er fragt es mich, und ich wage nicht, ihm zu antworten. Denn es stimmt wohl, was er sagt, wir alle wollten unseren Teil. Und nun sind nur er, der Conde Ricardo de Molinar, und ich, der *tercio* Luis Vargas, von unserer Armada aus vier Schiffen und über zweihundert Mann übrig. Mich überkommt bei diesem Gedanken ein Gefühl von plötzlicher Schwäche. Ich sinke in die Knie und muss mich auf die Erde stützen. Dabei fühle ich, wie erneut mein Wanst rebelliert und sich anschickt, alles auszukotzen, bis mir der Leib brennt wie Feuer. Er tritt näher an mich und beugt sich zu mir.

»Schwindet dir der Verstand vor so viel Pracht? Aber warum denn nur? Das war es doch, was ihr alle wolltet. Gold, Silber, edle Steine.«

Ich schließe die Augen. Ein Dröhnen und Brausen in meinem Schädel lässt mich heftiger atmen, als mir lieb ist. Wieder schüttelt es meinen Leib, als habe ich das tertiäre Fieber, und ich muss mit den Zähnen klappern.

»Nicht wahr, dies war euer aller Wunsch?«, fragt er mich erneut.

Ich nicke, denn ich weiß kein Wort dagegen zu sagen. Plötzlich lacht er leise.

»Dafür all diese Entbehrungen, all das Blut, der Schweiß, die Tränen? All die Lügen? All die Angst? Für bunte Steine?«, fragt er.

Ich schüttele den Kopf, zucke die Schultern, denn es will mir noch immer kein rechtes Wort einfallen. Da bricht er erneut in jenes wilde, laute Lachen aus.

»Nimm,« sagt er und lacht noch immer dabei, »nimm von allem, was du willst, so viel du willst. Nimm, es sei dein!«

Ich zögere, und wieder rückt er näher. So nahe, dass ich seinen Atem spüre und ihn rieche. Der Mann stinkt bei jedem Atemzug, den er macht, wie jene Zerteilten in der Behausung dort hinter uns, kaum zwei Dutzend Schritte weit.

»Nimm, aber denk daran, jedes Stück will getragen werden, und dann träume dabei, bei jedem Schritt, den du zurück durch den Urwald tust, was du alles damit anstellen wirst, wenn du erst wieder zu Hause bei den deinen bist.«

Er rückt noch näher und fährt mit weit ausholender Geste fort.

»Jetzt glaubst du, reich zu sein und damit glücklich für den Rest deiner armseligen Tage! Nicht wahr, dies glaubst du doch?«

Wieder lacht er lauthals los, und ich denke, der Mann ist nicht recht bei Sinnen.

»Du Narr! Mit jedem Stück wirst du arm und ärmer werden. Verteidige jede Unze Gold, jeden Staub vom Silber und jeden edlen Stein gegen all die Neider! Erwehre dich bei jedem

Stück, und sei es noch so winzig, der Schmeichler und der Speichellecker, der neuen Freunde und Bettler, die dich umschwärmen wie Fliegen das Aas. Nimm es, Spanier, nimm es! Denn das ist es doch, was du willst.«

Ich öffne die Augen und sehe all die Schätze um mich her und denke an Agustín und all die toten *compañeros,* und ein klein wenig dauert mich ihr Unglück. Aber warum darüber nachdenken? Sie sind alle tot. Aber ich, Luis Vargas, aus einer Gegend ohne Namen fern in der Extremadura, bin am Leben. Und auf einmal weiß ich, dass ich nie mehr arm sein möchte und dass dies elende Leben mit all den Schätzen hier ein Ende hätte. So greife ich nach einem Stück Gold. Aber es liegt mir eiskalt in meiner Hand.

Elfter Eintrag der privaten Notizen des Conde Don Ricardo de Molinar, Conquistador und Capitan admiral, niedergeschrieben von ihm selbst.
Worin ich berichte, was sich wirklich und wahrhaftig zugetragen hat bei jener besonderen Mission, womit ich betraut von Seiner allergnädigsten Majestät Karl, König von Spanien.

Ines, mein Weib, wenn auch nur in Gedanken,
mir ist jetzt bewusst geworden, warum wir jenes Land bisher noch immer nicht gefunden haben: Wir haben es nie richtig gesucht. Jeder der Männer wollte etwas anderes. Seit ich dies weiß, lassen meine bohrenden Schmerzen im Kopf nach. Ich fühle mich wieder klar, obwohl das tertiäre Fieber immer noch in mir ist. Es ist wie ein böser Traum, aus dem ich langsam erwache.

Ja, denkt nur, diese Indios sind bereit, mich bis zum Ende des Waldes zu führen. Es wird noch eine lange Reise, und ich weiß nicht, ob ich je zurückkehre zu Euch nach Spanien. Aber ich habe jetzt keine Furcht mehr vor der Größe dieser an mich gestellten Aufgabe. Muss ich doch meiner Bestimmung nachkommen, allein, denn nur ich selbst kann mich auf mich verlassen. Die Männer waren eher störend, einfache Menschen von einfachem Blut, dieser großen Aufgabe niemals gewachsen. Sie waren zu klein für die Größe dieser Tat. »Ihr seid auf Euch allein gestellt, und Ihr habt nur noch einen Freund, dem ihr immer trauen könnt. Gott selbst.« Das sagte mir Don Jaime, kurz bevor ich zu dieser Mission aufbrach. Aber er hat nicht Recht behalten! Denn ich weiß, der Gedanke an Euch wird mich nicht zaudern lassen!

Versteht mich, so sehr Geliebte!

Versprecht mir, es immer zu verstehen, mögen Euch auch meine Beweggründe absonderlich erscheinen, sind sie mir doch wohl überlegt. Es ist gut, dass die Männer nicht mehr sind, und es ist gut, dass der letzte Handel mit den Waldmenschen so ablief. Das Blut der Spanier gebot das Versprechen, mich weiter durch den Wald zu führen. Ein geringer Handel, gemessen an dem, was ich für Spanien besitzen will. Ein geringes Pfand, so seht Ihr es doch auch, nicht wahr, geliebte Frau? Keine drei Dutzend Menschenleben für die Rückgewinnung des Paradieses! Ein guter Handel, nicht wahr? Ein guter Handel …

Den *tercio* Luis lassen sie auf meinen Wunsch leben. Aber stellt Euch vor, was er sich von mir erwünscht: Er wollte mit mir kommen, dieser Tor! Niemals würde dies dem Handel mit den Waldmenschen, den Indios, gerecht sein. Aber ich bleibe meinem Entschluss treu: Diesen Weg mache ich allein.

Aber er war ein Christenmensch, ein Söldner nur, wohl. Mit dabei bei jenen Frevlern, die diesen Waldmenschen Schmerz und Pein zugefügt. Aber ich war alleine, und so tat ich etwas, was nicht verzeihlich und mir doch ein Bedürfnis war in dieser Stunde.

Denkt Euch, ich erzählte ihm alles, was uns bisher widerfahren. Er war so erstaunt, wie Ihr und alle es sein werden, welche diesen Bericht zu lesen bekommen. Obschon ich nicht weiß, ob dies überhaupt passieren wird. Er geht voraus an die Küste, und ich? Ich komme in die Heimat zurück! Nur ich alleine bringe den Beweis, es gibt den Garten Eden, *das Land ohne das Böse!*

Dies ist mein letzter Eintrag, denn ich glaube, alles, was nun kommt, wird man mir nur glauben, wenn ich es selbst erzähle. Und ich werde zurückkommen, bei der Heiligen Jungfrau und beim Andenken an Euch, Ines, die Ihr alles seid, was ich je geliebt. Dieses Land birgt das große Geheimnis, den Wunsch der Menschen, insbesondere den Wunsch unserer Majestät. Aber kehre ich je zurück, tue ich dies nur wegen Euch, Geliebte!

Aber nicht länger als der Conde Don Ricardo de Molinar, Landgraf aus dem Gut bei Jerez, Conquistador und Capitan admiral und etc., etc.

Ecce homo nur … das ist genug.

Mein Kopf ist jetzt etwas klarer.

Ich habe lange in der Hütte gesessen und von den Schätzen dort gewählt. Anfangs machte es mit eine Freude, in all den Herrlichkeiten zu wühlen. Aber je mehr ich dies tat, umso kälter erschien mir all dies. Der Conde sah mir dabei zu. Einmal sagte er, dass all dies, was in jener Hütte liegt, reichen würde, um Kastilien einschließlich Seiner Majestät zu kaufen, und dann würde noch genug übrig bleiben, um wenigstens die Hälfte von Venedig zu kaufen. Dazu hat er gelacht und gesagt, hier im Urwald wäre es nur Tand. Die Kinder der Indios spielen damit, und die Krieger dieses Stammes haben es selbst von anderen Indios für Vogelfedern, Muscheln und Fleisch getauscht. Viele Tagesreisen entfernt leben Indios in einem Land, welches sich Birú nennt. Dorthin will der Conde, um seiner Mission nachzukommen. Er spricht immer wieder von dieser Mission, und sein Blick hat dann etwas von einem Mann, der nicht mehr richtig bei Verstand ist. Diese besondere Mission ist seine Aufgabe. Aber er sagt mir nicht, welcher Art diese sei.

Die Indios haben den ganzen Abend lang ihr Fest vorbereitet. Dazu bemalen sich die Krieger ihre nackten Leiber, die Arme bis fast zu den Schultern schwarz, ebenso die Beine, jedoch nur bis zu den Knien. Die Gesichter verzieren sie mit feinen Mustern, durch Lippen und Ohren stecken sie allerlei Hölzer und bunte Vogelfedern, in Löcher, die sie schon den Kindern beibringen. Die Frauen und Mädchen haben sich ebenfalls geschmückt und auch ihre Körper bemalt. Sie schmieren sich schwarze und rote Pasten auf den Bauch und ihre Brüste, und dies in schamloser Art, so dass ich mich mehr als einmal dabei ertappe, wie ich all die Frauen mit gierigem Auge anstarre. Doch sie lachen nur. Würde ich in Spanien eine Dame, und sie würde niemals ohne Kleidung sein, in gleicher Weise so anstarren, jeder Chevalier dieser Damen würde mich mit blanker Klinge fordern. Aber hier stört es keine Seele, wenn alle, Männer wie Frauen, nackt einhergehen. Ja, ich muss gestehen, sie haben dabei genauso Ehre wie jeder Spanier. Als die kurze abendliche Dämmerung beginnt, lassen meine Schmerzen an der Hüfte und die Bisse der Egel langsam nach.

Als es dunkel ist, beginnt das Fest. Die Krieger haben dem Conde respektvoll Platz gemacht, und er sitzt da und betrachtet das Geschehen wie ein Fürst. Zwei Mädchen, beide noch sehr jung, haben sich an ihn geschmiegt und reiben sein Gesicht und seine Hände, seine nackten Schultern wie auch Füße mit einer schwarzen Paste ein. Sie riecht stark nach etwas, was ich nie zuvor gerochen, aber es ist nicht unangenehm.

Dann essen die Krieger und die Frauen, aber je nach Geschlecht an getrennten Feuern. Es gibt das Fleisch von einem

287

Tier, das sie Tapar nennen, aber auch Fleisch von verschiedenen Vögeln und auch Affen. Erst fürchtete ich, dass sie mir meine eigenen Gefährten anbieten, aber der Conde hat nur erneut gelacht, als ich ihn darüber befragte. Er sagte, dass sie die Toten immer zerteilt an großen Feuern räucherten und mit anderen Sippen im Wald tauschten. Aber nur, wenn sie bei einem Kriegszug Feinde getötet hätten.

Einige Waldmenschen rauchen große Blätter, die sie getrocknet haben und zusammenrollen wie ein Stück Werg. So sehe ich das erste Mal, woher diese Mode kommt. Das Kraut raucht sehr stark und riecht ganz seltsam. Aber die Krieger wie auch Weiber genießen es richtig, und ich erlebe, wovon schon Colón zu berichten wusste. Große Trommeln werden geschlagen, und wieder blasen sie auf ihren knöchernen Pfeifen. Das Spektakel wird immer lauter und wilder, und bald tanzen die Krieger, wobei sie wilde Schreie ausstoßen und gefährliche Grimassen ziehen. Der Conde verlangt nach mir. Ein Indiojunge zieht mich an der Hand und führt mich zu seinem Platz. Dort befiehlt mir de Molinar, mich neben ihm niederzusetzen. Er beugt seinen Kopf vor, und so verstehe ich, was er mir trotz des Lärms und des Infernos ringsum sagen will.

»Dies sind Indios vom Stamme der Waldmenschen. Sie wandern ihr ganzes Dasein über durch den Wald. Sie denken, das Land hier, der Urwald ringsum, sei der Leib ihrer großen Mutter. Die Bäume und alles, was wächst, sei ihr Haar, der Boden ihre Haut und das Wasser ihre Tränen und ihr Blut. Sie denken, sie wären die einzigen Menschen auf der Welt in diesem Wald. Heiden! Aber gut, sie glauben dies. Hab ihnen von unserem Herrn Jesu Christus erzählt, und sie glauben dies nicht, und doch leben sie. Gott hat wohl eine schützende Hand über alle Menschen.«

Der Gesang der Männer wird immer schriller, und nun setzen auch die Weiber mit ihren hellen Stimmen bei dem Höllenlärm ein.

»Sie feiern den Beginn der Jagd. Sieh dorthin!«, befiehlt er mir, und ich folge seinem Blick.

Einige Schritte von mir entfernt tanzt ein junges Indiomädchen.

»Erkennst du sie wieder?«

Ich nicke überrascht. Es ist das Mädchen, das wir im Wald gefangen haben und wegen der ich mich zum Meuterer gemacht habe, als ich den Conde mit einem Faustrohr bedrohte. Die Augen des Mädchens haben mich seitdem nicht mehr losgelassen, und ich ertappe mich dabei, wie ein seltsames Feuer plötzlich in mir lodert, wie lange nicht mehr. Ja, sie ist es, dasselbe Weib, derentwegen ich die Hand gegen meinen Conde erhob, und mit keinem Deut schäme ich mich dieser Tat. O Madonna!

»Sie sagt, du hast ein reines Herz«, sagt Don de Molinar.

Ich erinnere mich, und die Gedanken daran schmerzen mich nicht mehr. Es ist alles so weit entfernt: Der Marsch, der Überfall im Wald, das Ende unserer Expedition.

»Die Indios glauben nicht an den Erlöser Jesu Christi. Aber sie haben eine Ehre, die sich mit unserer wohl messen kann. Ein Indio bleibt einem *tercio* nichts schuldig. Lass dich bezaubern, sie versteht sich auf eine besonders feine Kunst der Sünde.«

Jetzt lacht er, und ich kann ihn nicht mehr verstehen. Der Lärm der Trommeln, der Flöten aus Knochen und der Stöcke, die auf lange hohle Baumstämme schlagen, ist lauter und lauter geworden. Um mich herum bebt der Boden. Der Lärm trägt weit.

Ich muss immer nach dem Mädchen schauen, sehe, wie sie glänzt vor lauter Schweiß, wie ihre bloßen Füße auf dem festen Boden stampfen und wie mich ihr Tanz, all ihre Bewegungen, ihre Wildheit schier verrückt macht. Immer mehr verspüre ich, wie sehr mich nach diesem Weib verlangt. So als ob sie meine Gedanken und das, was sich zwischen meinen Beinen regt, erraten hat, sieht sie mich an, bewegt dabei ihren zarten Leib in Vollendung, und ihre Hände erzählen alles, worauf ich mich diese Nacht noch freuen darf.

Der Conde hat dies gesehen, und er lacht und schreit zugleich.

»Mach deinem Geschlecht und Spanien keine Schande, Luis! Das Weib will dir danken und ihre Schuld bezahlen. Diese Indios sind stolz und alle von Ehre!«

Aber dies höre ich kaum mehr, denn meine Gedanken sind längst bei dem Weib.

Mein Kopf ist schwer, und ich bin satt von dem gebratenen Fleisch. Aber mein Kopf wird mit einem Mal klar, als sie sich neben mich setzt, mich berührt und dann meine Hand nimmt. Sie führt mich in ihre Hütte.

Da ich ihre Sprache nicht verstehe und sie nicht die meine, deutet sie alles, was sie mir sagen will. Diese Hütte ist ein Geschenk der Familie dieses Mädchens, so hat es mir der Conde erklärt, und auch hierbei nur wieder gelacht. Mir war dieses Lachen nicht recht, und es ist gut so, dass ich ihn und seine seltsamen Worte nicht mehr hören muss.

Jetzt stehe ich in der niedrigen Hütte, ganz aus Ästen und Zweigen, die Wände geflochten aus Gras, und warte, was nun geschieht. Es ist warm, und es riecht sehr angenehm nach allerlei, wie ein seltenes Gewürz. Der Lärm der Trommeln, das Lachen und die wilden Gesänge der Waldmenschen sind noch zu hören, wenn auch weit entfernt. Das Mädchen steht vor mir.

Ihre Gestalt ist schlank, und ihre Brüste sind so, dass ich sie sogleich in meinen Händen spüren möchte, so wie ihr Hintern und alles weitere an ihr. Sie trägt nur einen winzigen Schurz, dort, wo es bei einem Weib ganz allerliebst zugeht. Aber so, wie sie da steht, ist sie wie eine Gestalt, von der die Mönche sagen, sie schickt der Teufel, um uns zu prüfen. Ich weiß nicht, was ich glauben soll, und starre sie bei allem, was sie tut, nur an. Sie dreht sich nicht zu mir um, keinmal hat sie das getan, seit wir diese Hütte betreten haben. Stattdessen kniet sie auf dem Boden, wo ein kleines Feuer brennt. Es schwelt nur mit schwachem Licht, und dünner blauer Rauch steigt auf, der mir aber nicht in der Kehle kratzt, sondern sehr gut riecht, wohl ein wenig schwer. Um das Feuer ist ein Kreis glatter schwarzer Holzstücke gelegt. Sie legt ein wenig Holz auf das Feuer, und sogleich lodert die Flamme größer. So kniet sie nur da und rührt sich nicht. Ich aber trete ein wenig näher und knie ebenfalls neben ihr nieder. Dabei betrachte ich sie erneut und sehe, wie schön sie ist. Sie kommt mir in jenem Augenblick begehrenswerter denn je vor, und mit einem Mal muss ich an Agustín denken. Seine Geschichten über all die Huren, die er beschlafen hat, und es war ihm nichts fremd. Aber ich wollte, er würde sie jetzt sehen, dieses Mädchen, das da sitzt im Schein dieses kleinen, hell lodernden Feuers, ihr Leib so makellos und glatt wie der einer Figur aus edlem Stein. Er wäre still, der alte Aufschneider, der er immer war. Madre mia, bei allen Heiligen von Pamplona und Cádiz! Diese Augen scheinen aus grünem Stein, der schlanke, feine Hals, das schwarze Haar, die zarten Wangen, der Mund, die leicht gebogenen Brauen – das Gesicht dieser Frau.

»Bei der heiligen Jungfrau«, sage ich, »was für ein herrliches Weib du bist!«

Sie lächelt, als ob sie meine Worte genau verstehen kann, und ich sehe ihren Mund an. Ihre Lippen glänzen feucht, und das

Licht des Feuers spiegelt sich darin. Sie erhebt sich mit einer Geschmeidigkeit, die ich nie zuvor bei einem Menschen sah. Nun sagt sie etwas, leise, fast schüchtern, als schäme sie sich ihrer Worte, und ist dabei mit zwei Schritten auf einer breiten Matte von geflochtenem Gras, die direkt auf dem Boden liegt. Sie setzt sich darauf, zieht ihre Beine an, so dass mir ihr Anblick gleich noch anmutiger erscheint als jeder Anblick zuvor, und dann winkt sie nach mir. Erneut spricht sie ganz leise ein Wort, und ich kann es nicht verstehen. Mit einer Hand klopft sie auf den Platz neben sich, und der ist frei und bietet Platz genug. Ich nicke, und zugleich regt sich in mir etwas, was sich lange nicht mehr geregt hat. Der Schmerz des Hungers in meinen Eingeweiden ist verschwunden, seit Tagen spüre ich das erste Mal kein Blut mehr zwischen den Zähnen und keine der zahllosen Wunden an meinem Leib. Die Bisse der Blutegel, die zahllosen Mückenstiche, der Schmerz in meiner Hüfte – alles fort. Stattdessen eine tiefe, wohlige Zufriedenheit, die ich lange nicht mehr erlebt. Im Nu bin ich bei ihr, und sie nimmt meine Hand und legt sie mir an die Wange. Ich atme die warme köstliche Luft, und ich spüre einen Duft von ihr, der mich fast schwindlig macht, so als hätte ich von dem schweren kastilischen Wein getrunken. Dann nimmt sie auch meine andere Hand und legt sie auf ihre Brust. Endlich darf ich tasten und fühlen, ich spüre ihr Herz, und ich spüre zugleich ein Beben in ihr. Sie lässt meine Hände los und zerrt mir das Hemd von den Schultern. Dies geht leicht, sind es doch nur Reste, und die längst in Fetzen. Dann sind ihre Hände auch an meinem Beinkleid, und es ist im Nu heruntergezogen. Ich fühle mich auf einmal rein und so sauber, als hätte ich Tage in warmem Wasser verbracht, und als sie nach ihrem Schurz, nur durch ein dünnes Stück Schnur gehalten, greift, helfe ich ihr, und sie lässt es geschehen. Sie schmiegt sich so sehr an mich, dass ich glaube, sie wird mich mit ihrer Nacktheit am ganzen Leib bedecken. Ich schlinge meine Arme um sie und drücke sie an mich. Ich will dieses Mädchen festhalten und nie wieder loslassen. Sie lacht leise, und wir sinken auf die Matte nieder, und alles um mich ist mir nicht mehr wichtig. Es gibt nur sie und mich, Luis Vargas, hier im tiefen Urwald bei den Waldmenschen, weit weg von zu Hause, weiter fort als je ein Spanier zuvor. Ich fürchte mich nicht mehr, denn ich habe auf einmal das Gefühl, nach einer langen Reise endlich angekommen zu sein. Nie zuvor war ich glücklicher und zufriedener. Das muss es sein, wovon der Conde in all seiner Wirrheit gesprochen hat: Ein Land, in dem es nichts Böses gibt, weil nichts böse ist. Dieser Ort ist hier, an diesem Platz, und ich habe ihn gefunden.

*E*inst, vor unendlich langer Zeit, haben von allen Bewohnern des Regenwaldes nur die Rabengeier das Licht und die Wärme gekannt. Bei ihren Flügen in großen Höhen fanden und fühlten sie voll Glück die wärmenden Strahlen der Sonne. Doch die »große Mutter« unter ihnen lag in finsterer Nacht und schlief und kannte keinen Tag und keine Helligkeit. Bis die schwarzen Rabengeier, große und mächtige, dunkel gefiederte Vögel, die in den warmen Aufwinden über dem Wald kreisen, beschlossen, der »großen Mutter« das Licht zu bringen.
Die *einzigen Menschen* behaupten, sie seien die ersten Boten des Tages.
So stiegen diese Vögel am frühem Morgen hinauf in die Luft, weit bis zur Sonne. Dort fingen sie in ihrem dichten Gefieder die Sonnenstrahlen ein, die das Licht und die Wärme bringen. Dann sanken sie hinunter bis zu den grünen Wipfeln des Waldes. Dort, auf den mächtigen Kronen, landeten sie und

breiteten ihre Schwingen aus, so dass jenes Licht sich verbreitete und ringsum alles erleuchtete und erwärmte. Kleinere Vögel, wie die Papageien, leuchtend grün mit rotem Bug und ebensolchem Gesicht, oder die roten Aras, taten dasselbe mit dem Sonnenlicht. Auch sie nahmen von dem warmen Licht, welches die Geier unter ihren Flügeln gebracht hatten, und flogen hinunter, ganz tief in den Wald. So brachten sie den Waldmenschen das Licht, den Indios aller Stämme, die im Wald leben.

Weil dieses Licht gerade ausreichte, um jene zu wärmen und ihnen Helligkeit zu bringen, war es im übrigen Urwald dämmrig fahl, fast ohne Helligkeit. So erzählten die Indianer aus dem großen Wald am großen Strom vom Beginn der Zeit und von dem Beginn jedes neuen Tages.

Es ist früher Morgen.

Ich bin aufgewacht, und das Mädchen liegt neben mir. Sie ist schön, so wie sie da liegt. Ich muss denken, wie es wäre, mit solch einem Weib zu leben. Jeden Morgen neben ihr zu erwachen und sie so zu sehen. In meinem eigenen Bett, in meinem eigenen Haus. Ein feines Haus mit wenigstens zwei Räumen, einer zum Leben und einer nur zum Schlafen. Die Wände weiß, und genug Geld, um sie alle zwei Jahre neu zu kalken. Dazu ein Dach aus festen Ziegeln von gebranntem Ton. Nicht das armselige Reisig aus der Gegend, aus der ich stamme.

Als ich mich aufrichte, erwacht auch das Mädchen. Sie sieht mich an und beginnt plötzlich leise zu weinen. Ich weiß nicht, warum sie dies tut. Ich strecke ihr meine Hand hin, und sie nimmt sie und hält sie an die Wange, und ich spüre ihre warmen Tränen. Die Stunden der letzten Nacht erscheinen mir vor Augen, und ich fühle mich wohl wie lange nicht mehr. Ich will aufstehen, aber sie umschlingt mich mit ihren schlanken Armen und hält mich fest. Sie will wohl nicht, dass ich gehe. Ich hatte es mir ausgemalt, hier zu bleiben. Der Conde bestärkte mich darin und sagte, die Waldmenschen würden mich zu einem der Ihren machen. Ich könnte hier bleiben, mit dem Mädchen leben. Aber das war gestern in der Nacht, wie in einem Traum. Vielleicht war es wirklich nur ein Traum? Heute denke ich anders. Ich sehe mein Bündel, gefüllt mit Gold und edlen Steinen. Und es ist mein! Für einen Moment denke ich daran, das Mädchen mitzunehmen, und mir fällt ein, ich weiß nicht einmal ihren Namen. Aber das kann ich gar nicht, denn der Weg zurück ist weit und gefährlich, und wer weiß, ob sie meine Welt versteht. Denn ich verstehe ihre nicht. Ich schüttle den Kopf und sage Adios. Ich weiß nicht, ob sie mich versteht. Aber ich weiß nun, ich will zurück an die Küste. Nur fort von dem seltsamen Conde und seinen wilden heidnischen Gesellen. Ich habe genug von ihm, und die Indios sind mir nicht geheuer. Sie sind diejenigen, die meine *compadres* abgeschlachtet haben wie Vieh. Ich will zurück nach Hause, und ich trage genug mit mir, um in der Heimat ein Leben in Saus und Braus zu führen.

Mit etwas Glück treffe ich auf einen Fluß. Dort werde ich mich auf einem der riesigen Baumstämme festhalten und mich auf ihm abwärts treiben lassen, denn die Flüsse hier münden alle in jenem Meer, über das wir vor langer Zeit gekommen sind. So sagte es einmal »el Fraga.« Er musste es wissen, denn niemand kannte dieses Land so gut wie er.

Samt meinem Bündel trete ich aus der Hütte. Es ist noch früh, und im Schatten ist es noch dunkel. Ich schleiche bis zum Rand des Urwaldes. Dort ist es hell genug, dass ich die Richtung weiß, wohin ich gehen will. Ich springe ein paar Schritte und bin im Wald. Hier sind schmale Pfade, welche die Krieger gehen, wenn sie auf die Jagd oder zu ihren Kriegszügen aufbrechen. Halleluja, ich kehre zurück zum

Meer, und ich werde über alles berichten, was mir und den *compañeros* widerfahren!
Seine Majestät selbst wird mich anhören.

Zwölf Krieger hockten auf dem Boden der niedrigen Hütte. Sie schienen zu warten. Sie schwiegen so lange, bis ein weiterer Indio eintrat, der Anführer. Urplötzlich stieß er einen grunzenden Ton aus, und die Indios waren blitzschnell auf den Beinen. Sie griffen nach ihren Waffen. Mannshohe Speere, Blasrohre, schmale Köcher mit Pfeilen und ihre ebenso großen Jagdbogen. Die nackten braunen Körper bemalt, die Füße bis zu den Knien schwarz, Hände und Arme bis zu den Schultern in derselben Farbe. Die Augen und die Stirn waren mit dunkelrotem Saft beschmiert, wie er auch in ihren kurz geschorenen Haaren zu finden war und auf ihrem Kopf auflag wie ein Helm aus roter Farbe.
So verließen sie die Hütte und zogen langsam durch die kleine Ansiedlung. Überall standen die Frauen und Kinder vor den Behausungen, wie auch die übrigen Krieger, die ihren Gefährten nicht folgten.
Sie schwiegen.
Als die Krieger an der Behausung des Conde ankamen, stand auch der vor seiner Hütte. Er hatte sich auf sein Schwert gestützt. Der Anführer der kleinen Kriegerschar sagte in seiner rauhen kehligen Sprache etwas zu ihm. Der Conde zögerte, und die Indios warteten, dann nickte und antwortete er. Es schien ein erneuter Handel zu werden, bei dem, was er da tat.
Der Anführer der Indios riss seinen Speer in die Höhe, drehte sich um, geschmeidig und blitzschnell in seiner Bewegung. Dann schleuderte er die Waffe, bis sie nach schnellem Flug im Boden stecken blieb. Zwei Schritte weiter begann

der Weg, der hineinführte in die dämmrige Unendlichkeit des grünen Waldes.

»Dummkopf«, murmelte der Conde für sich. »*Tercio*, du bist wie alle Menschen. Tauscht das Glück gegen Gold.«

Der Conde nickte den Kriegern zu. Die Indios rannten voller Vorfreude los, die anderen Dorfbewohner schrien laut, und der Wald hallte wider von dem Lärm.

Es waren zwölf Jäger, und sie gingen auf die Jagd. Dies war Teil eines erneuten Handels zwischen dem Conde Ricardo de Molinar und den Waldindianern.

*I*ch bin lange Zeit unterwegs.

Ich bin recht müde, und der Wald sieht überall gleich aus. Meine Schätze wiegen schwer, aber ich will nichts davon zurücklassen, obwohl mich meine Schultern vom Tragen der beiden Säcke bereits schmerzen. Es sind wohl zwanzig Pfund an Gold und feinen Steinen, die ich mit mir trage. Dazu kommt ein Schlauch voll Wasser, eine Hängematte zum Schlafen und ein Schwert. Das Weib hat es für mich gestohlen. Seltsam ist es schon. Ich habe nie ihren Namen erfahren und dies, obwohl ich ihr so nahe war, wie sich Menschen nur nahe sein können. Ich muss immer wieder an sie denken, sehe ihre grünen Augen, ihren Leib, um gleich darauf meine Gedanken auf andere Dinge zu zwingen: Wie ich den Marsch durch den Wald und zum nächsten Wasser schaffen werde. Ich hoffe, bald auf einen Wasserlauf oder noch besser, auf einen breiten Fluss zu treffen. Dann will ich seiner Strömung folgen, so weit ich kann. So habe ich immer Wasser zum Trinken und kann mit einer Schnur fischen oder mit Gottes Hilfe etwas finden, was sich essen lässt. Dieses Wasser führt hin zur Küste, dessen bin ich mir sicher. Erst einmal dort angekommen, werde ich mit Gottes Hilfe wohl auf ein

Schiff treffen, das zurück nach Spanien segelt. Und wenn es keine Spanier sind, dann eben Portugiesen, oder Holländer, wer weiß?

Jetzt bin ich ein wenig müde und will mich ausruhen, aber nicht hier. Auf dem Boden hier wimmelt es von Ameisen. Sie sind die wahren Herren des Erdbodens, gut ein Fingerglied lang, mit einem Gebiss, alles angreifend, was sich bewegt, um sich und die ihren zu ernähren. Zudem drückt mich mein Bauch, und ich will pissen. Ich tu's und muss an Agustín denken, wie er sich nie getraut hat, in den Wald zu schauen. Die Erinnerung an ihn und die anderen *compadres* lasse ich in der Erde hier zurück, in diesem Wald. Der Conde soll ruhig mit den unheimlichen Wilden hausen, ich beneide ihn nicht. Nur um die gewaltigen Schätze tut es mir Leid. Heilige Mutter unseres Herrn Jesu Christi, was hätte ich davon alles kaufen können! Aber wie sollte ich es tragen? Aber so oder so, mit dem, was ich bei mir trage, kehre ich heim nach Spanien und werde dort ein herrliches Leben führen. Daran glaube ich.

Als ich aufsehe, steht ein Indio vor mir, kaum drei Schritte entfernt. Er grinst mich an und hebt einen Speer. Ich erschreck mich fast zu Tode und laufe, so wie ich bin, los. Aber mein Bündel ist gar schwer, und ich komme nicht recht vom Fleck.

Als ich mich umdrehe, sind es bereits zwei.

Ich haste los, teile mit dem freien Arm den Wald, all das Grün, und mich kümmert kein Giftgetier, was hier auf mich lauern könnte. Ich laufe in dieser feuchten Hitze, laufe, so schnell ich kann. Ich atme schwer, und ständig bleibe ich in dem dichten Grün irgendwo hängen, so als will mich der Wald halten, nicht gehen lassen. Aber ich will weit fort von diesen zwei Wilden, die, schauerlich bemalt, mit rotem Haar und mit großer Kraft, mir ganz ohne Mühe folgen.

Vor mir ragt ein Baum auf, mächtig und mit einem riesigen Stamm. Dort werde ich halten, und mein Bündel ein wenig ordnen. Da bewegt sich der Baumstamm, und als trete er aus dem Holz, steht ein weiterer Indio vor mir.

Da schreie ich vor Schreck laut auf und bin doch im gleichen Augenblick voll Wut darüber, dass ich mich so hab erschrecken lassen. Aber es ertönen weitere Schritte, und wohin ich mich auch wende, sehe ich die Wilden.

Was wollen sie von mir?

Ich laufe ein Stück des Wegs zurück, den ich soeben gekommen bin. Sie sind mir zwar gefolgt, aber sie kommen nicht näher, sondern lassen nur ihre lauten schrillen Schreie ertönen. Es ist ihr Schlachtruf, den ich auch hörte, als sie uns vor Tagen im Wald stellten und die *compañeros* niedermachten. Ich muss es bis zum Fluss schaffen, so denke ich mir.

Der Fluss!

Ich kehre um, und erneut führt mich mein Weg in die Richtung, in der ich das Wasser vermute. Ich laufe, falle und schreie, weil ich denke, sie sind bereits über mir, raffe mich wieder auf, denn ich bin allein, und doch sind sie bei mir. Ich kann sie spüren, ich höre sie, ich rieche sie. Auf einmal glaube ich, Wasser rauschen zu hören.

Der Fluss!

Ich rieche seine Frische. Gerettet! Hallelujah, ich bin gerettet! Weil ich kein Feigling bin. Ich nicht! Nein, kein Feigling, so wie Agustín, der sich immer selbst bepisst hat. Ich bin Luis Vargas, und ich kehre zurück nach Spanien, heim in mein Dorf in die Extremadura, und ich werde ein *hidalgo* und nie mehr arm sein, mein Leben lang.

Der Fluss! Bis zum Fluss! Bis zum Fluss.

Ich renne, so schnell ich kann, aber mein Schwert behindert mich und dazu meine schwere Last. Da steht ein weiterer Indio vor mir. Er wartet, ob ich innehalte, und ich tu es. Wir stehen uns eine ganze Weile gegenüber und starren uns an. Die anderen sind rings um mich her, kaum eine Hand voll Schritte entfernt.

Ich lass mein Bündel mit dem Wassersack und der Hängematte fahren. Nur das Gold trage ich weiter bei mir. Da springe ich neben dem Heiden vorbei und renne wieder los. Aber ich komme nicht weit. Es sind zwölf Wilde, und sie kreisen mich ein. Sie kommen näher und näher, und sie grinsen mich an. Ihre widerwärtigen Fratzen möchte ich am liebsten mit meinen Schwert verzieren. Madre dios, hätte ich doch nur ein Faustrohr, gestopft mit Schrot oder gehacktem Blei!

Sie wollen mir Böses.

Aber ich will leben, und was ich mit mir trage, ist mein! Meine Beute, mein! Der Conde hat es gesagt! Nimm so viel du willst und so viel du tragen kannst! Zwanzig Pfund Gold und Edelsteine! Pfand und Lohn für ein besseres Leben in der Heimat. Als Conquistador und nicht als armer *peón* will ich zurückkehren in mein Dorf. Niemand wird mir dies nehmen, niemand, denn sonst müsste er meine Klinge fürchten. Ich bin Luis Vargas, ein *tercio* aus Spanien, Fußsoldat und bester Kämpfer unserer Tage. Ich fürchte nichts außer Gott den Allmächtigen selbst!

»Santiago!«, schreie ich, und dabei ziehe ich mein Schwert. Ich stürze auf die ersten zwei dieser Teufel, aber sie stecken ihre langen Speere zwischen meine Beine, und ich stolpere. Sogleich sind sie und die anderen bei mir und reißen mich zu Boden, halten mich fest. Mein Schwert werfen sie fort. Dann binden sie mich und lassen sich in der Hocke um mich herum nieder. Ihr Anführer nimmt einen Beutel aus Gras von seinem Hals. Er macht ihn auf und legt ihn auf den Boden. Dann geht er zu meinem Bündel, kramt in all dem Gold und nimmt einzelne Stücke daraus in seine Hand.

»Lass das liegen, du Hurensohn!«, schreie ich, »das ist mein, alles mein!«

Er kümmert sich nicht um meine Worte. Er nimmt einige Stücke und wirft sie seinen Gefährten zu. Die fangen sie und lachen, fangen sie auf, als wäre es Kindertand, und werfen sie dann mit weitem Schwung hinaus in den Wald. Ich brülle laut und knirsche mit den Zähnen vor Wut. Ihr Anführer tritt auf mich zu und öffnet seine Faust. Darin liegt ein Goldklumpen, und plötzlich spricht er zu mir in langsamen spanischen Worten.

»Wie … Name von … diese Stein?«

Ich denk mir, dass ich gleich toll werde vor lauter Wut.

»Gold!«, schreie ich.

»Das ist Gold, ein feines Gold! Gold, Gold! Hörst du, Hurensohn?! Gold! Und es gehört mir! Mir allein!«

Da lacht er plötzlich, und auch seine Gefährten ringsum beginnen zu lachen.

»Gold«, sagt er und lacht dabei.

Er tritt auf mich zu, zwingt meine Lippen auseinander und steckt mir den Klumpen ins Maul. Er steht ganz nahe vor mir, und sein Atem trifft mein Gesicht, als er spricht.

»Gold!«, sagt er noch einmal und hält mir mit seiner Hand den Mund zu.

Ich will schreien, aber seine Hand ist wie eine Klammer aus Eisen. Ganz fest hält er mir den Mund zu. Ich kriege kaum Luft und versuche, den Kopf zu drehen. Es gelingt mir ein wenig, und ich sehe, wie einer der Heiden dem Mann eine Nadel reicht, an der ein Faden ist, so wie ihn die Schneider haben. Da weiß ich auf einmal, dass ich Spanien nie mehr wiedersehen werde.

Glossar

ad partes america   (lat.) »nach den Gegenden Amerikas«.
Diese Bezeichnung bürgerte sich bei den Spaniern
bald nach der Entdeckung Amerikas im Sprach-
gebrauch ein. Amerika oder »America Provincia«
wurde die Neue Welt erst in der zweiten Hälfte des
17. Jahrhunderts korrekt so genannt.

Arkebuse   Sammelbezeichnung für eine Reihe leichter,
tragbarer Langwaffen des 15. und 16. Jahrhunderts.
Deutschen Ursprungs, war diese erste Feuerwaffe
etwa ein Meter zwanzig lang, wog bis zu vier Kilo und
wurde von der europäischen Infanterie, bald auch von
der Kavallerie verwendet. Die Pulverladung am Ende
des eisernen Laufes wurde mittels einer Lunte
gezündet. Mit dieser Zündung ließ sich eine Kugel
oder eine Schrotladung, vorher in den Lauf gestopft,
abfeuern. Die Reichweite lag je nach Ladung bei etwa
hundertachtzig Metern. Die Arkebuse blieb bis zur
Einführung der verbesserten Muskete im späten
16. Jahrhundert in Gebrauch.

Balboa, Vasco Nuñez de (1475–1517)   Spanischer
Entdecker des Pazifischen Ozeans (»Südmeer«).
Der Sohn einer verarmten Adelsfamilie aus der
Extremadura zog 1500 in die neue Welt und ließ sich
in Hispaniola (Kuba) nieder. 1510 flüchtete er vor
seinen Gläubigern nach San Sebastián, einer Festung
an der Küste Panamas. Er übernahm dort das Ober-

kommando einer Expedition über die Landenge zur Küste des Pazifiks, den er am 23. 09. 1513 erreichte. Ferdinand, der Katholische, König von Spanien ernannte ihn dafür zum Gouverneur (*Adelantado*) der Südsee. Gleichzeitig sandte er einen spanischen Gouverneur, Pedro Arias de Avila, nach Panama. Balboa bemühte sich um den Bau einer kleinen Flotte, um das Südmeer weiter erforschen zu können. Dies weckte die Missgunst von de Avila, und er ließ Balboa unter der Anklage des Hochverrates verhaften, in einem Schauprozess verurteilen und kurz darauf hinrichten.

Bélzares   (span.) Welser. Die berühmte Kaufmannsfamilie aus Augsburg wurde im Spanischen so genannt.

Bidhänder   (altdeutsch) »Mit beiden Händen«, als Schwert, das mit beiden Händen geführt wurde, waren Bidhänder zum Ende des Mittelalters vornehmlich Richtschwerter. Deutsche Landsknechte benutzten diese Langwaffe noch bis zum Beginn des 16. Jahrhunderts.

Cancellarius   (lat.) Schriftführer, aber auch Vorsteher. Bezeichnung für einen Beamten, der mit wichtigen Aufgaben betraut, besondere hoheitliche Interessen wahrnahm.

Cisnero, Jiménenz de   Erzbischof von Toledo, Großinquisitor des spanischen Reiches.

Colón   Der ursprüngliche Name des Entdeckers Christoph Kolumbus lautete Christopherus Colón, bekannt als der »Genueser«, nach seinem Geburtsort Genua. Daraus resultiert auch die Erklärung für den lateinischen Ausspruch *Genuensis, ergo mercator, Genuese, also Kaufmann*. Das Wort bezieht sich auf die Bewohner von Genua, die sich einen Ruf als emsige Kaufleute in der abendländischen Welt erworben hatten.

Colón, Diego (1478–1526)   Der älteste Sohn des Cristoph Kolumbus (Colón) erbte nach dem Tod seines Vaters dessen Vermögen und Ansprüche auf die neu entdeckten Gebiete Amerikas. Er war 2. Vizekönig und oberster Admiral Westindiens. Zeit seines Lebens musste er um seine Ansprüche einen Rechtsstreit führen, und er starb, bevor ein Gerichtsurteil seine Ansprüche bestätigte. Erst sein Sohn Luis Colón lenkte 1536 in einem Vergleich ein. Er überließ der Krone riesige Landgüter auf Jamaika und Panama aus dem Besitz der Familie gegen einen Admiralstitel.

Condotta   (ital.) Truppen, überwiegend italienische Söldner, die erfolgreich gegen die schweizerische Infanterie kämpften.

Condottiere   (ital.) Söldnerführer, die als regelrechte »Kriegsunternehmer« sich zusammen mit ihrer Truppe *(= Condotta)* seit dem 14. Jahrhundert an vornehmlich italienische Feudalherren vermieteten.

Conversos   (span.) Konvertierte, zum katholischen Glauben übergetretene Gläubige.

Comedia (ital.) Komödie, eigentlich komische, humoreske Szene. Wandelte sich erst später in eine eigene Form.

cortador (span.) Die alten Steineichen in vielen Provinzen Spaniens (z. B. in der Extremadura) wurden von armen Wanderarbeitern (cortadores) jedes Jahr neu beschnitten, damit der Ertrag an Eicheln größer wurde.

Dagasse (lat.) Auch »*Ochsenzunge*«, »cinque dea« (fünf Finger breit), »sang-de-dez« oder »san-de-dei« genannt. Ein Dolch mit besonders breiter Klinge, der ab dem Jahr 1500 bei vielen Fußsoldaten jener Zeit als Waffe im Gebrauch war.

Degen Im 15. Jahrhundert begann sich das klassische Schwert in seiner Form und seinem Aussehen zu verändern. Die Klinge wurde schmaler und im Querschnitt dünner, Parierstange und Griff länger und feiner. Damit ist ein *Degen* allgemein leichter und seine Klinge schlank. Mit dem Begriff *Degen* ist in jener Zeit ein eher leichtes Schwert gemeint. Zugleich änderte sich der Kampfstil: Mit dem leichten Schwert bzw. Degen kam es in einem Zweikampf vor allem auf Schnelligkeit und Körperbeherrschung an.

Gama, Vasco da (wahrscheinlich um 1468–1534) Portugiesischer Seefahrer, der als erster Europäer Indien auf dem Seeweg erreichte.

Hidalgo (span.) Einfacher Landadel, auch Großgrundbesitzer. Den Rang eines Hidalgo konnte man sich auch erkaufen und war deshalb von der Elite des spanischen Adels nicht anerkannt.

Hispaniola (span.) Kuba. Die Spanier bezeichneten die Insel und zugleich die erste offizielle Besitzung der Krone in Mittelamerika so.

d'Este, Isabella (1474–1539) Markgräfin von Mantua. Im Gesellschafts- und Kulturleben eine der einflussreichsten Frauen Europas. Kunstmäzenin und bekannteste Person ihrer Zeit. Sie wurde u. a. von Tizian gemalt. Dieses Porträt hängt heute im Nationalmuseum in Wien und gilt als sehr authentisches Abbild der Frau, die in der Hochrenaissance Maßstäbe im Hinblick auf Sitten, Geschmack und Mode der Zeit setzte.

Luteranos (span.) Bezeichnung für alle Nichtkatholiken, die anderer Konfession als Mohammedaner oder Juden waren. Für die strenggläubigen katholischen Spanier waren die *luteranos* gleichbedeutend mit Heiden oder dem Teufel.

Mater de la rosa (span.) Name der heiligen Maria, Jesusmutter, also Mutter Gottes.

Pasos (span.) Bezeichnung einer kurzen Szene im spanischen Theater mit komischem Charakter. Diese kurzen *pasos* wurden auch in rein dramatischen Werken eingebaut oder als kurze Szene (*farce*) vor dem Publikum gespielt.

Pilot (span.) Ursprüngliche Bezeichnung für den Steuermann auf den spanischen Segelschiffen.

Reconquista   (span.) Die endgültige Vertreibung der Mauren aus Spanien und die gleichzeitige Einigung des Landes durch Isabella von Kastilien (1474–1504) und ihren Mann, Ferdinand von Aragonien (1479–1516). Zugleich gilt diese Epoche als Beginn der Weltmacht Spanien.

Reglement   (lat.) Eine besondere Handlung der Kirche und der Landnahme gleichermaßen, deren Ursprung einem spanischen Gesetz zugrunde liegt. Nahm Spanien ein neues Land in Besitz, wurde vor seiner Bevölkerung (= Indios) die Inbesitznahme durch die spanische Krone, genannt Reglement, verlesen. Danach war die Anerkennung der Spanier durch die Ureinwohner selbstverständlich. Lehnten sich jetzt die Bewohner gegen die Art der Eroberung auf, waren die Conquistadores berechtigt, die Aufständischen in Ketten zu legen und wie Sklaven zu behandeln.

Sargasso   (span.) Die Sargassosee, ein Meeresgebiet in der Karibik, hat Christoph Kolumbus bereits auf seiner ersten Reise 1492 beschrieben.

Stilett   (ital.) Ein Dolch mit langer, auffallend schlanker Klinge, immer beidseitig geschliffen. Beliebte Nahkampfwaffe, vor allem in der Renaissance.

Tercio   (span.) Söldner aus dem Norden der Iberischen Halbinsel. Sie galten zu jener Zeit als beste Soldaten Europas und waren mit Spießen und Speeren, Arkebusen und Armbrust und dem Schwert bewaffnet.

tertiäres Fieber Bezeichnung der Europäer für die Malaria, die in fast allen Fällen zum Tod führte.

Peinliche Befragung Umgängliche Beschreibung der Folter.

Karavelle (niederl.) Ursprünglich die holländische Bezeichnung für ein schweres Handelsschiff aus dem späten Mittelalter, bezeichneten auch die Spanier ihre Schiffe so.

Karl V., (1506–1556) Habsburger auf dem Thron Spaniens von 1518–56, zugleich deutscher Kaiser.

Pistolese (ital.) Mittelding zwischen Schwert und großem Messer. Wurde gerne als zweite Waffe bei einem Fechtkampf in der linken Hand geführt.

Schiavone (ital.) Ein schlankes Schwert, meist prächtig gearbeitet und immer Einzelstück eines bekannten Waffenschmieds.

Literaturangaben:

Die folgenden Angaben enthalten die wichtigsten Quellen, die dem historischen wie auch dramaturgischen Rahmen dieses Buches dienen. Vor allem die damaligen Begebenheiten und Ereignisse, wie auch die Zitate jeweils zu Beginn der einzelnen Kapitel entstammen diesen Quellen.

Die biblischen Zitate stammen allesamt aus der Heiligen
Schrift, Buch 1. Mose.
Die überlieferten Worte des Christoph Columbus
stützen sich auf Cristóbal Colón, Textos y documentos completos. Prólogo y notas de consuelo
Varela, Madrid 1982, Deutsche Übersetzung.

Die Sichtweise der spanischen Chronisten vertreten u. a.
stellvertretend für viele weitere Augenzeugenberichte Gonzalo Fernández de Oviedo, Historica
General y Natural de las Indias. Edición y Estudio
prelimar de Juan Pérez de Tudela Bueso,
5 Bde., Madrid 1959, Deutsche Übersetzung.

Die Erkenntnisse über die Inbesitznahme des Südmeeres durch Vasco Nuñez de Balboa übersetzte
Liselotte Engl für die deutsche Ausgabe des Buches
»Geschichte der europäischen Expansion«,
E. Schmitt (Hrsg.) 1984.

Weitere Titel über Christoph Columbus:

Christoph Columbus, Dokumente seines Lebens und seiner
    Reisen. 2 Bde., auf der Grundlage der Ausgabe von
    E. G. Jacob (1956) erweitert, neu herausgegeben und
    eingeleitet von F. Berger, Leibzig 1991.

Das Zitat aus dem Columbusbrief stammt aus dem Buch
    »Der deutsche Kolumbus-Brief«, Straßburg 1900,
    E. Well (Hrsg.) De Insulis inventis; Ein schön hübsch
    lesen. Faksimile der lateinischen und deutschen
    Ausgabe, München 1922.

Die Entdeckung und Eroberung Amerikas 1492–1550 /
    herausgegeben von Hans-Joachim König, Freiburg
    In diesem Buch werden die wichtigsten Entdec-
    kungen der Conquistadoren vorgestellt.
    Für weitere Recherchen benutzte ich neben zahl-
    reichen Artikeln, Berichten und Aufzeichnungen
    vor allem folgende Werke:

Auf der Suche nach dem Goldenen Mann –
    Die Geschichte von El Dorado, Victor von Hagen,
    Deutsch von G. Kilpper, Reinbeck.

»Die fünfte kurze wunderbare Beschreibung deß
    goldreichen Königreichs Guinea in America
    oder neuwen Welt.«, Walter Raleighs Reise-
    bericht 1599, Deutsche Übersetzung aus dem
    Jahr 1612.

Spanien im Goldenen Zeitalter – Kultur und Gesellschaft
    einer Weltmacht von Marcelin Defourneaux,

Deutsche Übersetzung von Eva Marie Herrmann im
Jahre 1986, Stuttgart.

Gold und Macht – Spanien in der neuen Welt
Der gleichnamige Katalog zur Ausstellung im Haus
der Kunst in München, 1987.
Die Beschreibung der Schmuckstücke basiert auf
überlieferten Originalen, die in der gleichnamigen
Ausstellung zu sehen waren und entsprechend im
Buch beschrieben werden.

Ilan Rachum, Illustrierte Enzyklopädie der Renaissance,
erschienen 1980 in Israel, ins Deutsche übersetzt von
Hermann Teifer, Athenäum-Verlag Jerusalem.
Aus diesem Band stammen die Angaben über alle
übrigen Personen und Daten, soweit sie als historisch
fundiert der Geschichte dieses Romans dienlich
waren. Auch einige Kurzkommentare zur Erläu-
terung von Begriffen aber auch Beschreibungen
stammen aus diesem Buch.

Im vorliegenden Roman werden u. a. folgende Autoren
erwähnt:

Petrus Alliacus (Pierre d'Ailly) »Tractatus de imagine
mundi, 1410«
Aeneas Silvio Piccolomini »Historia reum ubique
gestarum locorumque descriptio«, 1461, Geo-
graphische Beschreibung der Erde.
Beide Autoren gingen von einer möglichen Kugel-
gestalt der Erde aus. Es ist mit großer Wahrschein-
lichkeit anzunehmen, dass Christoph Columbus
beide Texte kannte und in seiner Entscheidung,

Indien auf dem Seeweg zu entdecken, davon beein-
flusst wurde.

Das historische Wissen über den Beginn der Eroberung Süd-
amerikas einschließlich Mexikos ist sehr umfangreich. Noch
immer gibt es Lücken, die noch viel Forschungsarbeit erfordern. So ist diese Geschichte eine reine Fiktion, auch wenn
viele Begebenheiten und Figuren darin historisch verbürgt
sind.

Roland Mueller
Januar 2001

Roland Mueller
Der Goldschmied

Eine Lesereise durchs Mittelalter, die einen farbigen Bogen
von London über Augsburg nach Venedig spannt.

Als der junge Gwyn Carlisle in London seine Ausbildung
zum Goldschmied beginnt, wird bald klar, dass er über au-
ßergewöhnliches Talent verfügt. Er findet Aufnahme bei einem der berühmtesten Meister, Randolph Borden, der ihn
nach Kräften fördert. Gwyn ist jedoch bald in tiefe Leidenschaft zu der jungen und schönen Frau des Meisters ver-
strickt – eine Liebe, die ihm nach dem Tode des Meisters fast
zum Verhängnis wird und ihn zur Flucht quer durch Frankreich bis nach Augsburg und Venedig treibt.

Ein neuer Autor – und sein faszinierender Roman
aus dem mittelalterlichen Europa.

Knaur

Ulrike Schweikert
Die Tochter des Salzsieders

Roman

Das mittelalterliche Leben einer deutschen Stadt und die Geschichte einer außergewöhnlichen jungen Frau. Anne Katharina Vogelmann ist die Tochter eines wohlhabenden Salzsieders und unzufrieden mit ihrer Rolle als das sittsame Mädchen, das nur auf den Ehemann zu warten hat. Ihr beschauliches Leben ändert sich, als sie dunkle Geheimnisse und sogar einen Mord entdeckt. Die Spur führt in ihre eigene Familie …

Ein hervorragend recherchierter und mitreißend geschriebener historischer Roman von einer viel versprechenden jungen Autorin.

Sie hat vier Berufe – aber nur eine Berufung: Die Schwäbin Ulrike Schweikert schreibt in ihrer Freizeit Romane. Mit *Die Tochter des Salzsieders* gelang ihr der erste Durchbruch.

Knaur